DENTE POR DENTE

Jenny Han
e
Siobhan Vivian

Dente por Dente

Tradução
Maria Angela Amorim de Paschoal

Novo Conceito

Publicado sob acordo com Lenart Sane Agency AB.
Título original: Fire with Fire

1ª Impressão — 2013

Produção editorial:
Equipe Novo Conceito
Impressão e Acabamento RR Donnelley 151013

Este livro segue as regras da Nova Ortografia da Língua Portuguesa.

Dados Internacionais de Catalogação na Publicação (CIP)
(Câmara Brasileira do Livro, SP, Brasil)

Han, Jenny
Dente por dente / Jenny Han, Siobhan Vivian; tradução Maria Angela Amorim de Paschoal. -- Ribeirão Preto, SP: Novo Conceito Editora, 2013.

Título original: Fire with fire.
ISBN 978-85-8163-340-4

1. Ficção norte-americana I. Vivian, Siobhan.
II. Título.

13-10378 CDD-813

Índices para catálogo sistemático:
1. Ficção : Literatura norte-americana 813

Novo Conceito

Rua Dr. Hugo Fortes, 1885 — Parque Industrial Lagoinha
14095-260 – Ribeirão Preto – SP
www.editoranovoconceito.com.br

Um toque de vingança eu experimentara pela primeira vez, mais se parecia com um vinho aromático, deslizando quente e picante: seu sabor residual metálico e corrosivo deu-me a sensação de ter sido envenenada.

CHARLOTTE BRONTË

DENTE POR DENTE

CONTINUAÇÃO DE OLHO POR OLHO

LILLIA

Não consigo decidir-me sobre o que vestir. A princípio, pensei em algo casual como jeans e uma camisa, mas depois achei melhor não, caso os pais dele estejam lá. Eu deveria usar um vestido, algo mais sério, como meu vestido cinza de decote redondo com a cintura marcada por um cinto. Mas então achei que poderia parecer roupa de enterro, assim experimentei um vestido de seda amarelo, mas aquilo pareceu primaveril demais, alegre demais.

As portas do elevador se abrem, e eu saio no saguão. É segunda-feira de manhã, bem cedo, uma hora antes do início das aulas. Estou carregando uma cesta de vime repleta de cookies recém-assados com pedaços de chocolate e um cartão de convalescença coberto de beijos de batons rosa e vermelho. Estou usando suéter marinho de gola alta e minissaia bege, meia-calça creme, botas de camurça marrom de cano curto e salto alto. Fiz cachos em meu cabelo, prendi uma parte no alto e deixei a outra solta.

Aposto que não pareço tão culpada quanto me sinto.

Pelo menos não foi tão ruim como poderia ter sido — é isso que fico dizendo a mim mesma. À noite tudo certamente parecia horrível demais. Foi terrível. Assistir a Reeve despencar do palco e cair no chão da quadra num amontoado retorcido... é algo que eu nunca esquecerei. Mas não houve nenhum dano à coluna, apenas alguns machucados e hematomas. Seu único ferimento foi uma perna quebrada. Que, eu sei, não é nada bom. Ele teria sido liberado mais cedo se o hospital não tivesse resolvido realizar uma série de exames para assegurar-se de que Reeve não sofreu nenhuma convulsão. Até onde sei, eles não fizeram nenhum teste antidrogas. Eu tinha certeza de que fariam, no entanto Kat sabia que eles não perderiam tempo fazendo isso em alguém como Reeve, um atleta. Então, ninguém ficou sabendo sobre o ecstasy que eu coloquei na bebida dele. Reeve não será suspenso, e eu não irei para a cadeia. Ele deve ter alta ainda hoje.

Acho que ambos escapamos fácil dessa.

Agora temos de voltar para nossas vidas normais. Não importa o que isso significa. Depois de tudo que aconteceu este ano, não sei se algum dia voltarei a me sentir "normal", nem mesmo sei se quero isso. É como se tivesse havido uma pré-Lillia, e agora houvesse uma pós-Lillia. A pré-Lillia não se preocupava com nada na vida, não sabia nada. A pré-Lillia não conseguiria lidar com nada disso — ela nem sequer sabia o que fazer consigo mesma. Agora eu sou bem mais forte, não mais tão meiga e pura. Passei por muitas coisas, eu vi coisas. Não sou mais aquela garota da praia. Tudo aquilo mudou no momento em que conheci aqueles caras.

Eu costumava ficar apavorada só de pensar em sair da Ilha Jar, de estar longe da minha família e dos meus amigos. Mas agora penso que, quando estiver na faculdade, no ano que vem, ninguém saberá, ninguém conhecerá a pré-Lillia ou a pós-Lillia. Serei apenas Lillia.

A mulher no balcão da recepção sorri e me pergunta:

— Você está aqui para ver nosso famoso jogador de futebol?

Esboço um sorriso de volta e aceno com a cabeça.

— Ele está no final do corredor.

— Obrigada — digo, e então pergunto: — Tem alguém lá com ele?

— Aquela moreninha bonita — diz a mulher com uma piscadela.

Rennie. Acho que ela não saiu do lado dele desde sábado à noite. Liguei para ela duas vezes, mas ela não me ligou de volta. Provavelmente ainda está irritada com o fato de eu ter sido coroada rainha do homecoming no lugar dela.

Eu caminho pelo corredor segurando com força minha cesta e o cartão. Odeio hospitais, sempre odiei. As luzes florescentes, os cheiros... Quando era pequena, eu tentava segurar a respiração o máximo que podia. Eu sou boa em segurar a respiração agora, porém não faço mais esse jogo.

À medida que me aproximo do quarto dele meu coração bate mais acelerado. Tudo o que consigo ouvir é o som dos meus batimentos e o estalar dos meus saltos no piso.

Estou parada do lado de fora do quarto de hospital agora. O nome dele está escrito na porta. A porta está quase toda fechada. Coloco minha cesta no chão para poder bater, e então escuto a voz de Reeve, desafiadora e rouca: — Eu não me importo com o que os médicos dizem, não tem como meu tempo de recuperação ser tão longo assim. Estou no máximo da minha condição física. Estarei de volta aos campos em pouco tempo.

Ela funga.

— Vamos mostrar a eles, Reevie.

Alguém passa do meu lado. Uma enfermeira.

— Desculpe-me, querida — diz ela alegremente e escancara a porta. A enfermeira empurra a cortina que divide o quarto ao meio e depois desaparece do outro lado.

E então lá está Reeve num camisolão desbotado de hospital. Ele não se barbeou e tem um pouco de barba crescida no seu queixo e círculos escuros sob os olhos. Ele está com um cateter de soro preso num de seus braços e sua perna está imobilizada num gesso enorme, desde o pé até a coxa. Seus dedos do pé, que eu posso ver saindo do gesso, estão roxos e inchados. Seus braços também estão cheios de cortes começando a cicatrizar, provavelmente causados pelos vidros quebrados que caíram por cima de todo mundo naquela noite. Alguns dos ferimentos maiores foram suturados com fios escuros. Ele parece estranhamente pequeno naquela cama de hospital. Nem um pouco parecido consigo mesmo.

Os olhos de Rennie estão vermelhos, e eles se estreitam quando ela me vê.

— Oi.

Engulo em seco e levanto meu cartão.

— É das garotas da equipe. Elas, todas elas, desejam sua melhora. — Então eu me lembro dos cookies. Eu me mexo para entregar a cesta a Reeve, porém mudo de ideia e a coloco numa cadeira perto da porta. — Eu trouxe alguns cookies para você. Eles têm pedaços de chocolate, acho que me lembro de você ter gostado deles quando os assei para a venda de bolos do Key Club ano passado. — Por que ainda estou falando?

Reeve rapidamente enxuga os olhos com o lençol da cama, e diz rispidamente:

— Obrigado, mas eu não como besteira durante a temporada de futebol.

Não consigo evitar. Eu encaro seu gesso.

— Certo. Sinto muito.

— O médico vai chegar a qualquer minuto para dar alta a ele — diz Rennie. — Acho que você deveria ir embora.

Posso sentir meu rosto enrubescer.

— Ah, claro. Fique bem, Reeve.

Não sei se estou imaginando isso, mas, quando ele me olha por cima dos ombros de Rennie, acho que vejo ódio nos olhos dele. Então ele os fecha.

— Tchau — diz ele.

Estou a meio caminho do corredor do hospital quando paro e finalmente solto a respiração. Meus joelhos estão tremendo. Ainda estou segurando o cartão nas mãos.

KAT

— Morreu — digo, e deixo minha cabeça cair sobre a direção do carro. — Morto como um prego.

Meu irmão mais velho, Pat, limpa as mãos num pano sujo. — Kat, deixe de ser tão melodramática e gire essa droga de chave novamente.

Eu faço como ele mandou. Giro a chave na ignição do nosso conversível. Não acontece nada. Nenhum som, nenhum estrondo. Nada.

— Isso é burrice. — Digo isso porque muito embora Pat saiba o que está fazendo quando é algo relacionado a motores, não tem como ele salvar esse calhambeque. Nossa família precisa de um carro novo, ou, pelo menos, de um que tenha sido produzido nessa droga de década. Eu subo e bato a porta com tanta força que o conversível inteiro treme. Eu não quero ir a pé para a escola, congelando meu traseiro neste inverno. Ou, pior ainda, tomar o ônibus. Alô-ô! Eu sou uma veterana.

Pat me lança um olhar enfezado e volta para o motor. Ele abriu por completo o capô e se inclinou para a frente, entre os faróis. Alguns dos amigos de Pat estão agrupados em volta dele, observando enquanto tomam as cervejas do nosso pai. É o jeito favorito deles de passarem uma segunda-feira à tarde. Pat pede para Skeeter lhe passar uma chave de fenda e então começa a bater com ela numa coisa metálica.

Eu dou a volta por trás do meu irmão.

— Talvez seja a bateria — digo. — Acho que o rádio desligou antes de o motor morrer. — Isso aconteceu esta tarde. Decidi matar a oitava aula e ir até a casa de Mary. Eu queria ver como ela estava porque não a encontrei nos corredores. Aposto que ela deve estar abalada demais com o que aconteceu no baile para ir à escola. Ela ficou apavorada, e estava morrendo de medo de que Reeve tivesse ficado muito machucado. Coitadinha. Mas não consegui chegar lá. O carro morreu bem ali no estacionamento da escola.

Meu primeiro pensamento foi *Será que isso é carma*?

Por tudo o que é mais sagrado, espero que não.

Pat se vira para pegar outra ferramenta e quase bate no meu traseiro.

— Deus do céu, por que você não relaxa um pouco? Vá fumar um cigarro ou fazer outra coisa.

Eu tenho estado um pouco assustada nos últimos dias. Isto é, quem não estaria depois do que aconteceu no homecoming? Nunca, nem em 1 milhão de anos, eu esperaria ver Reeve ser levado para fora dali numa maca e colocado numa ambulância. Nós queríamos que ele fosse pego com drogas e expulso do time de futebol. Não queríamos mandá-lo para o hospital.

Fico dizendo a mim mesma que o que aconteceu no homecoming não foi culpa nossa. Foi um incêndio originado por falha elétrica. Até o jornal disse isso hoje. Então, fim de papo. As explosões foram o que fizeram Reeve surtar e cair de cima do palco. Não as drogas que Lillia colocou na bebida dele. Fatos são fatos.

E, para ser bem honesta, o incêndio originado por falha elétrica foi uma benção disfarçada. Obviamente, é uma pena que algumas pessoas tenham se machucado. Um monte de garotos teve de levar pontos por ter caído em cima do vidro quebrado, um calouro sofreu queimadura no braço causada pelas fagulhas e um dos professores mais velhos recebeu tratamento por ter inalado fumaça. Mas o incêndio foi uma sorte para nós — tenho de admitir. O ferimento de Reeve foi apenas outra consequência do caos. Com tudo que estava acontecendo, não tem como ele se lembrar de Lillia lhe dando a bebida batizada.

Pelo menos é o que tenho dito a Lillia.

Pat levanta a vareta prateada na direção dos companheiros deles, que sacodem a cabeça, como se aquilo fosse um tipo de piada.

— Nossa, Kat! Quando foi a última vez que você checou o óleo?

— Eu achei que isso fosse trabalho seu.

— Isso faz parte da manutenção básica do carro.

Reviro os olhos.

— Você pegou meus cigarros?

— Peguei um ou dois — diz ele, com ar inocente. Pat aponta para sua banqueta de trabalho. Vou pegá-lo, e é claro que meu maço novinho agora está vazio. Jogo o maço vazio na cabeça do meu irmão.

— Você quer uma carona até o posto de gasolina? — pergunta-me Ricky, com o capacete na mão. — Preciso mesmo encher o tanque da moto.

— Obrigada, Ricky.

Quando saímos da garagem, Ricky coloca a mão nas minhas costas. Lembro-me imediatamente de Alex Lind no baile, quando ele, galantemente, conduziu Lillia para longe do pandemônio, levando-a para um lugar seguro. Eu bem que queria não ter visto aquilo acontecer. Não que eu estivesse com ciúme ou coisa assim. Foi mais a pieguice do gesto que fez meu estômago revirar. Fico pensando se ele estava apenas sendo gentil ou se ele está realmente a fim dela. Não que eu me importe. Quando subo na traseira da moto do Rick, eu me aproximo um pouquinho mais dele, e então nós ficamos praticamente grudados um no outro.

Ele vira a cabeça e, antes de baixar a viseira do capacete, diz em voz baixa:

— Você está me matando. Sabe disso, não?

Posso ver meu reflexo nele, e pareço mesmo bem atraente. Lanço uma piscadinha para ele e um olhar inocente.

— Dirija — ordeno. E ele faz o motor rosnar por mim.

A verdade é que, se eu quiser um cara, eu posso tê-lo. Inclusive Alex Lind.

O sol está se pondo num céu cinzento, e as vias estão praticamente vazias. É assim que fica a Ilha Jar quando chega o outono. Mais de metade da população da temporada de verão desaparece. Existem alguns poucos turistas que chegam para observar as folhagens e coisas assim, mas geralmente o lugar fica bem parado. Vários restaurantes e lojas sazonais já estão fechados. Deprimente. Mal posso esperar até o ano que vem, quando estarei vivendo em algum outro lugar. Espero que seja Ohio, tomara que seja num dormitório bem legal em Oberlin. Mas eu posso morar em qualquer lugar, desde que não seja na Ilha Jar.

Enquanto Ricky abastece a moto, compro um novo maço de cigarros na loja de conveniência. Fumar custa caro. Eu deveria largar o cigarro, economizar esse dinheiro para a faculdade. Quando volto para a moto, vejo a enorme colina que leva a Middlebury. À casa de Mary.

— Ei, Ricky, você está com pressa de voltar?

Ele dá um sorriso.

— Para onde vamos?

Aponto na direção da casa de Mary. Ninguém atende a porta da frente, nem mesmo a tia maluca. Tem uma tonelada de cartas caindo para fora da caixa de correspondência, e o gramado está mais sarnento que Shep. Dou a volta pela lateral da casa e acho uma pedrinha para jogar no segundo andar. As luzes estão apagadas no quarto de Mary, as cortinas, bem fechadas. Verifico as outras janelas para ver se encontro algum sinal de vida. Está tudo escuro. A casa parece... bem sinistra. Deixo a pedra cair da minha mão.

Gostaria de poder falar com Mary ao menos por um segundo para poder tranquilizá-la. Ela não tem de se culpar por nada. Ela nem deveria sentir-se mal pelo que houve. Vamos dizer a verdade, aquele babaca mereceu o que aconteceu com ele. Espero que agora que nosso plano de vingança terminou, Mary possa seguir em frente com sua vida, e não perder mais tempo com Reeve Tabatsky.

MARY

Tenho chorado sem parar a dois dias. Não consigo comer, não consigo dormir. Não consigo fazer nada.

Escuto tia Bette no banheiro lavando o rosto e escovando os dentes. Sua rotina noturna. A caminho da cama ela para na porta do meu quarto. Está com o roupão amarrado na cintura e com um jornal debaixo do braço.

Estou amontoada na cama, olhando para o teto. Não tenho forças sequer para dizer boa-noite.

Tia Bette fica parada ali, observando-me por alguns segundos. Então ela diz:

— Tem uma matéria no jornal de hoje. — Ela o mostra para mim. A história na parte superior é sobre o homecoming, o incêndio. Tem uma foto da quadra, da fumaça preta escoando pelas janelas, uma fileira de estudantes correndo porta afora.

— Eles acham que o incêndio foi causado por uma falha no sistema elétrico.

Viro-me para o outro lado, para longe dela, para o lado da parede, porque não quero falar sobre o baile. Não quero nem pensar nisso. Já pensei e repensei o que houve 1 milhão de vezes. Como tudo saiu errado.

Eu estava finalmente pronta para ser vista por ele naquela noite no meu lindo vestido, orgulhosa, forte e transformada. Eu imaginei como tudo seria. Reeve, completamente zonzo pelas drogas que nós lhe tínhamos dado, notaria minha presença no meio da multidão. Algo em mim lhe pareceria familiar. Ele ficaria atraído por mim. Acharia que eu estava linda.

Todas as vezes que nossos olhos se encontrassem eu tocaria o pingente de margarida do colar que ele me dera no meu aniversário, sorriria e esperaria até ele descobrir quem eu era. Enquanto isso, os professores estariam observando Reeve agir mais e mais estranhamente. Iriam perceber que havia algo errado. E, quando ele finalmente descobrisse quem eu era, iriam pegá-lo pelo traseiro e levá-lo para a sala do diretor, e ele receberia a punição que merecia.

Só que não foi assim que aconteceu. Não chegou nem perto disso.

Reeve soube quem eu era assim que me viu. Apesar de todas as mudanças que aconteceram comigo desde o sétimo ano, ele viu a garota gorda que fora bem idiota a ponto de acreditar que ele era seu amigo. Reeve viu Big Easy. Ouvi-lo dizer isso me fez sentir sufocada, senti que o ar me faltava do mesmo modo como aconteceu quando ele me empurrou para dentro da água fria e escura. Eu sempre fui apenas isso para ele. Nada além disso. Eu fiquei tão zangada. E surtei.

— Um dos alunos se machucou, parece que ele era um grande jogador de futebol do colégio.

— O nome dele é Reeve – disse eu, baixinho. — Reeve Tabatsky.

— Eu sei. — Escuto quando tia Bette dá um passo e se aproxima mais. — Ele é aquele garoto que costumava provocar você, Mary.

Em vez de responder, aperto meus lábios com força.

— Quando vim para o Natal conversamos bastante sobre ele enquanto tomávamos chocolate quente, você se lembra?

Lembro-me. Eu esperava que minha tia Bette pudesse me dar algum bom conselho, sugerisse algum modo de eu fazer com que Reeve me tratasse bem quando houvesse outras pessoas em volta, me tratasse exatamente como ele fazia nas nossas travessias de balsa. Achei que ela entenderia. Mas tia Bette simplesmente me disse que da próxima vez que Reeve me provocasse na frente dos outros garotos, eu deveria procurar uma professora e contar o que ele fazia comigo.

—Isso irá ensiná-lo a deixar você em paz — dissera ela.

Me deixar em paz? Essa era a última coisa que eu queria.

Foi quando percebi que nenhum adulto poderia entender. Ninguém compreenderia o tipo de relacionamento que eu e Reeve tínhamos.

Escuto a respiração curta de tia Bette a alguns passos da minha cama.

— Você fez...

Eu me viro para ela.

— Eu fiz *o quê?* — falei, num tom grosseiro que não pude evitar. Será que ela não percebia que eu não estava a fim de conversar?

Os olhos de tia Bette estão arregalados.

— Nada — diz ela e sai do quarto.

Não consigo lidar com isso. Então me levanto da cama, visto o suéter por cima da minha camisola, calço um par de tênis e saio pela porta dos fundos. Caminho ao longo da Avenida Central e sigo na direção dos penhascos. Há um muito grande, e eu adorava ficar olhando lá do alto, porque dava para ver a quilômetros de distância.

Mas nesta noite não há nada além da escuridão. Escuridão e silêncio, como se fosse a borda do mundo. Eu mexo os pés até as pontas dos sapatos ficarem penduradas para fora da borda da rocha. Algumas pedras despencam pelo barranco, mas não consigo ouvir o barulho delas batendo na água lá embaixo. A queda continua infindável.

Em vez disso escuto Reeve sussurrar para mim durante o homecoming. Big Easy. Como um eco, repetidas e repetidas vezes.

Cerro os punhos, lutando para afastar da minha mente as lembranças do que aconteceu. Mas não adianta. Nunca dá certo.

Houve outras vezes também. Como aquela em que Rennie caiu da pirâmide das animadoras de torcida.

E aquela vez em que as portas de todos os armários se fecharam ao mesmo tempo. Tem alguma coisa errada comigo. Algo está… estranho.

Uma nuvem se afasta da lua, deslizando como a cortina num palco de teatro. A luz reflete nas rochas molhadas e faz tudo brilhar.

Existe uma trilha por onde as rochas cascateiam no penhasco em degraus tortuosos. Eu desço por eles até não conseguir mais. Espio por sobre a borda. As ondas se arrebentam lá longe embaixo de mim. Elas batem contra as pedras e enchem o ar de névoa.

Mais um passo, um passo mais e tudo desaparece. Tudo o que eu já fiz e tudo o que já foi feito comigo simplesmente desaparecem. De repente, sinto uma rajada de vento e respingos de água. Quase despenco pela beirada. Caio de joelhos e rastejo de volta até a trilha. Existe uma coisa da qual não posso abrir mão. Reeve. Apesar de tudo o que ele me fez, eu o amo. Eu o amo mesmo enquanto o odeio. Não sei como parar. E o pior disso tudo é que nem sei se quero fazer isso.

UMA SEMANA MAIS TARDE

Capítulo 1

MARY

QUANDO O SOL DA MANHÃ DE SEGUNDA-FEIRA PENETRA MINHA JANELA, alguma coisa me diz para sair da cama em vez de me virar para a parede, como tenho feito durante toda a última semana. Sei que deveria voltar para a escola, mas não tenho tido energia para fazer isso acontecer. Por isso fiquei na cama.

Mas hoje as coisas são diferentes. Não tenho certeza do porquê. É só uma sensação que tenho. Como se eu precisasse estar lá.

Faço uma trança no cabelo e visto minha jardineira de veludo, uma camisa e um cardigã. Estou nervosa com a possibilidade de encontrar Reeve. Estou nervosa com a possibilidade de... alguma coisa ruim acontecer novamente. E também tem todas as tarefas escolares que eu perdi. Nem mesmo tentei manter em dia minhas lições de casa. Meus livros, meus cadernos ficaram trancados na mochila, intocados num canto do quarto. Eu a pego por uma das alças e a penduro no ombro. Não posso me preocupar agora em como vou acompanhar o restante das matérias. Vou pensar nisso mais tarde.

Entretanto, quando coloco minha mão na maçaneta da porta e tento girá-la, ela não se mexe. Isso costuma acontecer na nossa casa, especialmente no verão, quando a madeira se expande por causa da umidade. As portas são originais e as ferragens, também.

É uma maçaneta enorme de vidro com uma placa de bronze, e espaço para a chave mestra. Não é nem mais possível comprar esse tipo de coisa. Geralmente eu preciso chacoalhar um pouco para fazê-la funcionar; eu tento, mas, mesmo assim, nada acontece.

— Tia Bette? — grito. — Tia Bette?

Faço mais uma tentativa com a porta. Dessa vez dou uma sacudida mais forte. E então começo a entrar em pânico.

— Tia Bette! Socorro!

Finalmente escuto seus passos subindo a escada.

— Tem alguma coisa errada com a porta! — grito. — Ela não quer abrir. — Dou mais uma sacudida para mostrar a ela. E então, quando não escuto nada acontecendo do outro lado da porta, caio de joelhos e olho através do buraco da fechadura para ter certeza de que ela ainda está lá. Ela está. Posso ver sua saia marrom comprida e amassada. — Tia Bette! Por favor!

Finalmente tia Bette entra em ação. Ouço-a lutar por um segundo com a porta do seu lado, e então ela se abre.

— Graças a Deus — digo, aliviada. Estou prestes a entrar no corredor quando noto uma coisa no chão. Parecem grãos de areia branca ou pó de giz. Olhando à esquerda posso ver que eles estão dispostos numa linha fina e perfeita, mas em frente à minha porta está totalmente bagunçado pelas pegadas de Tia Bette.

Que diabos é isso?

Penso em me curvar e tocá-los, mas estou um pouco assustada. Tia Bette sempre se envolveu com coisas estranhas, como borrões e cristais e canalização de diferentes energias. Ela sempre costumava trazer bugigangas e amuletos toda vez que viajava para o exterior. Sei que essas coisas são inofensivas, mas eu aponto para o giz lá embaixo e pergunto:

— O que é essa coisa?

Tia Bette olha para o alto com ar culpado.

— Não é nada. Eu vou limpar isso.

Aceno com a cabeça, tipo *Tudo bem, é claro,* enquanto passo ao lado dela.

— Eu volto em algumas horas.

— Espere — diz ela com urgência na voz. — Aonde você vai?

Dou um suspiro.

— À escola.

Com uma voz fina e desgastada ela diz:

— Seria melhor se você ficasse em casa.

Tudo bem. Eu não tive uma semana muito fácil. Sei disso. Tenho choramingado muito pela casa. Chorado bastante. Mas isso não quer dizer que tia Bette anda ótima também. Ela não tem dormido muito. Eu a escuto em seu quarto à noite, arrumando as coisas e suspirando. Ela quase nunca sai de casa. E não tem pintado muito mais, o que deve ser a coisa mais preocupante de todas. Quando tia Bette pinta, ela fica feliz. É simples assim. Será bom ficar longe dela por um dia. Isso nos dará algum espaço.

— Não posso ficar dentro de casa para sempre. — Tenho que seguir meus instintos. Alguma coisa dentro de mim está me dizendo para eu ir. — Eu vou para a escola hoje — digo novamente. Dessa vez sem sorrir, e caminho direto para as escadas, sem esperar a permissão dela.

Quando chego ao bicicletário da Escola Secundária da Ilha Jar, o sol já desapareceu, deixando o céu frio e esparso. O estacionamento está vazio, com exceção de alguns poucos professores e das peruas dos eletricistas. Nossa escola está recebendo uma nova fiação completa depois do incidente do homecoming. Parece que eles contrataram todos os eletricistas da ilha, há homens trabalhando 24 horas por dia aqui para realizar todo o trabalho.

Estou feliz por ter chegado cedo, antes da maioria dos outros alunos. Preciso retornar com bastante cuidado.

Para minha surpresa, Lillia corre apressada para o meu lado. Ela está com a jaqueta bem fechada e com um gorro na cabeça. Os dias estão ficando cada vez mais frios.

— Oi — digo timidamente, e acorrento minha bicicleta. É a primeira vez que nos encontramos depois do baile. — Você chegou cedo.

— Ah, meu Deus, estou tão feliz de ver você, Mary. — Como não respondo imediatamente, ela franze o cenho e diz: — Você está brava comigo ou alguma coisa? Você não ligou, nem quis falar comigo. Eu procurei o telefone da sua tia na lista e tentei ligar, mas ninguém atendeu. E Kat foi até a sua casa algumas vezes, mas ninguém atendeu a porta.

Acho que foi burrice pensar que Lillia e Kat não perceberiam que eu as estava evitando. Porém não tenho tido vontade de encontrar ninguém da escola. Não é nada pessoal.

— Sinto muito — digo. — É que aconteceu tanta coisa.

— Tudo bem, eu entendo. E as coisas se deram de um jeito tão maluco que acho bom nós três passarmos despercebidas. — Ela diz isso, mas ainda assim parece triste. — Ei, não sei se você ouviu, mas Reeve está voltando para a escola hoje.

Sinto dificuldade em engolir. Será que foi por isso que tive a sensação de que eu deveria estar aqui? Por que Reeve também estava voltando?

— Como ele está? Eu li no jornal que ele está com a perna quebrada.

Lilly pressiona os lábios e diz:

— Ele está bem. Mas acho que ficará de fora do resto do campeonato. — Acho que ela nota algo no meu rosto, pois rapidamente sacode a cabeça. — Não se preocupe. Tudo vai dar certo. — Ela se afasta alguns passos. — Vamos conversar mais tarde, OK? Sinto sua falta.

Reeve está quebrado. Eu o quebrei.

Consegui o que eu queria.

Consegui?

Ele chegará em breve. Caminho rapidamente para dentro da escola. Quase todas as salas têm buracos enormes, escancarados, feitos nas paredes para a substituição da fiação elétrica. Preciso tomar cuidado por onde ando, do contrário posso tropeçar nos montes de novos fios estendidos ao longo dos corredores.

Vou para a sala de aula e me sento no aquecedor perto da janela, com o excesso de tecido da saia da jardineira enfiado debaixo de mim. Deixo um livro didático aberto no meu colo. Não estou estudando. Não olho para as páginas nenhuma vez. Espio através do meu cabelo e observo o estacionamento se enchendo de estudantes. Neste final de semana a temperatura despencou para abaixo de zero pela primeira vez. Acho que os serventes nem vão perder tempo fechando as fontes de água do pátio. Somente os fumantes e os maratonistas conseguem suportar o frio lá fora. Todos os outros estão se apressando para entrar no prédio.

Escuto o som do baixo martelando na janela. A SUV de Alex encosta à entrada da escola. Ele estaciona na vaga de deficientes perto da entrada. Alex sai, dá a volta pela frente do carro e abre a porta do passageiro.

Todo mundo no pátio se volta para olhar. Eles devem saber que ele está voltando para a escola hoje.

Reeve coloca a perna boa no chão. Ele está usando um calção de basquete e um blusão de moletom com capuz da equipe de futebol americano da Ilha Jar. Alex estende a mão, mas Reeve a ignora, segura na porta do carro e balança a outra perna para fora. Um gesso branco se estende do alto de sua coxa até os dedos do pé.

Reeve se equilibra num pé só enquanto Alex pega as muletas dele no porta-malas. Rennie salta do banco traseiro. Ela pega a mochila de Reeve no banco da frente. Reeve faz um movimento como se quisesse ele mesmo segurar seu material. Mas Rennie sacode a cabeça, balançando o rabo de cavalo de um lado para o outro. Ele desiste e começa a mancar em direção à escola o mais rápido que consegue apoiado nas muletas, e bem rápido, na verdade. Ele deixa seus amigos para trás.

Alguns garotos correm para se aproximar dele, sorriem e dizem "oi". Mas todo mundo está olhando para sua perna. Um cara tenta se agachar com uma caneta na mão para assinar o gesso. Reeve não para. Ele abaixa a cabeça, finge não notá-los e continua seu caminho. Nada mudou. Todo mundo quer um pedacinho de Reeve. A maioria deles nunca conseguirá.

Mas eu o tive uma vez.

Capítulo 2

LILLIA

ESTOU NO MEIO DA MINHA EQUAÇÃO QUANDO OUÇO UMA BATIDA NA PORTA da sala de aula. É a secretária da escola, a Sra. Gardner, usando um blazer azul-marinho, que em nada lhe favorece. É comprido demais, quadrado demais, com botões enormes e dourados. Parece que ela roubou do armário do marido — em 1980. Na minha opinião, mulheres baixinhas nunca deveriam usar blazer. A menos que eles sejam curtos e bem ajustados, com mangas três-quartos.

Tanto faz.

Volto à minha planilha de cálculos. Estamos resolvendo problemas de derivação. Nem sequer é difícil de fato. Todo mundo diz que cálculo é uma das matérias mais difíceis de todas. Hum, fala sério?

Mas então a Sra. Gardner coloca um pedacinho de papel amarelo na minha escrivaninha. *Lillia Cho* está escrito na primeira linha. Então logo abaixo está escrito *Comparecer à sala do orientador.* Existe uma linha para especificar a hora em que eu devo estar lá. Diz *Agora*. Dentro de mim tudo se aperta. Puxo o cabelo para trás dos ombros e arrumo minhas coisas. Alex olha para mim enquanto estou saindo pela porta. Eu sorrio e dou de ombros, despreocupada, como se estivesse pensando *Que estranho. O que poderá ser?*

Caminho rapidamente pelo corredor. Se eu estivesse com algum problema, se alguém tivesse descoberto o que fiz com Reeve no baile, eu seria mandada para a sala do diretor. Não para a do orientador.

O Sr. Randolph tem sido meu orientador desde o primeiro ano. Ele não é velho. Seu diploma de formatura da faculdade tem dez anos de idade. Uma vez eu verifiquei isso. Aposto que ele era bonito naquela época, mas então ele começou a perder cabelo, o que é uma pena. Seus pais são proprietários do haras onde nós mantemos meu cavalo, Phantom. Existem troféus equestres e medalhas por todo o lugar da época em que ele costumava competir.

Espero um instante no umbral da porta. Ele está ao telefone, mas faz sinal para eu entrar.

Sento-me e ensaio na minha cabeça o que eu vou dizer caso ele me confronte. Vou retorcer o rosto e dizer alguma coisa do tipo *Me desculpe, senhor Randolph, mas por que eu faria algo desse tipo? Reeve é um dos meus melhores amigos. Isso é ridículo. Eu nem mesmo sei o que dizer.* Então vou cruzar os braços e parar de falar até meu advogado chegar. O Sr. Randolph faz uma careta irritada e esfrega a cabeça careca. Imagino se não é por isso que ele ficou careca prematuramente, pois ele fica tão estressado e esfrega a cabeça o dia todo.

— Sim, OK, sim, OK, obrigado. — Ele desliga o telefone e deixa escapar um suspiro profundo. — Por que está tão nervosa, Lillia?

Forço-me a dar um sorriso.

— Oi, senhor Randolph.

— Não a tenho visto no haras ultimamente, você não está pensando em vender aquele cavalo, está?

— Não! Eu nunca venderia Phantom!

O Sr. Randolph dá uma risada.

— Eu sei. Eu sei. Mas, se por acaso mudar de ideia, já sabe para quem ligar primeiro, certo?

Aceno que sim, mas sem chance. Eu nunca faria essa ligação. Eu nunca, jamais, venderia Phantom.

— Certo.

— Então, eu estava vendo seus relatórios. Eles estão muito bons, Lillia. Realmente muito bons. Talvez você faça um dos discursos de abertura.

Uma onda de alívio toma conta de mim.

— Uau, isso é incrível! Meu pai ficará muito feliz.

O Sr. Randolph abre uma pasta com meu nome na capa. Estou imaginando se ele me dirá qual a minha classificação na classe, mas, em vez disso, ele diz:

— No entanto, percebo que você ainda não fez seu teste de natação.

— Ahhh! — Desde que a escola da Ilha Jar construiu uma piscina coberta, tornou-se obrigatório que todos os alunos façam um teste de natação. É parte dos requisitos para a formatura.

— A menos que seja um erro burocrático?

Eu me remexo na cadeira.

— Não. Ainda não o fiz.

Ele balança a cabeça de um lado para o outro.

— Bom, você compreende que passar no teste de natação é uma exigência para sua formatura.

— A menos que eu consiga um atestado médico, certo?

Ele parece surpreso. Surpreso e desapontado.

— Correto. A menos que você consiga um atestado. — Ele fecha a pasta. — Mas você não quer aprender a nadar, Lillia?

— Eu sei como não me *afogar*, senhor Randolph — asseguro a ele. — Mas, realmente, nadar não é algo de que eu goste.

Ele me olha como se eu estivesse sendo ridícula.

— É uma habilidade valiosa para se ter na vida, Lillia, especialmente para uma garota que mora numa ilha. Talvez isso possa salvar sua vida algum dia. Ou a vida de outra pessoa. Prometa que pensará sobre isso.

Vou pensar sobre isso. Vou pensar em como pedir para o meu pai me arranjar um atestado médico. Se ele não quiser, tenho certeza de que Kat pode escrever um no papel timbrado dele. À medida que caminho de volta para a sala de aula, alguém está pregando abóboras de papel no enorme quadro de avisos, emoldurando o calendário de outubro. Faz pouco mais de um mês que Kat, Mary e eu nos encontramos no banheiro feminino. Não tenho certeza se foi a sorte ou o destino que nos reuniu. Não importa o que tenha sido. Estou feliz que isso tenha acontecido.

Estamos todos na mesa do almoço e as pessoas continuam a chegar tentando assinar o gesso de Reeve. O Reeve que eu conheço teria adorado essa atenção. Ele teria amado cada segundo disso. Mas não este cara. Este cara não está dando a mínima. Tudo o que ele quer fazer é falar sobre seu plano de fisioterapia com Rennie. Eles estão aconchegados do outro lado da mesa, o gesso dele apoiado nas coxas dela.

— Enquanto eu estiver com esse gesso duro, vou me concentrar em exercitar a parte superior do corpo. Peitoral, bíceps, tríceps, costas e abdômen. Quero fortalecer da cintura para cima. Então, talvez daqui a três ou quatro semanas, e estarei usando um imobilizador soft cast. Bum. Vou fazer hidroterapia.

Fico espantada ao observá-lo destroçar dois peitos de frango cozidos no vapor e um enorme saco plástico cheio de cenouras cortadas e espinafre. Ele está devorando a comida como se fosse um aspirador de pó.

— Eu encomendei uma boia salva-vidas noite passada — diz Rennie. — Deve estar aqui até o fim da semana.

Alex continua inclinado junto a Reeve tentando convencê-lo a assistir ao jogo de futebol americano na sexta-feira, mas é claro que o egoísta do Reeve não vai fazer isso. Alex diz:

— Vamos lá, Reeve. Você sabe que sua presença vai ser muito importante para o moral do time. Os caras estão morrendo de medo de que Lee Freddington seja o nosso *quarterback* novamente.

— É porque Freddington não joga merda nenhuma — exclama Derek, com a boca cheia de pizza.

É verdade. Tivemos nosso primeiro jogo sem Reeve na sexta-feira passada, e foi um completo desastre. Nós perdemos feio para um time que é o vice-lanterna na nossa divisão.

— Sentimos sua falta, cara. E, não sei, talvez você possa dar algumas dicas ou alguma outra informação para Freddington — acrescenta PJ.

— Sim — diz Alex. — Você não tem de vestir uniforme, nem nada, apenas ficar sentado na lateral do campo. Eu acho mesmo que isso poderá fazer uma grande diferença.

Reeve engole seu leite reforçado. Limpando a boca, ele diz:

— Vocês aí, caras, estão por sua própria conta agora. Eu

não posso mais levar vocês nas costas. Tenho de me preocupar comigo mesmo. Se não me recuperar direitinho, não vou jogar no próximo outono.

— Você ainda é o capitão deste time — lembrou Alex.

— Eu tenho de me concentrar na minha recuperação — diz Reeve. — Eu vou para a cama às nove horas e me levanto às cinco e meia da manhã para malhar. Você acha que eu tenho tempo para ir ao jogo de futebol?

— Apenas pense um pouco sobre isso — pede Alex. — Você não precisa decidir isso hoje. Veja como estará se sentindo na sexta-feira à noite.

Sinto uma dor no estômago ao ver Alex ser tão paciente com os chiliques de Reeve. Se eu fosse ele, diria a Reeve para esquecer.

Sacudindo a cabeça, pesaroso, Derek diz:

— Que droga, cara. Não consigo acreditar que isso aconteceu com você. Eu estava ansioso para vê-lo jogar umas bolas na ESPN no próximo outono.

Reeve coloca um garfo cheio de salada na boca. Mastigando com força ele diz:

— Você ainda me verá na ESPN. Não pense que estou fora.

— Sim, Derek — diz Rennie, olhando furiosa para ele. — Daqui para a frente isso aqui é uma zona de não negatividade. Só pensamento positivo é permitido.

Reeve se levanta da cadeira e se apoia nas muletas.

— Aonde você vai? — pergunta Rennie.

— Ao banheiro.

Ele cambaleia ao levantar-se, e Rennie o observa atenta como uma águia. Pronta para entrar em ação caso ele precise dela. Quando ele vai embora, ela olha em volta para ter certeza de que ninguém mais está escutando, e então diz a Ash:

— Ele está sendo tão forte. Ele praticamente chorou nos meus braços outra noite, quando ficou sabendo que a faculdade do Alabama estava fora. Era uma das suas mais prováveis! E lá estava ele, suplicando para os treinadores o colocarem num uniforme para a primeira temporada. — Ela fecha os olhos e esfrega as têmporas. — Eles não acreditam que um dia ele voltará a ser como era. Mal posso esperar para vê-lo provar a esses idiotas quão errados eles estão. — Rennie toma um gole do seu refrigerante. — Claro, talvez ele não acabe numa escola de primeira linha depois de tudo o que aconteceu. Mas qualquer escola da segunda ou terceira divisão teria muita sorte em tê-lo no seu quadro.

— Você passou a noite na casa dele novamente? — sussurra Ash.

Novamente? Eles estão fazendo festa do pijama agora? Eu acredito que Paige deixaria Rennie dormir na casa de um cara, mas os pais de Reeve sempre me pareceram bastante tradicionais. Eles vão à igreja todos os domingos, e Reeve chama o pai de "senhor".

Passando as mãos pelo cabelo, Rennie diz:

— Eu sou praticamente a única coisa que o mantém animado hoje em dia.

— Vocês dois finalmente DOR? — pergunta Ash a ela.

— O que quer dizer DOR? — pergunto-me em voz alta.

— Definir o relacionamento — explica Rennie, revirando os olhos por eu não saber. Mas sem olhar para mim. — E não, não conversamos. Ainda não. Ele tem muita coisa com que se preocupar agora. Só quero que ele saiba que eu estou do lado dele. Isso é tudo de que ele precisa. — Rennie se levanta e junta suas coisas. — Vou procurar por ele. — Ela se abaixa e dá um beijinho na bochecha de Ashlin. — Bye, Ash, Bye Peej, Bye Derek.

Sem sequer olhar na minha direção, ela vai embora. Ninguém parece notar que Rennie disse tchau para todo mundo menos para mim.

Tem sido assim homecoming o homecoming, e todos os dias fica um pouquinho pior. Tenho certeza de que Rennie está com raiva de mim. Digo, com raiva mesmo.

Assim que ela sai, pergunto a Ash:

— Por acaso Rennie disse alguma coisa para você? Sobre mim?

Ash se remexe na cadeira, evitando meus olhos.

— O que você quer dizer?

— Ela tem agido de um modo muito estranho comigo desde o baile. Será que é porque eu fui a rainha, e ela não? — Mordo meu lábio inferior. — Se ela quiser tanto assim, posso dar a tiara a ela.

Ash finalmente me olha.

— Lil, não é por causa disso. É porque você beijou o Reeve em cima do palco durante o baile.

Fico de queixo caído.

— Eu não o beijei! Ele me beijou!

— Mas você permitiu, na frente de todo mundo.

Senti vontade de chorar.

— Ash, eu não quis que ele fizesse isso! Ele basicamente me forçou. Você sabe que eu nem gosto dele. E por que ela está com raiva de mim e não de Reeve?

Ash dá de ombros de um jeito solidário.

— Ele é o primeiro amor dela, ele é seu Reevie. Ela o perdoaria por qualquer coisa.

— Mas isso não é justo — sussurro.

— Diga a ela que você sente muito — sugere Ashlin. — Explique que você não gosta de Reeve desse jeito.

Eu franzo o cenho e me balanço na cadeira. Talvez isso possa fazer as coisas ficarem melhor. Mas eu não acredito.

— Esse é que é o problema — digo. — Eu não deveria ter de fazer isso.

Capítulo 3

MARY

É O FINAL DA SEMANA, E ESTOU SAINDO DA ESCOLA QUANDO ESCUTO Kat gritar no estacionamento. É um grito de brincadeira, não um grito apavorado ou qualquer outra coisa. Olho em volta e a vejo a alguns metros de distância, com um cigarro preso entre os dentes e tentando arrancar a camisa de flanela de algum cara.

Eu reconheço mais ou menos o cara. Não sei o nome dele, mas sempre o vejo andando sem rumo pela escola. Não acho que ele assista a alguma aula. Ou, se assiste, seus professores devem ser bem liberais em relação à lista de presença.

Kat poderia estar no time de luta da Ilha Jar, ela tem os pés tão leves. Ela continua a se mover, pulando na ponta dos pés, girando à esquerda e à direita, enquanto arranca a camisa de flanela por cima da cabeça do garoto. Aposto que foi o irmão dela, Pat, que a ensinou a fazer isso.

O cara está meio desequilibrado e parece não saber exatamente como brigar com uma garota. Kat definitivamente tira vantagem disso. Ela continua agressiva, agarrando e puxando até que a maior parte da camisa sai, distraindo-o, cutucando-lhe as costelas ou puxando o elástico que está segurando o longo cabelo dele. Não demora muito até que toda a camisa tenha sido tirada, e ele fica segurando apenas um pedaço da manga.

Kat firma os pés no chão, como se estivesse se preparando para uma séria batalha de cabo de guerra. Ela o adverte:

— Vai rasgar se você não soltar, Dan.

— Tudo bem, tudo bem. — O cara, Dan, acho eu, finalmente cede.

Kat solta um grito de vitória e dá um giro, sacudindo a camisa de flanela por cima de sua cabeça como se fosse um laço.

— Este é um momento didático, Dan. Quando quero alguma coisa, eu consigo. Fim de papo.

O rosto de Dan fica vermelho. Eu caio na gargalhada porque ela é muito maluca.

Kat deve ter me ouvido, porque olha imediatamente para onde eu estou. Ela faz um movimento com o queixo e aponta levemente na minha direção. Eu sorrio de volta e estou prestes a subir na minha bicicleta e ir embora pedalando, quando Kat faz uma coisa surpreendente.

Ela levanta um dedo, como a pedir que eu espere por ela.

Acontece tão depressa, e eu fico imaginando se não terá sido minha imaginação. Nós nunca fizemos isso antes. Reconhecer uma à outra em público, na frente de todo mundo. Acho que agora tudo bem, já que nosso plano de vingança terminou. Mas eu pego o livro que preciso ler para a aula de inglês e dou uma folheada nele para não parecer muito óbvia. Vejo quando ela apaga o cigarro.

— Vaí, Kat, me devolva a camisa.

Kat a veste por cima do seu blusão. — Mas eu quero usá-la, prometo trazer de volta na segunda-feira. E então ela ficará com meu cheiro. — Ele finge estar zangado, mas, pelo modo como desiste rapidamente, posso perceber que gosta de Kat. — Quer uma carona para casa?

— Não. Eu vou caminhar, mas posso pegar mais um cigarro emprestado? — Ela não espera que ele lhe dê o cigarro. Pega um e o coloca atrás da orelha.

Então se encaminha para o bicicletário.

Guardo de volta meu livro e começo a caminhar lentamente, empurrando minha bicicleta, esperando que ela me alcance. Provavelmente ainda devemos ser cuidadosas.

— Você está bem, Mary? — pergunta ela quando se aproxima.

— Sim — digo com um suspiro. — Estou bem.

— Você viu Reeve esta semana?

— Não muito. — Passo o meu cabelo por trás das orelhas e continuo com os olhos voltados para o chão. — Ei. Hum, ouvi algumas pessoas dizerem que talvez Reeve perca as bolsas de estudo por causa do ferimento que sofreu. — Sinto meus lábios tremerem assim que as palavras escapam deles. — É verdade?

Kat dá de ombros.

— Talvez. Mas talvez não, você sabe? Afinal, ele não *perdeu* uma perna. É só uma fratura. E nem é uma fratura muito séria, por falar nisso. Meu irmão quebrou o fêmur uma vez durante uma corrida de bicicleta numa trilha de terra. Agora a perna esquerda dele é dois centímetros mais curta que a direita.

A voz dela é estranhamente sombria. Sinto seus olhos pousarem em mim, como se estivesse esperando que eu fosse desabar. Levanto o queixo e consigo esboçar um sorrisinho fraco, embora eu saiba que meus olhos estão cheios de lágrimas.

Então é a vez de Kat desviar o olhar. Ela sai da trilha de bicicleta e apanha um punhado de folhas marrons de um galho baixo de árvore.

— Vai dar tudo certo. Confie em mim. Reeve vai dar um jeito. Aquele garoto sempre consegue se safar.

Aceno com a cabeça, *sim, é claro*, o que mais posso dizer? Eu também vou tentar me safar. Eu consegui sobreviver a esta semana. Isso já é alguma coisa.

Decido que é melhor mudar de assunto.

— Quem é aquele cara com quem você estava conversando? — pergunto a ela. — Você gosta dele?

— Por favor. Dan? — Kat revira os olhos. — Mary, eu não preciso de nenhum drama com garotos. Não quando me sobram apenas sete meses nesta ilha. Ele é uma cura temporária para o meu tédio.

Se ao menos as coisas fossem tão fáceis assim. Encontrar um garoto de quem gostar e que também gostasse de mim. Kat tem bastante experiência com garotos, e eu nem dei meu primeiro beijo ainda. Provavelmente porque, lá no fundo, eu tenha ansiado todo esse tempo por Reeve, esperando que ele finalmente reconhecesse que eu era digna dele.

Lá vou eu de novo. Pensando em Reeve, mesmo quando eu não quero fazer isso. É como se fosse uma doença.

— O que você vai fazer esta noite, Mary? — Antes que possa responder a ela, Kat diz: — Estou indo para o continente assistir a um show na loja de música de um amigo meu. Eles têm uma banda de deathcore de chamada Day of the Dogs; os caras interagem com a plateia, e você tem de gritar com a máxima capacidade dos seus pulmões. Sei que você tem um conjunto de cordas vocais potentes. — Ela diz isso como se fosse uma piada, referindo-se ao modo como gritei na noite do homecoming, mas nenhuma de nós dá risada. — Você deveria vir. Acho que vai ser bom para você. Descarregar um pouco dessa merda que você está guardando dentro de si.

Eu não sei o que é uma banda de dathcore, embora eu aprecie o fato de ela ter me convidado para ir junto, mas acho que devo fazer as coisas com calma agora.

— Eu tenho tanta lição de casa para fazer. Provavelmente não vou conseguir sair por um bom tempo.

Kat me encara por um segundo, e eu percebo que está somando dois mais dois. Ela vira de costas para o vento e tenta acender seu cigarro.

— Tudo bem, Mary. Olhe. Eu sei que você está supermal desde o baile. As coisas não aconteceram exatamente como nós queríamos que acontecessem, e eu entendo, isso é uma droga. Depois que a minha mãe morreu, eu meio que me recusei a falar por seis meses. — Ela soltou algumas baforadas do cigarro e então observou a ponta dele para ter certeza de que estava aceso. — Você ouviu falar da minha mãe, não ouviu?

Assinto com a cabeça. Eu acho que talvez Lillia tenha mencionado isso uma vez, câncer. Mas Kat nunca falara sobre sua mãe antes. E uma parte pequena de mim fica feliz que ela tenha falado agora, que ela se sinta à vontade para compartilhar comigo algo tão pessoal.

— Sim, eu achei que você tivesse ouvido, porém queria ter certeza. — Ela dá uma tragada longa e profunda, e solta a fumaça. — Então, de qualquer modo, aquele não foi um jeito muito saudável de lidar com um problema. Me trancar daquele jeito. Não foi bom pra mim. Não se pode ficar triste para sempre, entende? Aquilo não iria trazer a minha mãe de volta, disso eu tenho certeza. Numa certa altura temos de seguir em frente.

Paro de andar.

— Como a gente segue em frente?

Ela aperta o cigarro entre os lábios e enfia a mão no bolso.

— Você deveria, eu não sei. Entre para algum clube ou arranje alguma outra coisa. Tente ficar mais envolvida nas coisas da escola. Tente aguentar firme até a formatura.

— Mas que tipo de clube?

Ela retorce o rosto.

— Não sei, Mary. Não estou muito por dentro dessa coisa de clube. Comece a fazer qualquer coisa em que você esteja interessada. Você tem de se expor mais. Fazer novos amigos. Concentrar-se em coisas que a façam feliz. Eu não quero parecer leviana, mas você precisa viver sua própria vida, pois ainda tem um ano inteiro aqui antes de se formar.

Ela faz tudo parecer tão simples. Talvez seja simples mesmo.

— Sei que você está certa — digo. — É que é bem difícil.

— Mas não precisa ser assim. — Kat se encosta numa árvore. — Você apenas segue em frente, e não deixa seus sentimentos interferirem no caminho. — Ela toca o peito. — Quase nunca penso nos meus sentimentos. Sabe por quê? Porque se eu deitasse e chorasse por causa de cada coisa ruim que já aconteceu comigo, nunca me levantaria da cama. — Seus olhos encontram os meus, e ela me olha profundamente. — Juro a você. As coisas vão melhorar. Você só precisa superar essa parte.

Aperto meu casaco em volta do meu corpo. Kat está certa, sei disso. Eu deveria compreender melhor tudo em vez de ficar mergulhando nessa tristeza desse modo. Perdi um ano inteiro da minha vida depois que tentei me matar por causa do que Reeve fez comigo. Não posso deixar isso acontecer novamente.

— Obrigada — digo, e estou sendo sincera, do fundo do meu coração. Porque existe uma grande diferença entre o que aconteceu naquela época comigo e agora. Agora eu tenho amigos cuidando de mim.

Fico fazendo minha lição de casa até não poder mais olhar para os livros, então saio para uma caminhada pela Avenida Central. Uma balsa ancora no cais, e o primeiro veículo a sair é um ônibus escolar lotado de jogadores de futebol. As janelas estão pintadas com números diferentes e frases bobas como AFOGUEM ESSAS GAIVOTAS!

Ai.

Acho que teremos jogo de futebol americano esta noite. Vou para o campo. Não planejo ficar lá muito tempo, mas é fácil encontrar um lugar na arquibancada. Está apenas com metade do público, ou talvez menos, que apareceu para animar o time na volta para casa. Acho que é isso para que acontece quando se perde a estrela do time. Nós perdemos o primeiro jogo depois daquele fim de semana, depois que Reeve se machucou. Perdemos feio. Nosso *quarterback* reserva, Lee Freddington, não conseguiu completar um único passe.

Um grupo de animadoras de torcida está agrupado praticando seus gritos: "De-fe-sa! De-fe-sa! De-fe-sa!". Acredito que vamos ouvir muito esse grito agora, já que nosso time não tem mais ataque. O restante delas está andando à vontade pelas laterais, como se isso fosse apenas um treino, e não um jogo de verdade. Rennie está sentada na grama com as pernas cruzadas, olhando para o celular. Lillia e Ashlin estão perto do banco dos jogadores, conversando uma com a outra. Lillia me vê e me dá um sorriso luminoso. E eu sorrio de volta.

O locutor anuncia os oponentes, e então nossas animadoras se alinham e se encaminham para a entrada do campo para saudar nosso time assim que os jogadores entrarem em ação. Eu observo Teresa Cruz deslizar para a frente do grupo. Acho que como ela é a animadora de Lee Freddington, se tornou mais importante agora.

Rennie percebe isso e se posiciona bem à frente de Teresa.

Reeve é um dos primeiros a entrar em campo. Ele está com sua camisa de uniforme e calças de agasalho. Assim que ele aparece, as pessoas na arquibancada se levantam e o saúdam. Não é o mesmo nível de entusiasmo que Reeve recebeu no início da temporada. Soa mais como um aplauso silencioso. Respeitoso. Uma cortesia.

Reeve tenta andar o mais rápido que pode apoiado nas muletas, mas o chão está macio por causa da chuva que caiu esta semana, e suas muletas afundam na grama. Quanto mais rápido ele caminha, mais a muleta afunda e ele se atrasa.

Os outros jogadores irrompem do vestiário. Eles tentam ficar atrás de Reeve, permitindo que ele ainda seja o líder, porém Reeve está caminhando tão lentamente que os outros se engarrafam atrás dele.

Então, na lateral do grupo, surge Lee Freddington. Ele passa diretamente à frente de Reeve, como se este nem estivesse ali, e toma a liderança. É como se Lee Freddington tivesse dado permissão a todos para fazerem o mesmo, pois, logo em seguida, todos os jogadores passam à frente de Reeve. Reeve termina sendo um dos últimos do grupo, juntamente com Alex, TJ, o treinador do time e os garotos da água, que têm de carregar os coolers. Posso ver Reeve ficando mais e mais frustrado. A certa altura, ele começa a arrastar o pé engessado pelo campo, enchendo o espaço entre o gesso e seus dedões com pedaços de grama e terra. Seu rosto assume um vermelho intenso, como se estivesse pronto para explodir.

Paro de bater palmas e sento sobre minhas mãos. É uma estupidez, pois sei que isso me deixa cada vez mais fraca. É que Reeve parece tão completamente despreparado para isso. Ele não sabe como lidar com o fato de ter de ficar de fora. Está tão acostumado a ser o centro de tudo. É quase doloroso assistir a isso. É como se a lua e as estrelas fossem banidas do céu e obrigadas a se tornarem simples mortais como nós.

Eu queria que Reeve tivesse se metido numa grande confusão, para perder tudo aquilo que o fazia sentir-se tão confiante e tão superior a todos. E ele realmente merecia o que estava lhe acontecendo, lá no fundo eu sei disso. Mas uma parte de mim deseja que isso nunca tivesse chegado a esse ponto. Que nós não tivéssemos de tê-lo quebrado para lhe ensinar uma lição.

Nos primeiros 15 minutos de jogo, jogamos tão mal como era de se esperar. Lee Freddington consegue pegar a bola no início da segunda etapa. Na sua primeira chance de fazer um passe, ele quase é derrubado pelo outro time. Nosso treinador pede um tempo e começa a gritar para os caras da defesa.

Observo Reeve chamar Lee Freddington à lateral e lhe dar algumas dicas. Ele faz isso durante o jogo todo. Mas Lee não presta atenção. Ele quase não olha Reeve nos olhos. Não porque esteja com vergonha ou coisa parecida, mas porque pensa que não precisa de ajuda.

Um pouco antes de o intervalo terminar, Lee caminha para perto de Alex. Ele passa o braço por cima do ombro dele e parece sussurrar alguma coisa. Reeve observa tudo com o maxilar cerrado.

Um segundo mais tarde, nosso time corre de volta para o campo. Lee lidera o agrupamento e, quando a bola é lançada, ele empurra seu braço como se estivesse pronto para o ataque. Do outro lado do campo, Alex Lind está correndo e avançando sobre outro jogador. Lee atira a bola numa espiral certeira e a bola pousa direitinho nos braços de Alex.

Touchdown.

Eu me levanto para ir embora, enquanto PJ faz um ponto extra. Enquanto passo pela lateral, as animadoras de torcida estão se alinhando para fazer a saudação aos jogadores daquele lance. Teresa Cruz dá um passo à frente, e eu vejo Rennie avançar e agarrá-la pelo suéter.

— O que você está fazendo?

— Lee fez um *touchdown*, eu vou fazer uma saudação para ele.

Reeve a encara como se ela fosse uma idiota.

— Alex *pegou* o *touchdown*, foi ele que fez os pontos.

— Mas a gente sempre faz um viva para o... — bufa Teresa

— *Reeve* é o nosso *quarterback*. Lee é o reserva, não conta.

Rennie dá um passo à frente e faz a saudação de Reeve tão alto que posso vê-lo encolher-se no banco.

Rennie acha que sabe do que Reeve precisa, mas ela não faz nem ideia. Ele não quer que todo mundo olhe para ele. Não mais. Agora, ele só quer ser deixado em paz.

Eu me levanto do assento e sigo meu caminho de volta para casa. É exatamente o que vou fazer. Deixar Reeve sozinho. Mais que isso, vou reprogramar meu cérebro para não ter de pensar nele, para não sentir nada por ele. É o único caminho.

•••

Quando chego em casa encontro tia Bette na sala. Ela está no escuro, sentada no chão com velas queimando em toda a sua volta. A cera está derretendo todinha no piso duro de madeira. Meu pai teria um ataque se visse isso. Ele sempre disse que o piso é sua parte preferida da casa. Ele é de cedro, no tom loiro-acobreado mais lindo do mundo.

— Cheguei — digo ao entrar na sala. Tia Bette leva um susto. Agora que estou mais perto vejo que ela tem um pedaço de pano estendido à sua frente. Está coberto com pilhas de folhas secas e ervas. Ela está colocando essas ervas e folhas em saquinhos e os amarrando com um barbante.

Ela termina de dar um nó antes de dizer.

— Eu nem sabia que você tinha saído. — Está irritada, como se eu estivesse interrompendo algo importante.

— Saí para dar uma caminhada — digo, e então acrescento: — Desculpe. — Muito embora eu não tenha nada pelo que me desculpar. Aponto para os saquinhos e pergunto: — O que é essa coisa?

Com uma das mãos, tia Bette pega um ramo de alguma coisa e esfrega entre seus dedos.

— Ervas antigas — responde.

Parece alecrim ou talvez tomilho, não dá para dizer.

— Tá bem — digo. — Bem, boa noite.

No pé da escada vejo uma xícara de chá no chão. Dentro dela, um dos saquinhos está se queimando. Está fumegando com brasas vermelhas e deixando escapar um fio de fumaça em espiral que sobe até o teto.

Que diabos é isso?

Minha cabeça começa a doer.

Tossindo, eu chamo minha tia.

— Hum, tia Bette? É seguro deixar essa coisa queimando no hall? — Eu me preocupo em estar bancando a idiota condescendente, mas, realmente, isso é bem irritante. E estou me sentindo mal.

Tia Bette não responde. Tanto faz. Eu passo em volta daquilo, tomando cuidado para não respirar nem um pouco da fumaça, e vou para o meu quarto.

Capítulo 4

KAT

Depois de conversar com Mary após a aula, vou para casa e preparo um jantar de micro-ondas para o meu pai, ataco uma tigela de cereais e depois vou para a balsa. O sol já se pôs, e o vento está cortante. Fecho o zíper do blusão até o pescoço e puxo o capuz para cima da cabeça. Eu deveria ter começado a usar um casaco há semanas, mas detesto o que comprei no ano passado. Era um casaco de lã cinza-chumbo, um casaco militar legítimo. Eu o encontrei num brechó, mas ele não era forrado, e a lã me dava coceira. Se eu chegar ao continente cedo, talvez possa parar no brechó e ver se eles têm mais alguma coisa.

Lá embaixo, onde a balsa ancora, está o contrário do que costuma ser durante o verão, quando o estacionamento fica lotado e as pessoas se enfileiram para subir a bordo. Está tudo parado agora, com exceção de alguns caminhões de entrega e uns poucos carros. A maioria dos funcionários da balsa que eu conheço já foi dispensada com o fim da temporada, então provavelmente terei de pagar minha passagem. Vou até a bilheteria, mas o cara que trabalha lá é amigo do meu pai e se recusa a aceitar meu dinheiro. Isso é incrível. Isso acontece bastante comigo, mas eu sou grata por todas as vezes que isso acontece.

Eu congelaria se ficasse sentada no deque externo, então procuro um lugar dentro do café. Tem uma mesa com quatro idosos tomando chá e folheando um livro sobre pássaros, marcando todos aqueles que eles viram hoje. Eu ligo minha música e fecho os olhos. Juro por Deus, quero morrer jovem, porque eu não me imagino fazendo esse tipo de merda algum dia.

Sinto um aperto no estômago — culpa, acho — quando me lembro de que já se passaram semanas desde que eu fui à loja para encontrar Kim. Não vou lá desde a nossa briguinha, quando precisei usar a copiadora para reproduzir os poemas cafonas de Alex para o nosso plano de vingança. Eu estava tão envolvida com aquilo que nem prestei atenção em Kim, quando ela, obviamente, precisava de uma amiga para conversar.

Espero que ela me perdoe.

O brechó não tem casacos de inverno, infelizmente. Apenas sobras de verão que as pessoas estão tirando do armário. Caminho os metros que me separam da Paul's Boutique. O show da banda Day of the Dogs só começará bem mais tarde, mas é melhor assim, pois Kim e eu poderemos ter uma chance de conversar um pouco. Antes de tudo, decido não conversar sobre meus problemas. Hoje à noite, quero dar espaço para ela desabafar comigo. Talvez as coisas tenham se resolvido entre ela e Paul. Quem sabe a esposa dele não descobriu o que eles andam aprontando. Espero que não.

Caminho até a loja e vejo alguém que não reconheço atrás do balcão. Um cara magrelo usando um cabelo arrepiado com *mullet*. Então caminho direto para o fundo, onde os shows costumam acontecer, e tento passar pela porta. Está bem mais escuro dentro do espaço da garagem e algumas pessoas já estão amontoadas na frente do palco para garantir um bom lugar na hora do show. Alguém segura o meu braço.

— Dez dólares a entrada.

Viro-me e vejo o próprio Paul. O cabelo dele está bem curto e bem mais prateado do que eu me lembrava. Ele está usando uma velha camiseta do Sex Pistols, jeans apertados e rasgados e tênis de brim. Ele é baixo para um homem, mas está em boa forma física. Kim disse que desde que ele se livrou das drogas, ficou realmente muito disciplinado em relação à academia. Aparentemente, ele se envolveu com drogas muitos anos atrás, drogas pesadas, injetáveis.

Apesar de tudo, dou-lhe um sorriso, pois já o vira antes.

— Oi, Paul.

Ele não solta o meu braço.

— Dez dólares a entrada.

Dou um puxão para soltar meu braço e olho de relance para a cabine de som para ver se Kim está lá. Mas a cabine está vazia.

— Você é surda?

— Onde está Kim? — pergunto, sabendo que pareço irritada.

Paul parece surpreso.

— Você conhece Kim?

— Ela é minha amiga.

Ele cruza os braços.

— Ela não trabalha mais aqui.

— O quê? Por que não?

— Ela estava roubando a loja, por isso a mandei embora.

Estreito os olhos e cuspo as palavras:

— Você é um mentiroso.

— Como é que é?

— Você ouviu o que eu disse. — Estou tão nervosa que sinto meu corpo tremer. — Você é um mentiroso. Kim nunca roubaria você. — Tenho certeza disso. Nunca, jamais ela roubaria algo de Paul. Ela trabalhou duro nesse emprego. Em parte porque gostava de música, e, em parte, porque gostava dele.

Ele aponta um dedo para o meu rosto.

— Como você chamaria alguém que deixa as pessoas entrarem de graça para ver um show, hein? Quando foi a última vez que você pagou para ver uma banda?

— Seu covarde de merda — digo isso em voz alta, tão alta que as pessoas à nossa volta se viram. — Você transa com suas empregadas e, quando é descoberto, as demite.

Ele bufa, como se não se importasse com aquilo, mas posso perceber que ele fica pálido.

— Tudo bem, garota. Fora daqui. — Ele ergue seu braço tatuado para o alto e começa a fazer um sinal para Frank, o leão de chácara, que está encostado em um amplificador. Frank se aproxima e não parece nada feliz por ter de me colocar para fora.

— Espero que sua esposa saiba a droga de marido que você é! — Estou gritando com o máximo de força que posso arrancar dos pulmões. — Eu ficaria bem feliz de contar isso a ela!

— Vamos lá, Kat — diz Frank, colocando as mãos nas minhas costas.

Começo a me debater e a cuspir todos os palavrões que conheço de uma vez só. Frank me leva para um corredor nos fundos, perto de um quartinho onde a banda costuma ficar até a hora de subir ao palco. Posso escutá-los agora, aquecendo seus instrumentos, dando risadas e conversando uns com os outros.

— Tudo bem com você? — pergunta Frank.

Estou lutando para não cair no choro, por isso dou um soco forte na parede.

— Para onde ela foi?

Frank sacode os ombros.

— Eles tiveram uma briga feia há algumas semanas, e Paul deu a ela 24 horas para empacotar suas coisas e dar o fora do apartamento do andar de cima. Ela arrumou todas as coisas em apenas três horas e foi embora levando todo o dinheiro do cofre.

Então Kim realmente roubara Paul? Acho que Frank percebeu o choque no meu rosto, porque ele sacode a cabeça como se eu tivesse entendido mal.

— Pense nisso mais como um inevitável acordo judicial.

— Mas este lugar não parece fazer tanto dinheiro assim. Quanto pode ter sido? Mil dólares, no máximo? Isso não a ajudará por muito tempo. Não dá pra ela comprar uma mansão nem nada assim. Ela não fala com os pais há anos. Ela pode estar… sem teto.

— Ela vai ficar bem — diz Frank novamente, mas dessa vez ele parece menos convicto.

As lágrimas caem soltas agora. Não consigo parar, e Frank parece desconcertado. Limpando meu nariz com a manga do casaco, digo:

— Se ela ligar, pode dizer que eu estou procurando por ela?

Frank acena positivamente com a cabeça, mas é o tipo de sinal que mostra que nós dois sabemos que isso não acontecerá. Kim foi embora para sempre.

Estou praticamente berrando enquanto Frank me leva até a porta lateral que dá para uma viela. Ele diz adeus e então fecha a porta na minha cara. Tento ligar para o celular de Kim, mas está desativado. É claro.

Penso em Kim passando por toda essa merda sozinha. Imagino se ela tentou entrar em contato comigo. Se tentou pedir minha ajuda. Provavelmente não. Provavelmente nenhuma vez, pois sou uma idiota de uma colegial. Porque na única vez em que ela tentou conversar a sério comigo eu só estava preocupada com minha própria vida.

Sinto-me um lixo. Desapontar a pessoa que eu considerava minha melhor amiga, justo quando ela mais precisava de mim. É difícil acreditar. Mas faço uma promessa a mim mesma, ali mesmo, de nunca ser uma droga de amiga assim novamente.

Capítulo 5

LILLIA

RENNIE FINGE QUE NÃO ESTOU LÁ DURANTE O TREINO DAS ANIMADORAS de torcida da segunda-feira. Ela não me olha, nem fala comigo. Nem uma única palavra. Nem mesmo quando estamos apenas eu, ela e Ashlin paradas num círculo, discutindo quais passos deveríamos trabalhar a seguir. Rennie mantém o olhar em Ashlin e só fala com ela.

É como se eu fosse invisível.

Tento não me incomodar com isso. Rennie adora dar esse tratamento de gelo aos outros. É praticamente seu toque pessoal. O que me deixa maluca é que eu não fiz nada para merecer isso.

Pelo menos não que ela saiba.

Então, embora ela esteja se comportando como uma idiota comigo, eu ainda converso com ela. Isto é, mais ou menos. Por exemplo, quando digo:

— Eu acho que Melanie está se atrasando em seu segundo giro.

Rennie não responde a mim, é claro. Mas vai até Melanie e diz que ela precisa melhorar seu *timing*.

No vestiário, enquanto estamos nos trocando, Rennie convida Ashlin para ir à casa dela para o jantar. Ela faz isso bem na minha frente. Ash diz que sim. Então, quando Ash se lembra de que estou parada ali, ela franze o cenho e pergunta:

— E quanto a você, Lil, você vem junto?

Rennie imediatamente me dá as costas e fica de frente para o armário, para deixar bem claro que não sou bem-vinda.

— Não posso. Tenho de ir ao haras. — Eu realmente não preciso ir, mas estou com vontade de fazer isso há algumas semanas. Ultimamente, Nadia tem cavalgado no Phantom muito mais que eu. Não quero que ele se esqueça de mim; além do mais, não quero deixar parecer que estou me importando com o modo como Rennie está me tratando. Segunda-feira é dia de pizza na casa dela, e eu não gosto do lugar onde eles compram a pizza. Acho que colocam muito molho na massa.

Rennie bufa com a minha desculpa. Ela nunca gostou de Phantom. Uma vez ela tentou cavalgar nele, mas, assim que montou na sela, ele começou a trotar de lado, porque Rennie estava apertando demais suas pernas em volta dele e puxando as rédeas para a esquerda. Eu lhe disse para levantar as rédeas, e, em vez disso, ela se assustou e pulou de cima dele enquanto ele estava andando! Caiu com toda força no chão e ralou os joelhos na terra. Os funcionários do haras vieram correndo para ajudá-la a se levantar , mas eles também ralharam com ela, porque é muito perigoso desmontar de um cavalo daquele jeito. Rennie ficou tão envergonhada. Ela se afastou e ficou amuada num canto do estacionamento, enquanto eu levava Phantom de volta à baia e tirava sua sela.

Eu deixo Nadia na porta de casa. A cada semáforo espero que ela diga alguma coisa sobre o modo como Rennie tem agido comigo ultimamente, se ela notou alguma coisa sobre o tratamento gelado, mas Nadia passa o tempo todo mandando mensagens para seus amigos.

Enquanto dirijo rumo ao estábulo, não posso deixar de pensar que Kat e Mary jamais fariam esse tipo de coisa comigo. Isolar-me do grupo sem nenhum motivo. Decido ligar para a casa de Mary e mandar uma mensagem para Kat, para ver se elas querem me encontrar no haras e ficar comigo um pouco. Aposto que Mary vai adorar Phantom. Eu mesma vou mostrar a ela como escová-lo.

Kat me manda uma mensagem de volta imediatamente. *Bosta de cavalo?! Estou tããããão a fim!* Dou risada bem alto, e isso já me faz sentir melhor.

Ligo para a casa de Mary, e a tia dela atende ao telefone. Sua voz parece meio grogue, como se ela estivesse dormindo.

— Alô?

— Oi, a Mary está? — pergunto a ela.

Silêncio do outro lado da linha. Então sigo em frente e digo:

— Aqui é Lillia, sou amiga de Mary, estou ligando para convidá-la para ir ao haras cavalgar esta tarde. — Mais silêncio. — Então, se você puder lhe dar este recado, será ótimo.

Escuto uma respiração pesada e depois um clique, e a chamada é encerrada.

Ela desligou na minha cara! Sei que Mary disse que a tia dela é meio estranha, mas, nossa, isso foi meio bizarro. Juro que vou comprar um celular para ela no Natal.

Chego ao estábulo tarde demais para cavalgar, então vou até a baia de Phantom para tratar dele. Ele fica completamente imóvel enquanto escovo seu pelo. Falo baixinho com ele enquanto corro a escova por seu pelo grosso e ele fica brilhando como um veludo negro. Quando chego ao pescoço, ele fica tentando virar a cabeça e encostar o nariz em mim.

Quando Nadia vem cavalgar, ela sempre pede para os funcionários do estábulo o escovarem e lhe rasparem o barro dos cascos para ela. Mas essa é minha parte favorita de cavalgar com Phantom. É preciso construir uma relação de confiança com seu cavalo. E eu confio plenamente no meu animal. Sei que ele nunca me machucaria. Apesar de eu não visitá-lo há semanas, ele agora me cumprimenta e faz festa para mim, como se não fizesse tanto tempo assim. Eu era tão apaixonada por ele, que teria dormido no haras se minha mãe deixasse. Quando será que esse sentimento foi embora? Quando comecei a ser uma animadora de torcida? Imagino se Phantom percebeu minha ausência, se notou que parei de vir com a mesma frequência de antes. Só de pensar nisso, dá vontade de chorar.

Um dos funcionários do haras bate à porta.

— Tem alguém aqui procurando você, Lillia.

— Ah. Ótimo. — Espio para fora da baia, por toda a extensão do celeiro. Lá está Kat, com os dedos apertando as pontas do nariz. Faço um sinal para ela. — Aqui, Kat!

Kat caminha pelo meio do celeiro, tomando cuidado para não se aproximar de nenhuma das baias.

— Cara. Será que não podemos ir a outro lugar? Está fedido aqui!

Eu respiro fundo.

— Você está falando sério? Eu adoro cheiro de esterco!

Kat, parecendo cética, tira os dedos do nariz e cheira o ar. Então começa a ter ânsias.

— Se eu fosse você, pararia de contar isso às pessoas.

— Tudo bem. Tem uma trilha muito bonita que passa ao longo da costa. Não tem ninguém cavalgando lá fora. Podemos caminhar por ali.

— Claro. Qualquer coisa — diz Kat, arquejando. Ela se vira e corre de volta para a entrada do estábulo. Coloco a escova de Phantom de lado e lhe dou um beijo antes de sair. Do lado de fora já está praticamente tudo escuro, e bastante frio, mas Kat e eu começamos a caminhar, apesar de tudo.

— Liguei para Mary — digo a Kat. — Mas não tenho certeza se ela recebeu...

— Ei, meninas! Esperem!

Nos viramos e vemos Mary correndo na nossa direção.

— Sinto muito que perdi sua ligação, Lillia. Eu caí no sono. Sempre tiro uma soneca depois da aula.

— Ah — diz Kat.

— Está tudo bem na sua casa? — pergunto delicadamente. — Sua tia estava meio estranha quando liguei. Pensei que ela não fosse dar o recado.

Mary dá um suspiro.

— Ultimamente, tia Bette está vivendo num tipo de onda New Age. Ela está mais interessada em livros e cristais que em interagir com pessoas de verdade. — Ela sacode a cabeça. — Então, o que há de novo?

Acho que nós três só havíamos ficado juntas quando estávamos preparando o plano de vingança, ou então quando tínhamos algo urgente para discutir. Só que agora está tudo acabado.

— Nada de novo — eu digo. — Eu simplesmente senti falta de vocês.

Kat me olha.

— Como estão as coisas com Ren?

— Não muito boas — respondo. E só. Isso é, eu quero muito desabafar. Quero dizer a elas como as coisas estão uma droga agora. Mas não consigo. Kat passou exatamente pelo mesmo que estou passando agora. Foi pior ainda. Então, quem sou eu para reclamar?

Mas Kat é surpreendentemente solidária, me dá um tapinha nas costas e diz:

— Não se preocupe, alguém mais vai irritá-la, e ela vai se esquecer disso. Ei! Talvez eu mesmo possa fazer isso!

— E você pode contar sempre conosco — diz Mary.

Sorrio para as duas.

— Obrigada, garotas.

Depois disso ficamos em silêncio. Não é exatamente um silêncio desconfortável. É como se nós não tivéssemos muita coisa mais a dizer uma à outra. E talvez não tenhamos. No entanto, é gostoso estar junto delas.

Capítulo 6

KAT

QUANDO O SINAL TOCA AO FINAL DA TERCEIRA AULA, VOU PARA A biblioteca em vez de ir para a aula de cálculo, porque o escritório da orientadora está oferecendo um workshop para veteranos, para ajudá-los a preencher suas inscrições para a faculdade.

Tenho quase certeza de que será uma perda de tempo. Continuo com a minha decisão inicial de ir para Oberlin, e o material é bem simples. Uma inscrição básica, e uma declaração pessoal sobre quem eu sou e por que quero ir para lá. Deve ser moleza.

Mas depois dos meus resultados pouco favoráveis na prova do SAT[1] deste verão, preciso eliminar todas as barreiras. É um sistema falido. Há toneladas de truques para responder acertadamente a algumas perguntas do SAT, o que pode lhe render algumas

[1] SAT (Scholastic Aptitude Test ou Scholastic Assessment Test) é um teste de conhecimentos aplicado a estudantes do Ensino Médio. Nem todas as universidades norte-americanas baseiam-se nas notas desse exame para aceitar ou rejeitar candidatos a suas vagas.

centenas de pontos. É por isso que alguns garotos ricos têm vantagem sobre os garotos pobres, porque eles podem pagar aulas especiais para aprender esses macetes.

Eu nunca pude pagar um professor particular, por isso, peguei um punhado de livros da biblioteca. Alguns deles eram bem antigos, e algum idiota preencheu os exercícios simulados à caneta. Fiz o melhor que eu pude, mas obviamente não é o bastante.

Na verdade, planejo falar sobre isso na minha declaração pessoal. Oberlin é um lugar progressivo e muito liberal. Sinto que eles vão delirar com a minha angústia de classe baixa. Não importa, vou ter de fazer as provas do SAT de novo mês que vem. E espero, sinceramente, melhorar meu resultado em algumas centenas de pontos.

Se houver algum macete que a orientadora conheça e possa me ensinar, qualquer coisa que torne minha inscrição para Oberlin mais sólida e faça eu me destacar dentre todos os outros, preciso saber o que é. Farei tudo o que for possível para sair da Ilha Jar para sempre. Talvez Ohio não seja o lugar mais legal do mundo, mas é definitivamente onde eu quero estar.

A biblioteca está vazia, tão vazia que eu imagino que talvez essa reunião esteja acontecendo no escritório da orientadora e não aqui. Dirijo-me ao balcão de informações. A bibliotecária está no computador. Mostro meu passe amarelo e digo:

— Você sabe onde o...

Mas ela me interrompe com um enorme PSIU!, embora não tenha mais ninguém aqui além dela. Então aponta para a sala de reunião ao lado dos computadores.

Não existem muitos garotos na sala de reunião. Talvez cinco outros veteranos, alguns eu reconheço, outros, não. Pego uma cadeira no fundo, abro minha mochila e tiro a inscrição para

Oberlin. Vou ter de preenchê-la on-line, mas imprimi uma cópia para poder planejar todas as respostas antecipadamente.

A Sra. Chirazo, a orientadora-chefe, chega assim que o sinal toca, usando calças pretas esvoaçantes e uma echarpe de fios que parece ser seu uniforme não oficial. Juro, essa mulher não tem mais nada no seu armário além dessa merda.

Ela franze o cenho, acho que é porque ficou desapontada com a pouca participação. Mas então ela me vê, e seu rosto se ilumina.

— Katherine DeBrassio! Como vai?

— Tudo bem — resmungo, e olho para baixo, na direção dos meus papéis.

— Nós deveríamos arrumar um tempinho para nos sentar e conversar em particular! — Ela fala isso de um jeito muito alegre e isso basicamente confirma minhas piores suspeitas.

Eu tive de conversar com a Sra. Chirazo quando minha mãe morreu. Não porque eu precisasse. Eu estava me comportando bem na aula, não estava chorando em público nem nada parecido. Mas a Sra. Chirazo viu o obituário no jornal. Na verdade, ela apareceu numa das minhas aulas com o recorte da notícia e me perguntou nessa voz estranhamente calma: — Você gostaria de conversar? — Ela nem mesmo era orientadora do Ensino Fundamental. Trabalhava com o Ensino Médio. Mas acho que o luto é sua especialidade.

— Não. Não quero — respondi.

E então a miserável me fez fazer cinco sessões obrigatórias!

Sei que ela adorou fazer isso, aconselhar uma garota após a morte de sua mãe. Eu chegava, e ela sorria como uma criança na manhã de Natal. A morte de um pai ou de uma mãe é um grande atrativo para um orientador escolar. Isso, mais relações abusivas, gravidez na adolescência e distúrbios alimentares. Eu não dizia mais que duas palavras para ela em cada sessão. Na última sessão, ela me deu vários livros com atividades sobre luto e baboseiras do gênero, que eu joguei no lixo assim que saí dali.

— Bem, parece que somos só nós hoje — diz ela, voltando sua atenção para a sala. — Espero que vocês espalhem a notícia para seus amigos e colegas, sobre como é importante aproveitar esse recurso. — Ela está prestes a fechar a porta, mas alguém a impede.

Alex Lind.

Ele está vestindo jeans escuros, camisa xadrez preto e branco sob um suéter verde-musgo.

— Me desculpe pelo atraso — diz ele. Embora existam muitas cadeiras vazias, ele se senta em uma ao lado da minha. — Parece que somos oficialmente os fracassados — murmura e dá uma risada.

— Fale por você — retruco. Sei que isso soa meio maldoso, então tento lhe dar um sorrisinho. Não que me importe que ele pense que eu sou uma metida. Já superei meu amor por ele. O verão aconteceu há muito tempo.

A Sra. Chirazo começa a fazer seu trabalho, desdobrando o processo de inscrição para a faculdade em três partes. O questionário, as recomendações e a redação pessoal.

— A redação pessoal é a parte mais importante. É a única oportunidade que vocês terão de mostrar à banca de admissão quem vocês são, explicar o que pretendem. É a sua chance de sobressair, de fazê-los conhecer você e de mencionar proativamente qualquer aspecto do seu histórico acadêmico que eles possam desconhecer. Esse será o foco principal do nosso tempo juntos. Já que nós somos um grupo pequeno, vamos formar pares.

Sinto Alex olhar pra mim. Viro-me imediatamente para o lado oposto, em direção a Gary Rotini, que está sentado do meu outro lado. Infelizmente, ele já formou par com uma garota da minha aula de ginástica. Estou surpresa por ela estar aqui. Talvez eles exijam que você preencha uma inscrição para a escola de esteticista.

Alex coloca uma mão no meu ombro e dá um aperto.

— É sua vez, Kat. Me conte seus segredos mais profundos e sombrios.

Forço-me a engolir em seco. Se soubesse o que andei aprontando este ano, Alex nunca mais conversaria comigo. Mas não ligo nem um pouco.

— Você não aguentaria — retruco.

— Então eu vou primeiro.

— Você é um biscoito de baunilha. Seus piores segredos vão me fazer cair no sono. — Dou mais uma olhada em volta da sala para ver se há mais alguém para formar par.

Alex se vira na cadeira de modo a ficar me olhando de frente.

— Ei, eu também tenho um lado sombrio. Não sou nenhum biscoitinho de baunilha sem graça.

Reviro os olhos.

— Prove.

Ele olha por cima dos ombros. — Uma vez, quando tinha sete anos, tentei dar um amasso na minha babá, enquanto ela me colocava na cama.

— Ah meu Deus!

— O que tem demais? Ela era bem bonita! O cabelo dela cheirava a sorvete de cereja.

Eu me apoio de volta na minha cadeira.

— Retire isso imediatamente, seu pervertido, ou nunca mais conversarei com você!

Ele apoia a cabeça na mesa, envergonhado.

Estendo a mão para tocar o cabelo dele, mas então penso melhor e retiro a mão. Não preciso confundir as coisas entre nós. Não preciso paquerar Alex Lind, embora isso seja bem divertido. Não posso me desviar do meu objetivo mais importante, que é escapar da Ilha Jar para sempre.

Capítulo 7

LILLIA

DEPOIS DA ESCOLA, ASH ME LIGOU E, UTILIZANDO-SE DE CHANTAGEM emocional, convenceu-me a ir até sua casa. Ela não parava de dizer como fazia tempo que nós duas não ficávamos juntas. O que é verdade — faz muito tempo. Mal a tenho visto fora do treino das animadoras.

Então imagine minha surpresa quando estacionei meu carro e vi o Jeep de Rennie. Quase virei meu carro e voltei para casa, mas não quis magoar Ash. E, lá no fundo, talvez eu esperasse que Rennie estivesse envolvida nisso, que talvez ela quisesse fazer as pazes comigo.

Porém, quando toquei a campainha e Rennie abriu a porta, pareceu que ela queria bater a porta na minha cara. Ela não fez isso, mas pude perceber que era isso que desejava ter feito.

Agora estamos aqui, na sala de recreação de Ash, assistindo a TV e pintando as unhas sentadas nos pufes moles que ela não deixa sua mãe jogar fora. Tivemos de ficar aqui embaixo porque a mãe dela não gosta do cheiro do esmalte; ela diz que lhe causa enxaqueca.

Ash está tentando manter a conversa, mas, na verdade, ninguém está com vontade de conversar. Estamos todas concentradas nas nossas unhas.

— Me passe o removedor de esmalte — pede Rennie. Obedientemente, Ashlin o entrega.

Estou pintando minhas unhas do pé de verde-menta. Ash tem as melhores cores de esmalte de todas nós. Estou na minha segunda camada quando Ash pergunta:

— Vocês já começaram a preencher seus formulários de inscrição para a faculdade?

— Estou bem no começo — digo, desembrulhando um pacote grande de Snickers que encontrei na bolsa. Apesar de ela ter as melhores cores de esmalte, a casa de Ash nunca foi muito boa no quesito lanchinhos. A mãe dela está numa dieta sem glúten. — Provavelmente, passarei todos os meus finais de semana até primeiro de janeiro preparando minha redação pessoal.

Ash se vira na minha direção:

— Você ainda vai se inscrever para a Faculdade de Boston, Lil? Porque eu estou pensando em me candidatar também, para ser minha escola preparatória. Se eu entrar... colegas de quarto?

— Dã! — digo. — Com os edredons combinando e tudo mais.

Ash é uma enorme bagunceira, e eu nunca, jamais, dividiria um quarto com ela. Além do mais, duvido que ela entre. Mas não me importo, porque Rennie está olhando para nós com os olhos apertados.

Não é nada bom se sentir desprezada, não é, Ren?

Ashlin dá gritinhos de alegria e bate palmas.

— Oba! Você gostaria de morar dentro do campus? Ou arrumar um apartamento fora do campus?

Isso é fácil demais.

— Acho que é melhor morar no campus, pelo menos no primeiro ano. Assim a gente não perde muito da diversão. Você sabe, sessões de estudo até tarde da noite, e, sei lá, paquerar os garotos do nosso saguão e pedir pizza às quatro da manhã. Nós vamos querer participar de todas essas experiências juntas, não é? E então, podemos nos mudar para longe do campus no segundo ano. — Subitamente, me sinto mesquinha, insignificante e pequena, por tentar fazer Rennie sentir-se mal. Eu me senti como... Rennie.

— E quanto a você, Rennie? — pergunta Ashlin. — Você já terminou suas inscrições?

— Sim. Meu formulário levou uns dois segundos para ser completado.

Acho que o formulário de inscrição para a faculdade pública da Ilha Jar deve ser superfácil. Imagino se ela precisou escrever uma redação. Quando Rennie costumava falar sobre ter de ir para a faculdade pública, ela ficava amarga com isso. Dizia que seria a única a ficar presa ali. Mas hoje ela não parece amarga de jeito nenhum. Na verdade, ela está praticamente cantarolando para si mesma.

Ela está vestindo seu casaco, seus cabelos estão caindo em volta do rosto quando ela diz:

— Não há como eu me inscrever para uma faculdade de quatro anos neste momento. Reeve e eu nem sequer sabemos onde ele irá jogar até que sua perna esteja curada, e ele começará a conversar com seus recrutadores novamente.

Tenho vontade de dizer *Ah, e tem também o probleminha de suas notas serem ruins e você não ter dinheiro para a faculdade,* mas mordo a língua.

— Eu vou fazer um semestre na faculdade pública local e tirar só notas A, e então me transfiro para onde ele for.

A voz de Ashlin se eleva:

— Você e Reeve vão realmente se casar. Você praticamente salvou a vida dele, dando-lhe apoio durante toda essa tragédia.

Tragédia? Um tsunami destruindo uma vila inteira é uma tragédia. Reeve é um atleta que quebrou a perna. Ele vai ficar ótimo.

— Ele faria o mesmo por mim — responde Rennie. E eu não consigo acreditar como ela pode dizer isso com uma cara tão séria. Como se Reeve fosse capaz de fazer alguma coisa por alguém que não fosse ele mesmo! — Ah, e por falar nisso, não vou participar do treino pelo resto desta semana. Reeve tem algumas consultas fora da ilha e vai ver um especialista em medicina esportiva. — Ela sorri para si mesma, satisfeita. — Ele vai tirar o gesso amanhã, exatamente como estava planejado.

Minha cabeça se vira rapidamente.

— Por que você tem de perder o treino por causa disso?

Rennie me ignora e diz:

— Ash, você pode dar conta do treino?

Ashlin me olha meio desconcertada.

— Claro. Lil e eu podemos fazer isso juntas. Certo, Lil?

— Você está abandonando a equipe ou coisa assim? — pergunto, incrédula.

— Não, eu não estou abandonando a equipe — responde Rennie asperamente. — Não foi isso que eu quis dizer.

— Bem, você já perdeu uns três treinos — digo, e minha voz treme um pouquinho ao dizer isso, porque estou apavorada. Na verdade, é a primeira vez que a estou confrontando com suas mentiras.

Rennie fica com o rosto vermelho.

— Quando me comprometi a representar o número de Reeve, eu me comprometi para a temporada toda. Não vou abandoná-lo agora.

Ridículo. Levanto-me abruptamente.

— Vou pegar um refrigerante.

— Para mim, uma Coca Diet, sem gelo. — diz Rennie sem sequer olhar para mim, como se eu fosse uma garçonete, e ela estivesse fazendo seu pedido.

Ash se levanta também.

— Vou ajudar você, Lil. Eu escondi um pouco de sorvete atrás dos picolés de soja da minha mãe. Acho que ainda estão lá, se meu pai não os descobriu.

Assim que chegamos à cozinha e estamos fora do alcance dela, vou até a geladeira e pego duas latas de Coca Diet e digo:

— Gostaria que você tivesse me avisado de que Rennie estaria aqui.

— Mas então você não teria vindo — choraminga Ashlin.

— Exatamente — digo.

Ashlin dá um pulo e senta no balcão da cozinha.

— Eu detesto que vocês duas não estejam se entendendo. É por isso que convidei vocês duas para virem aqui hoje.

Sei que ela não fez isso por mal. Não há nada de que Ash goste mais do que bancar a mediadora.

— Não é que nós não estejamos nos entendendo. É que Rennie tem sido uma completa idiota comigo, por uma coisa que nem é culpa minha.

— Eu sei que ela sente sua falta — diz Ash.

A esperança tremula no meu peito.

— Ela disse isso? — pergunto.

— Não com essas palavras. Mas posso perceber.

Hum. Tomo um gole do refrigerante.

— Ela e Reeve estão juntos agora?

— Praticamente — diz Ashlin. — Ela está ao lado dele para o que der e vier, sabe? Acho que o acidente o fez perceber como ela tem estado ao lado dele durante todos esses anos.

— Fico feliz por ela — digo, e sou sincera, de verdade. Se Rennie e Reeve agora são oficialmente um casal, talvez ela realmente consiga superar o que aconteceu no homecoming, e as coisas possam voltar a ser como eram antes. Pelo menos, eles se merecem.

Capítulo 8

MARY

É SEGUNDA-FEIRA À TARDE, E ESTOU NA AULA DE QUÍMICA, TRABALHANDO num laboratório com meu grupo. Os dois garotos fazem a maior parte do trabalho, enquanto outra menina e eu anotamos os resultados em nossos cadernos. Esse arranjo está bom para mim, já que eu nunca fui muito boa em ciências. Estamos de pé, em volta de uma mesa, esperando que uma mistura chegue ao ponto de ebulição, quando escuto duas garotas do primeiro ano conversando atrás de mim.

— Estou prestes a abandonar o projeto do anuário — resmunga uma delas. — A única coisa que a gente tem para fazer é a colagem das fotos dos calouros. Não foi para isso que eu me inscrevi.

Imediatamente, o que vem à minha cabeça é: o anuário é o tipo de coisa da qual Kat estava falando outro dia! Eu tenho de me expor para encontrar minha felicidade. Eu passei dias muito bons na escola antes de Reeve e eu termos nos estranhado. E não tenho nenhum problema com, hum, meus problemas.

Além disso, eu *adoro* fazer colagem de fotos.

Eu costumava fazer colagens o tempo todo quando era criança. Nunca jogava fora uma revista sem primeiro recortar as figuras bonitas. Eu costumava passar horas a fio arrumando as imagens como se fossem pedaços de um quebra-cabeça, e então eu as colava num pedaço de cartolina e pendurava no meu quarto. Nós não levamos essas cartolinas conosco quando nos mudamos da Ilha Jar. Eu não estava em condições de empacotar nada, obviamente, então ficou tudo por conta da minha mãe e do meu pai. Imagino que eles talvez tenham jogado esse material fora, ou, quem sabe, ele esteja guardado em algum lugar na garagem.

Faço alguns círculos no meu caderno e continuo a escutar.

— Eu sei — diz a outra garota, com um mau humor que a faz chama do seu bico de Bunsen tremular. — Mas nós temos de ficar nesse projeto para termos uma chance de virar editora-chefe no ano que vem. Você sabe como são essas coisas. É tudo questão de política.

Comitê do anuário. É isso mesmo. Vou entrar para o comitê do anuário.

Depois da aula, guardo meus livros e me encaminho para a sala da orientadora para perguntar quando e onde as reuniões do anuário acontecerão. Acabo percebendo um folheto preso num dos quadros de aviso do lado de fora do escritório da orientadora. Havia a foto de uma câmera nele, e as palavras O PROJETO ANUÁRIO É MOLEZA! REUNIÕES TODAS AS SEGUNDAS-FEIRAS NA BIBLIOTECA!

Hoje é segunda-feira. Sinto-me com sorte, como se isso fosse uma obra do acaso. Vai ser bom, acho, ter um clube para poder mencionar na minha inscrição para a faculdade no ano que vem. Preencher os formulários de inscrição para a faculdade é tudo de que Lillia e Kat conseguem falar nesse período, e elas me fizeram realmente pensar sobre o futuro. Honestamente, sei que isso não está muito distante. O terceiro ano já está quase acabando.

Preciso começar a pensar no que eu quero ser quando crescer. Minha mãe disse que ela sempre soube que queria ser arquivista, desde quando era pequenina e encontrou um monte de papéis velhos da família Zane guardados no sótão. Ela os catalogou e guardou num fichário especial, entre camadas de papel de seda sem ácido, isso tudo quando tinha sete anos.

Por essa lógica, talvez eu esteja destinada a ser veterinária. Isso é o que eu sempre quis ser. Certa vez, o Montessori organizou uma excursão para o zoológico, e eu pude observar um veterinário ministrar antibiótico em um filhote de pinguim. Foi incrível. Depois disso, eu costumava fingir com meus bichinhos de pelúcia, dando injeção neles e fazendo curativos em suas patas com a gaze que eu encontrei no armário de remédios.

Fico em dúvida se devo ligar para tia Bette e avisar que vou chegar mais tarde em casa, mas decido não fazer isso. Eu não preciso que ela fique atrás de mim o tempo todo, e que saiba o que estou fazendo. Tenho certeza de que ela começará a falar sobre isso no instante em que eu chegar em casa.

Estou a meio caminho do pátio quando alguém quase me derruba.

Reeve.

Consigo me desviar dele no último instante. Graças a Deus, ele não me vê. Na verdade, ele parece não notar nenhuma das pessoas que estão se esquivando do seu caminho, enquanto avança para a frente apoiado nas muletas. Ele está ocupado demais rosnando ao celular, com a testa tensa e franzida. Está com o telefone aninhado entre o ouvido e o ombro, já que não pode usar as mãos ao mesmo tempo em que segura as muletas. Só uma coisa parece melhor — o enorme gesso branco foi retirado. Agora, ele está com uma coisa preta de velcro. Um imobilizador soft cast, acho que é assim que é chamado.

Eu acabo por segui-lo, não de propósito. Acontece que ele está simplesmente caminhando na mesma direção para a qual vou. Embora eu mantenha uma boa distância entre nós, ainda consigo escutar o que ele diz ao telefone.

— Eu não paro de dizer ao cara que eu posso fazer *mais*, Ren — diz ele, exaltado. — Sim, bem, se ele não conseguir terminar nossa programação hoje, estará demitido. Eu mesmo vou cuidar da minha fisioterapia. De acordo com a nossa agenda, estou quase uma semana atrasado em relação à expectativa original.

Reeve para abruptamente perto da cerca de arame, aquela que corre ao lado do campo de futebol. O treino está acontecendo, e o time está concentrado num enorme círculo no meio do campo, alongando-se e batendo as mãos toda vez que troca de posição. Alex está ao centro. Imagino se agora ele é o capitão do time.

Nenhum dos caras percebe que Reeve os está observando. Eles não o veem parado ali, nem notam quando ele vai embora.

Não sinta pena dele, digo a mim mesma. *Não sinta nada por ele.*

Reeve sai de fininho e se encaminha para o prédio da piscina. Tem um homem parado perto da porta, um cara mais velho usando um conjunto impermeável. Não acho que seja um professor daqui. Nunca o vi antes. Ele está segurando uma prancheta e uma mochila pendurada no ombro.

— Reeve. Ei, companheiro. Pronto para o trabalho?

Depois de dar um tapinha nas costas de Reeve, o homem tenta abrir a porta e segurá-la para ele. Reeve olha duro para o cara.

— Estou *sempre* pronto para trabalhar. E você?

• • •

O comitê do anuário parece ser um clube bastante popular, especialmente para as garotas. Acho que é porque se você estiver no comitê do anuário, pode garantir que nenhuma foto ruim sua apareça nele. A biblioteca está cheia de pessoas sentadas em pequenos grupos, fazendo suas tarefas. Algumas estão separando planilhas. Outras estão trabalhando em algumas páginas de layout, outras ainda estão decidindo o tipo de capa e calculando o custo por pessoa.

Existem alguns garotos por aqui também. Fico com a impressão de que eles estão mais envolvidos no aspecto técnico do trabalho, já que estão ocupando todos os computadores. A maioria das garotas fica em pé atrás deles, apontando onde querem colocar as coisas.

Vejo as garotas da aula de química compartilhando uma cadeira. Com uma expressão preocupada, elas estão separando uma pilha de fotos coloridas. Elas apontam e riem de algumas delas, fazendo cara de nojo e dando risadinhas entre si.

— Vamos colocar esta foto de Carrie espirrando — diz uma delas.

Eu realmente espero que essas garotas saiam do projeto; elas são tão mesquinhas. Se eu tiver a sorte de trabalhar numa dessas colagens, vou garantir que nenhuma foto ruim apareça. Mesmo das pessoas de que eu não gosto.

No entanto, é intimidador ver que todo mundo já tem uma tarefa determinada. O que uma novata como eu deveria fazer?

Eu me apoio numa das prateleiras da biblioteca, perto do fundo da sala, e tento me concentrar nas coisas que posso dizer ao orientador, o Sr. Kraus, quando ele chegar e a reunião oficial começar. Inicialmente, acho que devo me apresentar e falar da minha experiência com colagens, se é que posso chamar assim. Espero saber usar algumas daquelas câmeras digitais sofisticadas da escola, que os garotos estão passando pela sala, para que eu possa ajudar a fazer as fotos também. Talvez ele se ofereça para nos ensinar isso.

Mais algumas pessoas começam a chegar à biblioteca depois de mim. Uma delas é Nadia Cho. Ela ainda está vestindo a roupa do treino de animadora de torcida e fica parada perto da porta, como se não pretendesse ficar ali muito tempo.

Eu gosto de Nadia. Ela parece ser uma garota meiga, como se fosse uma Lillia mais jovem, mas com olhos enormes e sardas.

Penso em me aproximar dela e dizer "oi", já que nunca fomos oficialmente apresentadas. Mas então Rennie chega por trás dela. Rennie não está usando seu uniforme de animadora de torcida. Ah meu Deus. Será que ela saiu da equipe, agora que Reeve não está mais jogando? Eu bem posso imaginá-la tomando uma atitude dessas.

Rennie dá um abraço em Nadia. É um abraço delicado e dura apenas alguns segundos, mas é definitivamente mais longo que aqueles que vejo as garotas trocarem no intervalo das aulas. Rennie se afasta um pouco e brinca com a franja de Nadia, enquanto lhe conta alguma coisa que não consigo escutar. Nadia sorri para Rennie e acena petulantemente com a cabeça. Ela entrega a Rennie um cartão de memória e sai porta afora.

Quando estávamos no haras, Lillia mencionou a Kat e a mim que as coisas estavam estranhas e tensas entre ela e Rennie desde a noite do baile. Mordo o lábio inferior. Fico preocupada ao ver Nadia sendo tão amiguinha de Rennie. Ela não é uma boa influência. De modo algum. Lillia é a irmã mais velha de Nadia. Nadia deveria ser leal a ela, e não a Rennie.

O Sr. Kraus entra na sala. Ele é professor de arte, então faz sentido que seja ele o responsável pelas atividades do anuário.

— Tudo certo, pessoal! Ouçam! — A sala fica silenciosa, mas apenas um pouquinho. A maioria das pessoas continua conversando. — Precisamos que o artigo sobre o homecoming fique pronto esta semana, assim como a reportagem sobre o clube de línguas estrangeiras e o dos esportes de outono. — Ele vasculha a sala rapidamente. — Se você estiver começando nisso hoje, encontre algum projeto no qual ajudar. — Depois ele desaparece dentro do seu escritório e fecha a porta.

Ah. Ok.

Então parece que o projeto do anuário fica por conta dos alunos.

Desvio do meu caminho e vou para perto de algumas garotas que estão fazendo o upload das fotos diretamente das câmeras, esperando receber alguma indicação. Acabo ficando perto de Rennie; ela está trabalhando na reportagem sobre o baile com outra garota.

— Nós temos mais fotos do baile hoje — diz Rennie entregando o seu cartão de memória.

A outra garota continua com os olhos fixos na tela do computador.

— Duvido que a gente vá precisar de mais alguma foto. Você conseguiu trazer mais fotos do baile que dos veteranos. É uma reportagem de apenas uma página.

— Nós precisamos ter certeza de conseguir uma foto perfeita — insiste Rennie com sua voz aguda.

— Acho que tenho uma — diz a garota com um sorriso. Ela clica e uma foto de Lillia e Reeve surge na tela do computador.

Os dois dançando no palco. Ele a segurando bem apertado junto de si, olhando nos olhos dela, com um enorme sorriso. Antes de ele ter me visto. Antes de eu ter ficado... maluca.

Forço-me a desviar o olhar. A garota toca a tela com a ponta do lápis e diz:

— Acho que devemos construir uma página inteira relacionada a esta foto.

Rennie sacode a cabeça, pega o mouse do computador e clica em outra foto. Uma com a quadra toda do baile.

— Esta aqui é bem melhor. Mas, realmente, nós deveríamos esperar ter todas as fotos antes de fazer a escolha final, temos de analisar tudo antes.

— Mas a foto que você quer não mostra quem ganhou os títulos de rei e de rainha!

Rennie vira o rosto e fica de frente para a garota.

— Você está brincando comigo? A foto que você quer vai fazer todo mundo se lembrar do acidente, Ok? Vai ser um *lembrete* para todos. — Pela primeira vez concordo com Rennie. Na verdade, eu gostaria que eles pulassem essa página por completo. — Sem mencionar que isso é completamente desrespeitoso para com Reeve.

Desafiadora a garota diz:

— Nós sempre colocamos, pelo menos, uma foto do rei e da rainha no anuário.

Rennie lança um olhar raivoso para ela e então suaviza o tom de voz. Ela curva o dedo para a garota chamando-a para aproximar-se um pouco mais.

— Olhe, eu não queria dizer nada porque ainda estão averiguando, mas o título da rainha do baile ainda está em discussão. A treinadora Christy está considerando uma possível recontagem. Então não vamos decidir nada ainda sobre que foto colocar.

A garota acena com a cabeça, os olhos arregalados.

— Ok — sussurra ela em resposta. — Sendo assim, é diferente.

Sinto um aperto no peito. Será que a treinadora Christy conseguiu descobrir que Kat e eu entramos na sala dela para adulterar os votos do baile? Sacudo a minha cabeça. Não, de modo algum. Nós fomos bem cuidadosas. Não deixamos nenhum rastro.

Pego uma cadeira perto do grupo de estudantes que estão votando quais categorias de superlativos incluir este ano. Mais bonito, mais popular, olhos mais lindos, mais atléticos. Eu me forço a pensar em outro garoto, um garoto que não seja Reeve, para cada uma das categorias.

•••

Depois da reunião, estou saindo para casa quando escuto um apito estridente vindo da piscina da escola. Será que Reeve ainda está lá? Embora saiba que isso não é uma boa ideia, não consigo deixar a curiosidade de lado. Será que ele está melhorando o suficiente? Será que, apesar de tudo, ainda existe alguma chance de ele conseguir uma dessas bolsas esportivas? Eu me esgueiro até lá e o observo. Reeve está na água com seu calção de banho. Sua bota imobilizadora está apoiada num dos degraus da arquibancada. Um homem está sentado ao lado da piscina com as pernas balançando na água. Ele não está usando um calção de banho. Está com suas calças de ginástica arregaçadas até o joelho.

— Muito bem, Reeve, agora eu quero que você segure deste

lado aqui e bata as pernas como no nado peito a intervalos de 15 segundos pelos próximos três minutos. — Ele coloca novamente seu apito de treinador na boca. — Coloque...

Reeve solta um grunhido.

— A menos que você não consiga fazer isso — diz o homem num tom de provocação.

E Reeve perde a cabeça. Ele surta.

— É claro que eu posso fazer isso. Esta não é a questão.

— Então qual é?

Reeve o fuzila com o olhar.

— A questão é que consigo fazer isso a intervalos de 60 segundos.

— E daí?

— Então, por que não vamos para a academia e você me coloca na esteira?

O homem pisca algumas vezes.

— Você ainda não está pronto para a academia, meu amigo. É por isso que ainda está com um imobilizador, e não com um tênis de caminhada. Você tem se esforçado demais até agora.

— Você não tem certeza disso. Você nem mesmo tentou me forçar um pouco mais. Confie em mim. Posso fazer muito mais do que estou fazendo agora.

O homem sacode a cabeça.

— Filho, você precisa aceitar sua lesão, e não lutar contra ela. Vai levar algum tempo para você se curar.

Reeve fica em pé na piscina. Apesar de ele estar pingando água e tremendo, seu rosto está com um tom vermelho intenso, brilhante.

— Encontrei este artigo on-line sobre um cara que quebrou a fíbula e cinco semanas depois estava correndo 11 quilômetros. É esse "Olho de Tigre" que eu quero que você tenha. É para esse nível que eu quero que você me force.

O homem suspira.

— Reeve, preste atenção. Não há como você voltar para o campo de futebol nesta temporada. Quero que você tire isso da cabeça.

Reeve tensiona todos os seus músculos.

— Eu sei disso! Sei que não vou jogar nesta temporada. Mas os campeonatos da faculdade começam em fevereiro, cara. Preciso ser capaz de me garantir até lá. Se eu não jogar futebol, não vou para a faculdade. Fim de papo. Estou acabado.

O homem coloca calmamente sua prancheta no chão e cruza as mãos no colo.

— É um processo, Reeve. Um passo de cada vez. Se você conseguir, ótimo, mas você precisa se preparar para o *se*.

Reeve se encolhe ao ouvir a palavra, e então sacode a cabeça, como se tivesse tentando se esquecer de tê-la ouvido.

— Sabe do que mais, vou fazer isso por minha própria conta.

— Reeve...

— Você não me escutou? Você está despedido. Não preciso mais de seus serviços.

Reeve sai da água. Ele tenta colocar um pouco de peso na perna, mas não consegue. Então, acaba pulando até onde está sua toalha. Baixinho, ele murmura alguns palavrões.

O fisioterapeuta balança a cabeça e guarda suas coisas. Ele caminha para longe da piscina e passa à minha frente no corredor. Reeve fica sentado no banco um pouco mais, formando uma poça de água no chão de concreto. Fico esperando que ele guarde suas coisas e vá para casa, mas, em vez disso, ele volta para a água e se posta no lado mais raso. Ele faz o exercício que o fisioterapeuta recomendou fazer, o movimento do sapo, mas sem parar durante um minuto inteiro, então ele faz isso mais cinco vezes. É uma loucura pensar em como somos parecidos. Aqui estamos ambos, tentando resolver nossas coisas, tentando conseguir algo positivo de algo muito ruim.

Capítulo 9

LILLIA

Sair pela ilha de porta em porta dizendo doce ou travessura não é realmente uma boa ideia. Existem muitos lugares ermos. Casas de praia que ficam vazias durante quase todo o outono e o inverno. Então a escola faz um Halloween alternativo, que eles chamam de Festival de Outono. Depois da aula, as crianças vão para casa, vestem suas fantasias e voltam para encontrar a escola assombrosamente enfeitada. Existem muitas atividades divertidas ao estilo do Halloween, como mergulhar a cara na água para pegar a maçã, pintar o rosto e sair para a caça ao tesouro. Oficialmente, a Associação de Pais e Mestres da escola é que realiza a festa, mas sempre tem um aluno veterano que fica responsável por reunir alunos do Ensino Médio para tomar conta das barracas e dar algum apoio. Este ano, sou eu a escolhida. Rennie deveria dividir as atividades comigo, mas, assim que as reuniões de planejamento realmente começaram, ela deu o fora.

É sexta-feira, estamos sentadas na mesa do almoço, e Ashlin está suplicando para Rennie revelar qual será sua fantasia.

— Vamos lá, Rennie! — diz Ash. — Eu contei qual era a minha.

Rennie sacode a cabeça presunçosamente.

— Você vai ter de esperar para ver.

Eu mexo meu frozen yogurt com uma colher. Estou estressada demais com a organização do Festival de Outono para ter fome. Estou com uma lista enorme de tarefas, e ainda tem um monte delas a serem feitas. Tenho hoje, o fim de semana e então dois dias da semana que vem para aprontar tudo. Ainda estou esperando para saber quantos cupcakes a Milky Morning doará. E talvez a Sutton não doe tantos doces este ano, e, por isso, preciso de um plano alternativo caso as coisas não saiam como o esperado.

Mas o meu maior problema agora é que não tenho gente suficiente para cuidar das barracas. Tenho Nadia e os amigos dela para fazerem a caça ao tesouro, e estou com os garotos do grupo de teatro para contar uma hora de história ao lado da fogueira, e ainda preciso de juízes para o concurso de fantasias.

Também tem a barraca de pintura facial. Desde o primeiro ano do Ensino Médio, Rennie e eu é que temos cuidado dessa barraca. Nós pintávamos borboletas, estrelas e listras de tigres no rosto das crianças. Era uma coisa nossa. Acho que será a oportunidade perfeita para conversarmos, longe de Ashlin, de Reeve e de todo mundo. Só eu e Rennie, como costumava ser.

Respiro fundo e digo a ela:

— Nós ainda vamos ficar na barraca de pintura facial, certo?

Rennie contorce o rosto.

— Acho que não vou poder. Sinto muito — diz. Mas ela não parece sentir muito.

— Tudo bem — falo, tentando não parecer desapontada. Eu não deveria ter alimentado esperanças.

— Preciso de tempo para vestir minha fantasia. O Festival de Outono vai acontecer a que horas, às cinco? E acabar às oito? Não vai dar tempo, mesmo que eu saia correndo depois da aula. — Ela dá de ombros. — Além do mais, alguns de nós estarão indo para o pré-jogo na casa de Ash antes de a gente ir para o labirinto assombrado.

O quê? Todo mundo está indo para um pré-jogo na casa de Ashlin, e ninguém me falou nada? Viro minha cabeça subitamente para Ash, que, de repente, parece preocupada demais com sua salada.

— Isso quer dizer que você não vai poder ficar na barraca do tanque de água com Derek? — pergunto.

Com o cabelo cobrindo-lhe o rosto, ela diz de modo meigo:

— Não, desculpe, Lil. Rennie conseguiu um rum temperado no trabalho dela, e ela achou essa receita deliciosa de um coquetel que podemos preparar com ele ou com sidra de maçã. Você deveria vir também!

— Como poderia fazer isso? — grito, exasperada. — Tenho de cuidar de todos os preparativos da festa, e vocês disseram que me ajudariam!

— Eu sinto muito, muito mesmo — responde Ashlin, com os olhos trêmulos e arrependidos.

Da ponta da mesa, Alex diz:

— Lil, eu estarei lá.

— Obrigada, Alex — respondo. Com a voz mais alta, completo: — É bom saber que eu posso contar com alguém.

Ashlin faz beicinho para mim.

— Ah, me perdoe, Lil.

Reeve balbucia:

— Você está se desculpando por quê? Se você não pode ajudar, não pode ajudar.

Lanço um olhar despeitado na direção de Reeve.

Nos últimos três anos ele tem vindo ao Festival de Outono fantasiado de Jason, do filme *Sexta-Feira 13*. Quando éramos calouros, as garotas veteranas pediram para ele fazer isso, e isso se tornou uma tradição na Ilha Jar. Todo ano Reeve usa uma máscara de hóquei branca e persegue as crianças por todos os lugares com uma motosserra na mão. Os garotos adoram isso. Eles o adoram. Já pedi diversas vezes, porém ele não está disposto a fazer isso. Tudo bem que esteja usando muletas, mas poderia pelo menos aparecer fantasiado.

— Se o Festival de Outono for uma porcaria este ano, a culpa será nossa — advirto.

— Você quer dizer que a culpa será sua — Reeve me corrige.

Olho furiosa para ele.

— A culpa será de todos nós, incluindo você, especialmente você. Você sabe quanto as crianças gostam da sua personificação do Jason. Eu não entendo por que você não pode pelo menos...

— O que você não entende? — esbraveja Reeve, apontando para suas muletas.

— Como ele vai sair pela quadra correndo atrás das crianças se apoiando nas muletas? — pergunta Rennie, e solta um grunhido. — Alô-ô!

— Ele faz exercícios, tipo, todos os dias — respondo, numa voz trêmula.

Rennie se inclina para junto de Reeve e diz:

— Sim, na piscina e na sala de musculação. Ele não pode colocar peso na perna, Lillia. Não fale de coisas que você não entende.

— Reeve coloca a mão no ombro de Rennie, e ela relaxa o corpo contra o espaldar da cadeira, balançando a cabeça revoltada. Então ela se afasta de mim, e começa a falar novamente sobre sua fantasia.

É aí que percebo a coisa toda. Rennie fez isso de propósito. Ela deu um jeito para que ninguém pudesse me ajudar, então eu estarei totalmente sozinha. Ela convenceu Ashlin a convidar as pessoas para sua casa quando percebeu que eu não daria conta de fazer tudo sozinha.

Finalmente, compreendo o que está bem na minha cara. Não é que Rennie esteja brava comigo. Não é porque ela não quer mais ser minha amiga. Ela rompeu oficialmente comigo, e se Rennie rompeu comigo, ela irá garantir que todos façam o mesmo. Quantas vezes eu a vi fazer exatamente a mesma coisa? Afastar alguém do grupo porque a pessoa a irritou de alguma maneira? Eu já vi isso acontecer e não fiz nada, nem disse nada, porque fiquei com medo, e isso era confortável. Nunca pensei que um dia poderia acontecer comigo.

Alex está olhando incrédulo para todos na mesa.

— Vocês estão falando sério? Nós não podemos ajudar Lil por uma noite? — Quando ninguém responde, ele joga o garfo na bandeja. — Vocês são uma droga! Lil, o que eu posso fazer? Me diga do que você precisa.

Mantendo minha cabeça baixa, junto minhas coisas o mais rápido possível. Baixinho, digo a Alex:

— Se você tiver tempo neste final de semana, pode vir até a minha casa para me ajudar a arrumar uns saquinhos de doces para os prêmios?

Alex acena positivamente com a cabeça.

— Irei lá hoje à noite, depois do treino. — Ele diz isso bem alto e olhando para todo mundo. Depois se vira outra vez para mim, dá um sorriso e completa: — Não se preocupe, vou tomar banho antes de ir.

Preciso fazer um grande esforço para sorrir de volta, mas consigo.

— Acho bom — respondo. Eu me esgueiro para o estacionamento e choro dentro do carro. Então é assim que vai terminar depois de tudo que eu e Rennie passamos juntas.

•••

Nadia, Alex e eu temos uma linha de montagem preparada na sala de jantar. Nadia está com os potinhos de manteiga de amendoim e os chocolates Snickers; Alex está com as balas de canela, as balas de limão e os caramelos de frutas. Estou com os confeitos e os pirulitos e também tenho de amarrar a fita e dar um laço no saquinho. É a sexta-feira mais chata de todos os tempos, mas eu não poderia estar mais feliz por estar realizando a tarefa.

Levanto uma para inspecionar.

— Vocês não acham que parece conter poucos doces?

— Alex não está colocando bastante bala de canela aí dentro — denuncia Nadia.

— Dedo-duro — ele acusa, cutucando-a de lado. — Tudo bem, estou fazendo um favor para essas crianças, menos cáries. Além do mais, você já amarrou os laços, Lil.

— Sim, eu sei. — Eu mordo meu lábio, sentindo o peso do saquinho na minha mão. — Não quero que as crianças se sintam trapaceadas ou algo assim.

— Talvez nós devêssemos abrir os pacotes de confeitos para fazer com que os saquinhos pareçam mais cheios — sugere Nadia.

Bato palmas.

— Perfeito!

Alex chama Nadia para bater as mãos no alto, e ela sorri para nós dois.

— Alex, você vai cuidar disso — digo a ele, e ele me cumprimenta.

— Ah, eu conversei com a minha mãe, e ela falou que vai ligar para Joy esta noite — diz Alex enquanto abre cuidadosamente um saco de doces. Seu cabelo ainda está molhado do banho. Ele realmente veio direto para cá.

— Quem é Joy? — quer saber Nadia.

— Ela é uma das proprietárias da Milky Morning — Alex responde a ela. — Minha mãe a conhece do clube do livro. Ela disse que pode doar quantos cupcakes você precisar. — Ele me entrega outro saquinho.

De repente, estou sentindo gratidão, amor e amizade por Alex, tanto que não dá nem para medir. Não sei o que teria feito hoje sem ele.

— Você é máximo, Lindy — afirmo.

Alex sacode os ombros envergonhado, e diz:

— Não é nada. — Ele aponta na minha direção. — Ei, você está atrasando a linha de montagem.

Depois que ele vai embora, Nadia me ajuda a empacotar os doces que sobraram e a limpar a bagunça. Ela não olha para mim quando diz:

— Alex gosta de você. Sabe disso, não?

Abro minha boca para negar, mas paro a tempo. Não posso mentir para Nadi, mas eu nem sei mais qual é a verdade. Então apenas digo:

— Somos apenas bons amigos.

Nadia revira os olhos dramaticamente.

— E você?

— Eu o quê?

— Você gosta dele? — A expressão em seu rosto é um tanto suplicante, mas ela basicamente está tentando fingir indiferença. Isso me despedaça o coração.

— *Você* gosta? — pergunto a ela.

Faz-se um silêncio, e posso perceber que ela está pensando nisso.

— Não — responde. — Ele é... legal. Ele é muito legal, só que eu não gosto mais dele desse jeito. Já gostei, mas acho que foi por muito pouco tempo.

Estendo a mão e toco o cabelo de Nadia. É macio como o de um bebê. Ela me deixa fazer esse carinho por um segundo, antes de afastar-se e dizer:

— Seja legal com ele, Ok? Não o machuque.

— Pode deixar — digo. Na minha cabeça, acrescento, *não outra vez*. Isso é uma promessa.

Capítulo 10

MARY

Hoje, quando nos encontramos no corredor, Lillia mencionou que pedira a alguns de seus amigos que a ajudassem a separar o equipamento de som e levá-lo até a escola elementar. É para a noite do Festival do Outono. O evento que ela está organizando para as crianças. Mas todos tinham treino.

— E é claro que Reeve fingiu nem me escutar.

Balancei a cabeça; entendo bem isso.

— Claro que ele fez isso.

Lillia parecia estar prestes a cair no choro.

— Vai levar um tempão para eu carregar o carro sozinha.

— Lil, é óbvio que vou ajudá-la.

O rosto de Lillia se iluminou imediatamente.

— Muito obrigada, Mary.

Então agora estou correndo apressadamente pela entrada lateral ao lado do teatro. Não sou muito forte, mas nós duas juntas vamos conseguir fazer isso mais rápido. Em vez de lutar e entrar na escola no contrafluxo da saída das aulas, pego um atalho pelo estacionamento dos fundos. É quando eu vejo a SUV de Alex estacionada ao lado da porta lateral, bem atrás do Audi de Lillia. Ele já está lá tirando as caixas do porta-malas dela, e colocando no dele. A porta traseira está aberta, e Lillia, usando um casaco marfim e uma echarpe comprida em volta do pescoço, sai por ela, lutando com uma enorme caixa de papelão. Alex corre para ajudá-la.

— Alex! — diz ela, olhando para o alto. — Ah, graças a Deus.

Eu espero e observo.

Alex pega a caixa das mãos dela.

— Pronto, Lil. Não precisa sujar seu casaco.

— Pode deixar — ela insiste, e ele tenta tirar a caixa das mãos dela. Os dois caem no riso porque ela quase deixa a caixa cair. — Você tem que ir ao treino.

— Deixe isso comigo — diz ele, mas num tom meigo. Lillia finalmente solta a caixa. Acho que Alex fica surpreso com o peso dela. Ela quase cai de suas mãos, mas ele ajusta sua pegada antes de isso acontecer.

Enquanto isso, Lillia vasculha o estacionamento. Dou um passo à frente e sorrio, mas ela acena com a mão, como a dizer que eu deixasse para lá.

— Obrigada — ela agradece, quase sem fôlego, quando Alex levanta a cabeça. — Só tem mais três caixas lá dentro. — Ela se vira para voltar para a porta do teatro, mas Alex a impede.

— Espere aqui. Vou pegá-las. — Lillia se encosta no carro. A intensidade do vento aumentou e seu cabelo está esvoaçando em volta do rosto. — Fico lhe devendo uma, Lindy! Muito obrigada!

Começo a voltar, e é então que noto, cerca de quatro metros e meio à minha esquerda, Reeve parar sua caminhonete. Ele também os vê. Então faz uma carranca e coloca a caminhonete em marcha a ré. Ele vai embora antes que os dois percebam.

•••

Quando chego em casa, o Volvo de tia Bette não está estacionado na entrada. Detesto dizer isso, porém sinto um alívio enorme.

Queria poder contar a alguém como tia Bette tem agido estranhamente. Queria ter essa conversa com meus pais, mas tenho medo. Minha mãe é irmã dela, afinal de contas. Não quero que ela fique brava comigo, ou que confronte tia Bette por causa do que eu disser. Eu estou apenas... muito preocupada com ela. Coloco minha mochila na cozinha e vou para o andar de cima, chamando o nome dela algumas vezes, caso ela esteja em casa. Ultimamente, ela tem se assustado muito facilmente. Estou tentando ser cuidadosa com ela, lhe dar espaço. Não quero piorar as coisas. No alto da escada, noto que a porta do quarto de tia Bette está ligeiramente aberta. Ela costuma mantê-la sempre trancada. Caminho lentamente até ali e espio lá dentro. Há livros espalhados por todo o quarto. Pelo menos uma centena deles, amontoados em pilhas cambaleantes em cima do tapete marroquino. Encadernações de tecido bolorentas. Do tipo que fica juntando poeira na biblioteca. Do tipo que se encontra numa venda de garagem.

Entro, tomando cuidado para não tocar em nada, porque tenho certeza de que tia Bette enlouqueceria se soubesse que andei fuçando no quarto dela. Eu me abaixo e tento ler algumas das lombadas, mas a maioria dos títulos não está em inglês.

Talvez latim. E alguns em espanhol, o que me faz lembrar que estou muito atrasada nas aulas do Sr. Tremont, tanto que não acho a menor graça. Alguns dos livros estão escancarados, mas a maioria das páginas não tem nenhuma palavra escrita. Apenas uns hieróglifos. Símbolos e números que não fazem sentido para mim. O Volvo de tia Bette entra de repente na garagem. Dou um salto e me viro para a porta do quarto. É então que noto a parede que divide o quarto de tia Bette do meu. A parede à direita da cama dela.

Costumava ser uma parede cheia de arte. Gravuras. Pinturas. Fotografias. Mas tudo foi retirado, com exceção de alguns pregos pequenininhos que ficaram presos na parede. Até mesmo a cômoda, uma peça pequena de quatro gavetas que ficava encostada na parede, foi afastada para o lado. A coisa toda está desnuda.

Ou pelo menos acho que está. Mas quando me aproximo um pouco mais, vejo que tia Bette teceu com barbante, um barbante da mesma cor de casca de ovo da tinta da parede, em volta dos pregos. Acho que deve ser o mesmo material que ela utilizou para amarrar aqueles saquinhos de ervas. Ela teceu algum tipo de desenho. Como se fosse uma estrela torta e assimétrica.

A mesma estrela que está numa das páginas do livro que está aberto.

Ah meu Deus! O que está acontecendo? Saio correndo do quarto dela e vou para o meu. Tia Bette abre a porta dos fundos e grita meu nome.

— Estou aqui em cima! — digo, numa voz que espero que pareça normal. Então rezo para ela não vir aqui para cima. Graças a Deus ela não vem. Escuto a torneira ser aberta, provavelmente para encher sua chaleira.

Dou alguns passos cuidadosos até a minha cama e me sento. Ela fica encostada na parede divisória. Estendo o braço e a toco, nem sei o que espero sentir. Energia. Calor. Alguma coisa que venha do outro lado. Será que tia Bette está fazendo feitiçaria para mim?

Não acho que ela faria alguma coisa para me prejudicar, mas também não posso dizer que me sinto totalmente segura. Especialmente quando não consigo saber a quanto tempo essas coisas vêm acontecendo no quarto dela e que consequências elas podem trazer para mim. Mas não sinto nada ali, nada a não ser a própria parede. Uma parede velha e simples. É claro. O que mais poderia ser?

Acho que, quando você mora com uma pessoa maluca, é difícil não se sentir maluco às vezes.

Capítulo 11

LILLIA

A NOITE DE HALLOWEEN ESTÁ LINDA. O CÉU ESTÁ CLARO, NÃO ESTÁ FRIO demais, e tem uma lua cheia enorme.

As crianças estão começando a chegar com seus pais, e meu coração vibra no meu peito. Estou de pé perto da porta de entrada, com minha fantasia de bailarina, cumprimentando as pessoas e entregando os bilhetes da rifa. Estou usando um collant cor-de-rosa que cruza nas costas e um minúsculo *tutu* por cima, com meia-calça rosa transparente e sapatilhas de balé também cor-de-rosa, com fitas que sobem por minhas pernas. Meu cabelo está preso num coque tão apertado e alto que machuca meu couro cabeludo, mas não ouso mexer nele porque demorei um tempão para conseguir prendê-lo.

Alex entra. Ele está usando uns óculos de armação preta, camisa toda abotoada e calças cáqui.

— O que você é? — pergunto a ele. — Um nerd?

Alex aponta um dedo para mim e depois abre sua camisa com um floreio, então vejo por baixo uma camiseta do Super-Homem.

— Clark Kent, a seu dispor!

Dou risada e bato palmas. Alex costumava usar óculos, e agora não usa mais. Eu gosto dele todo chique e geek desse jeito.

— Alex, você é meu herói — digo. Então aponto para a barraca de pegar as maçãs, e ele vai embora.

As crianças estão lindas com suas fantasias. Existem alguns Homens de Ferro, um Harry Potter, um menininho está vestido de *chef* e uma menina fantasiada de garrafa de ketchup. As minhas fantasias favoritas são as de três garotos vestidos de Snap, Crackle e Pop, os bonecos da caixa de cereal Rice Krispies. Com certeza vou dar a eles o prêmio de melhor fantasia.

Minha irmã e as amigas dela estão montando a caça ao tesouro, escondendo pistas em volta da quadra. Elas são as renas de Papai Noel — Nadia é Vixen[2], e está com uns chifres enormes, uma echarpe de pele da nossa mãe, que ela nunca usa, e um batom carmim. Alex está jogando mais maçãs no balde de água.

Estou ao lado da mesa de comida, arrumando os cupcakes de milho numa enorme bandeja preta, quando o vejo — Reeve, com seu imobilizador soft cast e equilibrando-se nas muletas. Ele está usando uma camisa de flanela e sua máscara do Jason, e está com uma motosserra presa nas suas costas.

Não acredito nisso. Não acredito que ele apareceu.

Observo enquanto Reeve monta uma cadeira desmontável para si mesmo, embaixo da cesta de basquete. Ele arrasta outra cadeira e a monta, senta-se numa delas e apoia a perna na outra.

[2] As outras renas são Rudolph, Dasher, Dancer, Prancer, Comet, Cupid, Donner e Blitzen.

Um bando de garotos corre na direção dele. — Reeve! — gritam. — Venha correr atrás da gente!

Reeve sacode ameaçadoramente sua motosserra na direção deles. Mas não os persegue. Ele não consegue. Observo as crianças se desinteressarem imediatamente ao perceberem isso, e elas vão embora para as outras barracas, enquanto Reeve fica sentado ali sozinho, simplesmente só. Ele parece chateado, abandonado na sua cadeira. Completamente sozinho.

Sinto um aperto na garganta. Eu praticamente o forcei a vir aqui, e agora ele não tem nada para fazer. Vou até ele, fingindo parar de vez em quando para verificar o equipamento de som ao longo do caminho, para não parecer que estou indo até lá só para dizer "oi".

Paro na frente dele.

— Oi.

— Oi — diz ele, num grunhido por trás da máscara.

Limpo a garganta.

— Hummm, então... tô me sentindo mal por ter feito você vir aqui, já que não pode fazer muita coisa.

— Era o que eu estava tentando lhe dizer desde o início. — Ele empurra a máscara para o alto da cabeça.

— Eu sei.

— Como eu poderia correr e perseguir os garotos aqui, e depois entrar naquele labirinto maluco com vocês? — Reeve bufa. — Minha perna tem de ficar para cima na maior parte do tempo.

— Eu sei — digo novamente.

Olhamos um para o outro por um segundo. Então ele diz:

— Linda fantasia.

Espero que ele faça alguma piada, talvez me pergunte onde está minha tiara, mas ele não diz nada. Ele estende o braço e toca meu *tutu*. Posso sentir meu sangue esquentar.

Então Alex surge por trás de mim, e Reeve abaixa o braço.

— Oi, cara — diz Alex.

— Oi — ele responde.

— Foi legal você ter vindo — Alex afirma com um aceno de cabeça. Para mim, Alex diz: — Lil, se você quiser posso trocar de função com Reeve, já que ele não pode correr por aí. Eu não me importo. Reeve, se você for para a barraca de pegar maçãs, só terá de ficar sentado lá.

Reeve o encara incrédulo.

— Jason é uma coisa *minha*.

— Eu sei, cara, mas as crianças querem que você saia correndo e as persiga por aí. Não vai ser assustador para elas se você apenas mostrar a motosserra, enquanto está sentado aí na sua cadeira... — A voz de Alex se arrasta, e ele olha para mim como se esperasse que eu o apoiasse.

Antes que eu possa dizer qualquer coisa, Reeve arranca a máscara da cabeça e a joga para Alex.

— Pronto, aqui está, pode pegá-la. Aproveite. Você não vai conseguir fazer um trabalho tão bom quanto o meu, mas não importa. — Bruscamente, ele se levanta, apoiando-se nas muletas. — Vá fazer bonito para a sua garota.

O rosto de Alex fica vermelho, e eu olho em volta, fingindo que não escutei.

Reeve espreita as coisas ao redor, e eu penso, a princípio, que está indo embora, mas ele não vai. Ele está se encaminhando para a barraca das maçãs. Alex se inclina junto a mim e sussurra:

— Acho que Reeve talvez ainda esteja canalizando Jason.

Solto uma risadinha culpada.

— Obrigada por tudo, Lindy.

Alex coloca a máscara de Jason.

— De nada — diz ele com a voz arrepiante de um serial killer.

Dou risada novamente, mas dessa vez é para valer. Então me encaminho de volta para a mesa das guloseimas e arrumo os biscoitos em formato de aranha que assei ontem à noite. Eu os arrumo de modo que os bonitinhos fiquem por cima, e os quebrados, por baixo.

Na verdade, parece que tudo está dando certo. As crianças estão se divertindo, as barracas estão mais ou menos funcionando sozinhas, e alguns pais ficaram aqui para ajudar a tomar conta da criançada, então eu não sou a única responsável. Vou poder colocar isso com orgulho na minha inscrição para a faculdade, e a melhor parte é que eu consegui fazer tudo isso sem Rennie.

Observo Alex perseguir um grupo de garotas com a motosserra. Ele quase tropeça, mas consegue se equilibrar. Do outro lado do salão, consigo escutar a gargalhada de Reeve, ela ecoa por toda a quadra.

Dou uma mordida num confeito da minha pulseira de doces. Daqui uma hora e meia, tudo estará acabado. Eu não pretendia entrar no labirinto assombrado, porque não queria me encontrar com Rennie, mas agora acho que eu *irei*. Tenho tanto direito de ir lá quanto ela. Eles são meus amigos também. Reeve e Alex terem aparecido para ajudar esta noite é a prova disso. Ela não está tendo tanto controle sobre eles como pensa.

Capítulo 12

MARY

Acho que eu nunca entendi o verdadeiro poder de uma fantasia de Halloween antes desta noite. Provavelmente porque nunca tive uma realmente boa.

Quando eu era criança, minha mãe costumava fazer ela mesma as minhas fantasias. As outras crianças compravam as delas na loja, daquele tipo que vinha com uma máscara e uma roupa de plástico para colocar por cima das próprias roupas. Aquelas crianças corriam por todos os lados, empunhando gravetos como se fossem espadas do Super-Homem ou lançando teias de mentirinhas dos seus pulsos como se fossem o Homem-Aranha.

Minha mãe não permitia que eu comprasse essas fantasias.

— Não há criatividade nisso — dizia ela. Na verdade, ela mesma queria fazer porque minha avó fizera as fantasias para minha mãe e tia Bette quando elas eram pequenas. Minha avó era uma costureira muito talentosa. Nós ainda temos muitas colchas no sótão, guardadas num baú de carvalho. É uma loucura pensar que uma coisa assim era feita à mão. Minha mãe gostava dessa tradição. — Quando você crescer e tiver um garotinho ou uma garotinha, você fará a mesma coisa para eles — costumava me dizer, com lágrimas nos olhos.

É difícil argumentar contra isso.

Então, no início de cada outubro, eu dizia à minha mãe o que eu queria ser no Halloween daquele ano — uma princesa, uma cigana ou um morcego. Nós desenhávamos juntas o modelo da fantasia usando lápis coloridos, e então íamos para a loja de tecidos comprar o material.

O único problema é que minha mãe não era muito boa com costura. Para falar a verdade, o Halloween era a única época do ano em que ela tirava a máquina de costura da caixa. Ela fizera algumas aulas quando ainda estava na escola, mas isso foi tudo. E embora a coisa toda começasse como uma tarefa divertida, quando se aproximava a semana do Halloween, ela costumava ficar lá em cima no sótão trabalhando a noite inteira. Geralmente, ela tinha de voltar à loja de tecidos várias vezes. Ou porque cortara o tecido errado, ou porque o material acabara, pois ela recomeçava o projeto o tempo todo.

O resultado final nunca era o esperado. As costuras estavam sempre tortas. Em alguns lugares, a roupa servia direitinho, em outros, ficava larga demais. Muitas vezes, não ficava muito claro qual era a personagem. Como daquela vez em que ela fez uma fantasia de dragão e as pessoas pensaram que eu era algum tipo de pé de feijão. Eu nunca tive a sensação de realmente me transformar em outra pessoa.

Não como esta noite.

Fiquei tão feliz quando Kat me convidou para ir com ela. Já estava tendo pesadelos só de pensar em passar a noite na total escuridão, sem abrir a porta para ninguém, porque tia Bette não comprava balas e chocolates para as crianças que vinham pedir doces ou travessuras.

Então, aqui estou, no banheiro, dando os últimos retoques na minha fantasia, o que significa colocar o maior número de alfinetes de segurança possível, antes que Kat chegue e toque a buzina do carro para eu sair.

Vasculhei por completo um velho baú do sótão, cheio de coisas de tia Bette. Lá dentro havia uma calça de couro bem justa de uma grife italiana. Aposto que é da época em que ela era bem jovem, quando tinha 21 anos e ainda morava em Milão. Ela tinha também um par de sapatos pretos de salto alto, maravilhosos, e um top de renda bem justo. Tudo serviu perfeitamente em mim. Vestida assim, eu pareço uma motoqueira muito sexy.

Eu baguncei um pouco meu cabelo para deixá-lo rebelde e dramático. Usei um frisador que estava sob a pia do banheiro do quarto de hóspedes para fazer algumas ondas a mais. Entrelacei algumas mechas e as entremeei com umas fitinhas cor-de-rosa.

Por último, coloquei uma maquiagem bem pesada nos olhos, que encontrei na penteadeira de tia Bette. Delineador preto e sombra brilhante. Camadas e camadas de rímel. Provavelmente, terei de pegar um pouco do tíner de tia Bette para tirar tudo isso depois.

Fico parada na frente do espelho. Eu não me pareço com Mary esta noite. Nem mesmo me sinto como Mary esta noite, se é que isso faz algum sentido. Tudo está completamente, totalmente diferente. Sinto-me iluminada por dentro. Sinto-me... viva.

Quando me viro, tia Bette está atrás de mim. Quase perco o fôlego.

— Há quanto... há quanto tempo você está parada aí?

— Não mais que um minuto — diz tia Bette. — Não quis assustar você.

Ela inclina a cabeça um pouquinho e então dá um passo em minha direção. Com a mão trêmula, ela se aproxima e toca o couro.

— Minha calça.

Olho para baixo e me lembro de que não pedi permissão para usar as roupas dela.

— Me desculpe, eu devia ter pedido primeiro. Se você quiser eu posso tirar tudo isso — digo.

— Não é isso, não é isso...

— Não se preocupe, não vou aceitar nenhum doce de estranho, a menos que seja um Kit Kat. — Tia Bette não dá sequer um sorrisinho com a minha piada. Em vez disso, ela diz, atordoada:

— A linha entre os vivos e os mortos fica tênue na noite de Halloween.

Aceno com a cabeça como se a estivesse levando a sério, mas o que eu realmente penso é... tia Bette precisa parar de ler esses livros estranhos. Ela fala como uma feiticeira! E está ficando cada vez mais parecida com uma bruxa. O cabelo dela está todo despenteado e duro, seus olhos, fundos e escuros. Se eu fosse uma criança e viesse à nossa porta pedir doces, provavelmente sairia correndo. É loucura pensar que ela já foi uma garota divertida e alegre e usava calça de couro italiana.

É um pensamento mesquinho, e me sinto mal imediatamente por ter pensado isso. Tia Bette é tão solitária, sua vida é tão triste. Ela nunca visita os amigos ou sai à noite de casa.

Ela é como eu costumava ser.

É então que imagino... Será que aconteceu alguma coisa com tia Bette? Algo traumático que eu desconheço e que a transformou nesse tipo de pessoa? Talvez tenha sido uma briga com a minha mãe? Talvez porque ela nunca tenha querido se mudar da Ilha Jar.

Eu não sei o que é, mas dou um passo à frente e a abraço. Eu nunca fizera isso desde que voltei. Tia Bette nunca foi uma grande fã de demonstrações de afeto, mas isso não quer dizer que ela não precise de um abraço de vez em quando.

Seu corpo se enrijece. Ela é tão solitária. Quem sabe quando foi a última vez em que ela recebeu um abraço de alguém?

— Está tudo bem, tia Bette — lhe digo. E então tia Betty se derrete, abaixa a cabeça, e eu sinto ela me apertar de volta com carinho. Posso ver através do espelho que seus olhos estão fechados.

A buzina do carro de Kat começa a tocar lá fora. Afasto-me de tia Bette e lhe digo:

— Eu amo você. — E antes de descer saltitando escada abaixo, acrescento: — Não me espere acordada!

— Deus do céu. Olhe para você! — exclama Kat, jogando a guimba de cigarro pela janela do motorista.

— Acho que nós estamos de lados opostos hoje à noite — digo com uma risada, enquanto entro no carro dela, porque Kat está usando uma fantasia de freira. É um hábito completo, que cobre tudo menos o rosto e as mãos, com uma pesada cruz de madeira pendurada no pescoço. Kat não está usando nenhuma maquiagem. Eu nunca notara antes, mas ela tem uma pele incrível, com algumas sardas bem pequenininhas.

— Sou uma freira do mal — esclarece. Ela se vira em seu assento e me olha de cima a baixo. — Você está sexy, garota.

— Estou mesmo? — Tenho vontade de bater palmas como uma criancinha, mas me contenho.

Kat me olha como se fosse louca.

— Que diabos, é claro que está, você está sim. Ainda bem que a boa Irmã DeBrassio trouxe um cinto de castidade para você.

Mostro a língua para ela. Prendo o cinto de segurança e aumento o volume do som do carro de Kat ao máximo. Ela está ouvindo uma banda radical, e eu começo a jogar a cabeça para os lados, me sacudindo no assento.

— Meu Senhor, por favor, lança Tua luz sobre esse calhambeque e faz com que ele continue a rodar esta noite. — Kat faz o sinal da cruz, acende outro cigarro e arranca tão rápido que os pneus saem cantando e soltando fumaça.

— Ainda é cedo! — grita ela por cima da música. — Vamos dar uma passada na casa do meu amigo Ricky e encher a cara com a bebida dele antes de irmos para o labirinto.

Aceno que sim e continuo dançando. Eu nunca saíra com ninguém a não ser com Lillia e Kat desde que voltei para cá. E eu nunca fiquei bêbada antes, nunca tomei sequer um gole. Posso dizer que esta noite será muito maluca. Não maluca no sentido ruim, graças a Deus. Mas um maluco maravilhoso.

•••

Estou sentada num sofá no porão desse cara, Ricky. Está escuro, esfumaçado, e a TV está ligada. Está passando um filme de terror. Estou com uma cerveja na mão, mas não estou bebendo. Ela tem um cheiro esquisito, parece fermento.

Ao meu lado, Kat está escarranchada no braço do sofá, tomando até a última gota de sua cerveja.

— Estou indo embora — ela anuncia. — Ricky, me ajude a trazer mais algumas cervejas. — Ela se inclina junto de mim e sussurra: — Ele é bonitinho, não é?

Concordo. Rick tem olhos castanhos brilhantes e cílios pretos bem grossos.

— Muito.

— Por que será que eu perco tempo com o idiota do Alex Lind?

Não tenho certeza de que eu deva responder a essa pergunta. Alex e Ricky são dois caras bem diferentes. Eu tenho vontade de dizer *Alex Lind parece um cara legal,* mas, antes de ter a oportunidade de dizer isso, Kat e Ricky começam a subir as escadas. Eu observo os dois subirem e me viro para o irmão de Kat, Pat, que também está olhando para eles. Usando uma fantasia de ceifador, ele está esparramado numa poltrona reclinável e tem uma espécie de narguilé de vidro entre as pernas.

Espero que Kat volte logo. Sinto-me deslocada e um pouco esquisita agora, e a animação que eu senti antes está indo embora. Ao meu lado, no sofá, tem um cara com uma máscara de monstro, e ele está respirando pesadamente por trás da borracha.

Viro-me e assisto à TV. Um cara está perseguindo uma garota com um machado na mão e, quando ele finalmente a alcança, não consigo me segurar e dou um grito estridente. O irmão de Kat finalmente afasta os olhos da escada e dá uma risada.

— Está com medo? — pergunta ele.

— Eu não gosto de filmes de terror — digo, levando a garrafa de cerveja aos lábios, mas não bebendo de fato.

— De onde você conhece Kat? — pergunta Pat.

— Humm, nós somos amigas da escola.

— Eu achei que Kat não tivesse nenhuma amiga na escola — diz o cara com a máscara de monstro, e Pat dá uma risadinha silenciosa.

— Ela tem sim — digo irritada. — Ela tem a mim.

O sorriso de Pat desaparece, e ele me olha com um olhar de respeito. Ele levanta o cachimbo.

— Você quer um trago, Mary?

Sacudo a cabeça.

— Ah, não, muito obrigada — respondo.

O cara na máscara de monstro grunhe. Por um segundo, temo que ele esteja rindo de mim, porque eu respondi de um modo tão certinho e educado ao convite de Pat para fumar maconha.

Então percebo que ele está apenas assistindo ao filme, e a garota está sendo cortada ao meio. Estou prestes a cobrir os olhos, quando percebo que tudo é tão falso. O sangue parece ketchup. As entranhas parecem espaguete. Eu também dou risada.

•••

Não havia um labirinto assombrado quando eu morava aqui na ilha. Isso começou depois que eu me mudei. A mesma empresa de diversão que cuida do carnaval no verão é que dirige isso. Eles alugaram um enorme campo na área rural, onde as pessoas ainda têm fazendas.

— Bem, que droga! — exclama Kat quando um atendente do estacionamento faz um sinal para nos afastarmos da entrada. O pátio está cheio. Temos de dirigir cerca de seis quarteirões até encontrar uma vaga. O labirinto costuma abrir duas semanas antes do Halloween, mas, de acordo com Kat, as pessoas esperam até a noite de hoje para ir.

Kat e eu caminhamos juntas. Há um monte de pessoas lá fora, ou caminhando em direção ao labirinto, ou caminhando de volta para seus carros. Praticamente todo mundo está usando uma fantasia. Há muita energia em volta. Quanto mais nos aproximamos do labirinto, mais escutamos os gritos vindos lá de dentro.

O labirinto é tão grande quanto um campo de futebol. Eles construíram a coisa toda com fardos de feno, empilhando-os a mais de três metros de altura, a ponto de você não conseguir enxergar do outro lado. A empresa montou aquelas enormes luzes de estádio, para que as pessoas não fiquem trombando umas as outras, mas mesmo assim não há luz suficiente para iluminar todo o lugar. O sistema de som está tocando uma música de órgão macabra. Nós nem estamos lá dentro ainda e já podemos ver pessoas com fantasias assustadoras andando por ali, tentando apavorar os outros.

Passo o meu braço pelo braço de Kat. Sinto sua presença forte e sólida ao meu lado.

— Estou apavorada!

Kat me olha com um sorriso surpreso.

— Fique ao meu lado, garota — ela diz, dando um tapinha na minha cabeça.

Entramos na fila. Você tem de assinar uma declaração antes de entrar no labirinto, prometendo que não processará a empresa organizadora caso tenha um ataque do coração.

— Imagino que tipo de fantasia Alex vai usar — declara Kat de repente.

Sacudo os ombros indiferente.

— Provavelmente alguma coisa boba.

— Espero que o trabalho de Lillia com as crianças tenha dado certo — digo.

— Tenho certeza de que deu tudo certo. Cho é do tipo que tira A em tudo. Garanto que ela deu um jeito de fazer tudo dar certo.

— Talvez nós a encontremos hoje à noite. Talvez ela queira ficar um pouco conosco esta noite. Você sabe, se Rennie ainda estiver bancando a idiota com ela.

— Sim — diz Kat, mas parece em dúvida. Não sei por quê. Sinto que Lillia tem feito um esforço verdadeiro para continuar sendo nossa amiga. Muito mais do que eu esperaria um mês atrás.

— Tenho certeza de que ela vai nos dizer ao menos um oi — digo, e dou um soco de brincadeira em Kat. Então sinto um toque em meu ombro. Dou meia-volta e fico frente a frente com um garoto bonitinho. Bom, pelo menos eu acho que ele é bonitinho com base no que consigo identificar através de suas ataduras de múmia.

— Oi — diz ele para mim. — Você não está na minha classe de inglês?

— Acho que não.

Ele esfrega o queixo com a mão e olha para mim com ar cético, como se eu pudesse estar mentindo para ele.

— Tem certeza? Eu podia jurar que você estava.

Balanço a cabeça.

— Eu tenho aula com a Sra. Dockerty, no terceiro período.

Ele franze a sobrancelha.

— Ah. Eu tenho aula com o Sr. Frissel.

— É um erro aceitável — cantarolo, e dou as costas a ele. Kat dá alguns passos à frente, e me apresso para alcançá-la.

Kat curva a cabeça na minha direção.

— Por que você não continuou conversando com ele? Vá lá e de seu número de telefone a ele!

Balanço a cabeça.

— Ele pensou que eu fosse outra pessoa.

Kat me olha espantada e de queixo caído.

— Ele a estava paquerando, sua boba! Aquela bobagem de classe de inglês foi uma maneira de ele quebrar o gelo, uma abertura para ele paquerá-la. Alô-ô!

— O quê? — Olho para trás e o garoto-múmia está em pé no meio do seu círculo de amigos, olhando para mim, mas rapidamente seus olhos se desviam para o chão. Viro-me de novo para Kat e sussurro:

— Ah meu Deus!

Kat dá uma risada.

— A pequena e inocente Mary. Você entende agora o que eu tenho tentado dizer a você? Você tem de se expor mais. Quem sabe você pode arrumar um namorado até o Natal?

Só de pensar nisso, sinto um calorzinho por dentro. Eu? Um namorado?

— Você precisa parar com essa atitude dócil. Essa baboseira de ser uma tímida trapalhona. Você não tem mais 12 anos. Você tem 17! — Os olhos dela focaram meu peito. — Olhe só, você tem peitos, e os caras adoram peitos!

— Pare com isso! — digo, dando risada e cruzando os braços.

Kat balança a cabeça.

— Não vou parar. Saiba que você é uma garota incrivelmente sexy e que todo cara quereria estar com você. — Abro a boca para dizer alguma coisa do tipo *Nenhum cara vai me querer*, mas Kat me olha séria, e eu fico de boca calada.

Mas, realmente, eles não vão querer. Bom, pelo menos até hoje nunca quiseram.

Ou talvez seja porque eu não tenha nem tentado fazer algum garoto me notar. Um garoto que não fosse Reeve Tabatsky.

Demora até a gente chegar à ponta da fila para eu reunir coragem de olhar para o garoto-múmia novamente. Ele ainda está olhando na minha direção, e, dessa vez, ele não finge que não está olhando. Dessa vez, ele me dá um sorrisinho meigo.

Dou um jeito de olhar para ele antes de perder a coragem.

Mas isso já é alguma coisa!

Há duas enormes luzes estroboscópicas piscando bem na entrada do labirinto, piscando tão rápido que é praticamente impossível enxergar o que está além dos primeiros fardos de feno. Damos alguns passos para dentro até o primeiro grande cruzamento. Podemos seguir para a esquerda ou para a direita, ou continuar andando para a frente.

Kat me agarra pela mão e diz:

— Você está gelada. — Ela me puxa consigo para a esquerda. — Agora, fique perto de mim. Os aproveitadores vão pular...

Exatamente naquele momento dois fantasmas saltam das trevas. Dou um grito e começo a rir, enquanto Kat praticamente dá um pulo no meu colo.

— Área privada, seu idiota! — ela grita para os fantasmas.

— Tudo bem? — pergunto. — Você quer voltar para a entrada?

Ela me olha como seu eu estivesse sendo burra.

— Eles me pegaram de surpresa, foi só isso. Vamos lá, essa coisa vai ficar cansativa daqui a pouco. E quanto mais rápido chegarmos ao final, mais cedo vamos nos encontrar novamente com os caras e com Ricky.

Eu dou um tapinha nas costas dela.

— Ok, Irmã Katherine.

Damos apenas mais alguns passos à frente antes de eu sentir alguém surgir ao meu lado, como se fizesse parte do nosso grupo. Kat percebe a figura também, e ambas nos viramos para olhar. É uma mulher mais velha, mas está trajada como uma garotinha num vestido azul, com meias amarradas com rendas e sapatos de veludo preto com fivelas. Ela está carregando uma boneca coberta de sangue de mentirinha e a mostra para nós.

— Minha boneca está doente! — grita ela numa voz estranha e chorosa. — Por favor, ajudem a minha bonequinha!

Kat solta um grito que eu não imaginava que ela seria capaz de dar, alto, estridente e bruto. Ela solta a minha mão e sai correndo em disparada.

— Kat! — Estou rindo muito. — Kat!

Forço-me a seguir a mesma direção por onde Kat saiu correndo, mas é difícil identificar alguma coisa com todas aquelas pessoas no labirinto. Viro à esquerda, depois viro à direita, e então dou de cara com uma parede. Caminho no sentido contrário, e alguém toca meu ombro.

— Kat? — digo, mas é apenas um fazendeiro psicótico usando um macacão coberto de sangue e carregando um forcado. Isto é, um dos outros funcionários da empresa de diversão.

Ele me faz virar e, quando dou um passo à frente, percebo que não sei onde estou e não sei para onde ir a seguir.

— Por aqui, pessoal! — Ecoa a voz de uma garota.

Não é a voz de Kat. É de Lillia.

Tropeço e vou na direção da voz dela, mas é difícil saber onde ela está, com a música alta e as outras pessoas gritando e dando risadas.

Viro algumas vezes mais, mas não escuto Lillia novamente. É uma coisa vertiginosa, e o piscar das luzes estroboscópicas está começando a me dar dor de cabeça. Eu grito:

— Kat? Kat?

Outro fantasma dá um pulo na minha frente, e dessa vez eu grito. Ele agarra meu braço e tenta impedir que eu escape dele. Eu consigo me livrar dele e ando mais apressada por um longo beco do labirinto. Preciso encontrar Kat. Não quero fazer isso sozinha. É definitivamente mais assustador quando se está sozinha. E Kat provavelmente está tendo um ataque do coração agora, se é que eu a conheço bem.

Viro novamente à esquerda e caminho alguns centímetros até chegar a um beco sem saída, numa parede de feno. Sacudo as mãos e tento me acalmar. Será que algum dia conseguirei sair daqui?

Então me viro e dou de cara com Reeve, literalmente.

Bati meu corpo contra o peito dele. Isso acontece com tanta força que eu tropeço para trás. As muletas de Reeve caem no chão, fazendo barulho, e ele quase perde o equilíbrio com a perna machucada. Graças a Deus, o beco do labirinto em que nós estamos é muito estreito, e uma das paredes de feno amortece a queda e evita que ele desabe no chão.

— Merda — diz ele.

— Eu não vi você — afirmo.

— Você está bem?

Isso me pega completamente de surpresa. Reeve me perguntando isso. Meu rosto fica vermelho, mas eu me curvo para pegar as muletas, de maneira que ele não veja.

— Não se preocupe comigo — digo. As palavras escapam de supetão da minha boca, rápidas e nervosas. Não posso acreditar que estou frente a frente com Reeve, conversando normalmente com ele. Depois de todos esses anos, aqui estamos. Eu me endireito e pergunto a ele:

— Como está sua perna? — Reeve não pega as muletas da minha mão, então eu as coloco apoiadas na parede de feno, para quando ele estiver preparado.

— Estou ótimo — diz ele, mas não acredito. Parece que está sentindo muita dor, posso perceber isso no rosto dele. Seus dentes estão cerrados quando ele se inclina para verificar o imobilizador e ajustar as fitas de velcro.

— Será que eu deveria, humm, pedir ajuda a alguém? — Dou um passo para trás e dou mais espaço para ele. Espero não ter atrapalhado os progressos que ele tem feito na piscina.

— Não, não faça isso — diz ele baixinho. Reeve passa a mão pelo cabelo, recompondo-se. E depois diz num grunhido: — Afinal de contas, a culpa é toda minha por ter vindo a este labirinto idiota. — Ele pega as muletas e as coloca debaixo dos braços.

Sei que ele está prestes a se afastar de mim, mas eu não quero que ele se vá. Não estou pronta para este momento terminar. Ainda não. É como na época em que fazíamos a travessia da balsa lado a lado. Eu ficava desejando que aquele passeio não terminasse nunca e que nós dois pudéssemos passar mais algum tempo juntos. Nem que fosse apenas um minuto a mais.

Estendo o braço e toco o dele. Sua camisa é incrivelmente macia, e sinto seu bíceps por debaixo dela. É grande, firme e bem definido, provavelmente por causa das semanas em que ele vem usando as muletas.

— Sinto muito que você tenha se machucado no homecoming. — E apesar de tudo que Reeve me fez, me sinto bem por me desculpar. Porque eu realmente não pretendia que ele se machucasse assim, a ponto de seu futuro ser posto em risco para sempre.

Ele balança os ombros.

— Essas coisas acontecem, você sabe.

— Sim, sei — digo, acenando com a cabeça, porque é verdade. — Essas coisas acontecem. — Acontecem com todos nós.

Passa-se um segundo desconfortável, quando nenhum de nós sabe o que dizer. Reeve despenteia o cabelo com a mão.

— Tenho de ir encontrar meus amigos. Espero que você saia daqui com vida. — Ele ajeita as muletas e se prepara para dar um passo à frente, mas mudo de lugar de modo que ele não possa sair. Sinto uma onda de adrenalina me agitar.

— Hummm, já faz um tempão, hein? — As palavras parecem estar presas na minha garganta.

A cabeça de Reeve se curva ligeiramente para o lado.

— Sim...

O vento fica mais forte e faz meu cabelo esvoaçar. Tento prender algumas mechas atrás das orelhas.

— Eu sempre fiquei imaginando se você pensa naquilo que aconteceu. — Reeve solta uma risada estranha e então pisca algumas vezes. Não dá para saber se ele está envergonhado ou surpreso. — Se você se sentiu mal pelo que fez.

E então eu espero, porque essa é a abertura perfeita. Estou dando a ele uma ótima oportunidade de se desculpar comigo, de finalmente assumir a responsabilidade por suas ações. Acertar as coisas entre nós de uma vez por todas.

Os olhos de Reeve se estreitam, desconcertados. Ele está tentando me reconhecer.

Isso me deixa atordoada. Claro, estou usando uma fantasia de Halloween, mas é estranho. Ele levou apenas cinco segundos para me chamar de Big Easy na noite do homecoming. Será que ele não me reconhece agora?

— Chamar uma garota de Big Easy porque ela é gorda? Você não sabe o que isso pode fazer a uma pessoa? — O corpo dele todo se enrijece, e ele olha firmemente para mim, dessa vez com os olhos frios. Sinto que ele está removendo com os olhos as camadas que me cobrem, uma a uma. A maquiagem, a calça de couro, o cabelo excêntrico, até eu estar apenas nos ossos. Estou tremendo.

Trêmula como uma folha ao vento. — Você foi um grande *bully* na minha época. Você não se arrepende? Nem um pouquinho?

Ele umedece os lábios e grunhe.

— Vá se ferrar.

Sinto que começo a desmoronar por dentro e tenho medo de que minhas pernas não aguentem meu peso. Reeve me empurra para o lado e começa a descer o longo corredor.

— Sinto muito — grito atrás dele. Nem eu mesma sei por que estou me desculpando. Mas me odeio imediatamente por dizer isso. Porque essas são as palavras que *eu* mereço ouvir. Não ele. Só que eu nunca receberei desculpas de Reeve, porque ele não se sente culpado.

Nem um pouquinho.

Então eu sinto algo dentro de mim. Uma onda enorme. Um tsunami. Algo avassalador rugindo dentro de mim. Raiva, tristeza. Como na noite do homecoming. Fecho os olhos, mas não vejo escuridão. Vejo o labirinto de feno se iluminar, paredes de fogo aprisionando todas essas pessoas.

Ah meu Deus, Ah meu Deus!

Tenho de escapar daqui antes que eu exploda.

Capítulo 13

KAT

Estou com as costas espremidas contra a parede de feno, e os gravetos estão espetando meu corpo através do hábito de freira. É uma parte sem saída do labirinto, mas eu não me importo. Estou me escondendo para que nenhum fantasma nem zumbi nem qualquer outra coisa possa me atacar por trás. De vez em quando, inclino o pescoço e procuro Mary com meu olhar.

Obviamente, seria bem mais fácil encontrá-la se eu saísse desse canto e fosse realmente *procurá-la*, porém não consigo sair daqui. Eu não paguei 30 dólares para morrer neste maldito labirinto.

Espero que ela esteja se divertindo. As crianças merecem se divertir. Estou feliz que aquele pateta na fantasia de múmia tenha tentado conversar com Mary enquanto estávamos na fila. Ela bem que merece um agrado para melhorar sua autoestima, merece mesmo. Não sou nenhuma conselheira ou psicóloga, com certeza, mas Mary precisa perceber que ela não é mais a garota que costumava ser.

Um bando de pessoas vem se rastejando pelo beco onde estou me escondendo. Uma garota com fantasia de bailarina se desgarra do grupo e vem na minha direção, caminhando cuidadosamente na ponta dos pés. Ela está usando um collant cor-de-rosa, um *tutu* rosa, tudo rosa. É claro que é Lillia.

— Lil — digo, dando um passo para fora das sombras.

Ela dá um salto e um grito digno de filme de terror, mas está sorrindo também. Lillia medrosa adora esse tipo de coisa. Quem poderia imaginar? Ela deve pensar que eu sou uma das funcionárias do labirinto, porque ela está prestes a correr de volta para junto de seus amigos. Ela leva mais um segundo para me reconhecer. Acho que é por causa da minha fantasia.

— Kat! Ah meu Deus! É você aí embaixo?

— Não use o nome do Senhor em vão! — digo numa voz estrondosa.

Ela dá uma risadinha.

— Onde está Mary? Ela viria com você, não é?

Aceno que sim.

— Espere só até ver a fantasia dela. Ela está maravilhosa. Está usando uma roupa de couro fantástica. — Enquanto digo isso, percebo como eu gostaria que nós três pudéssemos ficar juntas esta noite. Mas afasto essa ideia da cabeça, porque não faz sentido ficar triste por algo que não posso resolver. Ela está aqui com seus outros amigos. Rapidamente mudo de assunto.

— Deu tudo certo na escola infantil hoje à noite?

— Foi tudo bem. Acho que as crianças se divertiram. Os pais ficaram felizes.

— Legal. — Senti pena pelo estresse que Lillia passou durante toda a semana. — Ei, você sabe que eu poderia ter ido ajudá-la, mas você não disse nada, então... — O rosto dela enrubesce, e então eu volto atrás. — Não estou chateada nem nada — esclareço. — Isto é... — Eu não sei o que eu quero dizer. Estou balbuciando coisas sem sentido.

— Não se preocupe. Deu tudo certo. No entanto, nem pensei em pedir a você. Eu sei que não é o tipo de coisa que você gosta de fazer. Mas obrigada por oferecer ajuda. — Ela dá um sorrisinho sarcástico. — Quando, na verdade, agora é tarde demais, você sabe, para ajudar.

Toco o ombro dela com o dedo e faço um som de chiado.

— Boa sacada, Lil. Eu gosto de saber que provoco você.

Ela parece que está prestes a fazer outra piada à minha custa, quando ouvimos Reeve dizer:

— Merda!

A voz dele parece estar vindo do outro lado da parede de feno.

Nós duas reviramos os olhos, porque Reeve é um grande cretino, mas então ouvimos a voz de Mary, toda delicada e suave, do jeito dela.

— Eu não vi você.

Num segundo, Lillia e eu estamos com os ouvidos grudados na parede de feno, tentando escutar o que eles estão dizendo.

Lillia sussurra para mim:

— Mary está conversando com ele.

Eu sussurro de volta:

— Xinga ele. Chute ele no saco!

Isso faz Lillia dar uma risadinha.

Nós duas quase perdemos o fôlego quando escutamos Mary dizer:

— Chamar uma garota de Big Easy porque ela é gorda? Você não sabe o que isso pode fazer a uma pessoa?

Lillia agarra meu braço e começa a pular animadamente. Não consigo acreditar. A garota está realmente colocando tudo para fora!

Então ouvimos Reeve dizer:

— Vá se ferrar.

Lillia cobre a boca com as mãos. Que droga esse Reeve Tabatsky. Ele é o mesmo cretino que era antes do acidente, se não tiver ficado mais cretino ainda.

Lillia e eu esperamos para ouvir o que ela dirá em resposta.

E então Mary diz:

— Sinto muito.

Lillia fecha os olhos e abaixa a cabeça.

Droga!

Vemos Mary sair correndo pelo beco em que estamos.

Começo a correr atrás dela, e Lillia dá um passo como se fosse vir comigo, mas eu sacudo a cabeça.

— Não. Fique com seus amigos, não devemos deixar que ninguém nos veja juntas! — Só que ela não me escuta e vem correndo ao meu lado.

— Mary!

Estamos as duas gritando o nome dela, e afastando as pessoas do nosso caminho. Eu vejo seu cabelo entrelaçado de rosa uns metros à nossa frente. Finalmente a alcançamos. Lillia agarra a blusa de Mary.

— Mary!

Mary dá meia-volta. Está chorando. Ela tenta nos contar o que aconteceu, mas não consegue pronunciar as palavras.

— Nós escutamos. Escutamos tudo. — Lillia afasta gentilmente o cabelo do rosto de Mary. — A propósito, você está incrível.

O elogio não se reflete no rosto de Mary. Ela está paralisada. Como se tivesse sofrido um trauma ou algo parecido.

Eu a viro segurando-a pelos ombros e a faço me olhar diretamente nos olhos.

— O que você precisa que a gente faça? — pergunto rapidamente. — Apenas diga.

Acho que ela vai me responder, mas, em vez disso, ela se desvencilha e sai correndo.

Nós a deixamos ir embora.

— Isso está errado — digo e mordo meu dedo.

O coque de bailarina perfeito que Lillia estava usando se desmanchou. As mechas estão caindo para fora do coque, e ela nem parece notar.

— Nós temos que lhe dar espaço se é isso que ela quer.

— Acho que sim, mas e se ela fizer alguma coisa a si mesma?

Lillia agora parece insegura também.

— Ah meu Deus. Você acha? — Ela respira fundo e suspira. — Pobre Mary.

Eu nem sei o que estou fazendo, mas me inclino como se estivesse prestes a dar um abraço em Lillia Cho. E ela se aproxima também, como se fosse me dar um abraço também.

— Lillia! Lil! Nós estamos indo embora!

É Ashlin.

— Vá — sussurro. — Vou ver se consigo encontrá-la.

Lillia franze a testa, mas ela caminha de volta e se distancia de mim.

— Vamos até a casa dela amanhã para ver como estará.

Aceno positivamente com a cabeça.

Enquanto vou para a saída do labirinto, um fantasma se coloca à minha frente. Estou com tanta raiva por dentro que o afasto e digo:

— Pode parar com isso. Já chega.

Algumas pessoas me olham como se eu estivesse louca. Mas é assim que me sinto. Louca de preocupação com minha amiga.

Capítulo 14

LILLIA

Caminho em direção à voz de Ash, e a encontro com algumas das garotas da equipe. Ela está embriagada e feliz, grita meu nome e enlaça seus braços aos meus. Acho que, como Rennie ainda não nos alcançou, Ash pode parecer ser minha amiga quanto quiser e agir como se não houvesse nada errado. Eu não me importo com nada disso agora — a única coisa que me importa é saber se Mary está bem. Eu gostaria de poder ajudar Kat a procurá-la, mas eu nem estou com meu carro. Ele ainda está na Escola Elementar.

Todo mundo está indo para o estacionamento, e de lá vamos para uma grande festa no cemitério de Canobie Bluffs. As pessoas estão começando a se amontoar nos carros, e vejo que Reeve está sozinho, encostado na caminhonete de Alex, olhando para o espaço. Só olhar para ele já me deixa doente.

Não consigo evitar.

Eu me afasto das garotas e vou até ele e digo:

— Oi, Reeve.

Reeve se vira para mim e sorri. O idiota cretino realmente sorri.

— Oi, Cho. Você está indo para o cemitério?

Minha voz vacila ao dizer:

— Você é cruel. Eu sabia que você às vezes era mesquinho. Mas nunca imaginei que pudesse ser tão cruel.

Espantado ele diz:

— Do que você está falando?

— Eu ouvi você — digo. — Ouvi o que você disse àquela garota no labirinto. "Vá se *ferrar*"? Fala sério!

— Espere um minuto.

— O que ela fez para merecer aquilo? — Minha voz está soando mais e mais alta.

O rosto dele endurece.

— Não se preocupe com as garotas com quem eu falo. Isso não é problema seu.

— Não estou *preocupada*...

— Então, cuide dos seus próprios problemas.

Tenho vontade de gritar. *Isso é problema meu*! Mas não posso fazer isso e ainda assim proteger Mary. Então, em vez disso, digo:

— Sabe do que mais? Estou feliz por você ter quebrado essa droga de perna. Estou feliz por você não poder jogar futebol e porque mais nenhuma faculdade vai querer você no time dela. Você merece tudo o que está acontecendo, porque você não é uma boa pessoa.

Reeve fica branco como papel, porém não me permito sentir pena dele. Ao contrário, encaro-o com o olhar mais maldoso que consigo demonstrar, e então me viro e corro na direção do carro de Ash.

Capítulo 15

MARY

Saio em disparada pelo campo aberto, ziguezagueando entre fileiras de carros estacionados e grupos de pessoas, tentando me distanciar o mais que posso do labirinto. Meus saltos ficam tropeçando nas pedras do campo e no solo macio, e a certa altura acabo caindo no chão entre dois carros.

Quero me levantar rapidamente e continuar correndo, pois o bosque está a apenas alguns metros de distância. Mas estou completamente exausta. Felizmente, não há ninguém por perto para me ver. Então me sento ali com os joelhos na terra e choro.

Vá se ferrar.

Foi para ouvir Reeve dizer isso que eu voltei?

É isso que eu mereço depois de tudo?

Depois de alguns minutos de muito soluçar, escuto a voz de Lillia. A princípio, penso que ela está me chamando. Mas então percebo que ela está gritando com Reeve. Eu continuo agachada e uso o carro como proteção, espiando através das janelas. Eu os vejo a algumas fileiras de distância. Lillia e Reeve frente a frente. Não posso ouvir o que ela está dizendo, então continuo abaixada e corro de um carro a outro, tentando me aproximar deles.

— Sabe do que mais? Estou feliz por você ter quebrado essa droga de perna. Estou feliz por você não poder jogar futebol e porque mais nenhuma faculdade vai querer você mais no time dela. Você merece tudo o que está acontecendo, porque você não é uma boa pessoa.

Ah, Lillia! Você é uma amiga de verdade.

Ela se afasta de Reeve. Observo atentamente a reação dele. Para ouvi-lo se defender. Para ouvir que tipo de idiotice ele gritará para Lillia.

Só que ele não faz nada. Apenas fica parado ali, observando-a ir embora.

E o mais chocante de tudo, ele enxuga os olhos nas mangas.

É outro soco no estômago. Reeve não se importou nem um pouco em me ver, nem ao lembrá-lo das coisas horríveis que ele me disse. Ele nem mesmo se importou o bastante para se desculpar. Mas bastou Lillia Cho dizer que ele é uma má pessoa para fazê-lo chorar.

Eu sei por quê.

Reeve gosta dela.

Talvez ele esteja apaixonado por ela.

Detesto estar sentindo ciúme, mas estou sentindo. Eu realmente estou. É doentio. Estou me sentindo mal.

Quero ir para casa, porém não consigo. Não quando estou tão chateada assim. Não quando ainda me sinto como se fosse explodir a qualquer minuto. Eu me levanto, limpo a sujeira do corpo e caminho diretamente para o bosque.

Capítulo 16

LILLIA

Canobie Bluffs é o cemitério mais antigo da ilha; há túmulos que datam dos anos 1700. Todas as famílias antigas da Ilha Jar têm jazigo aqui. Muitos nomes estranhos, como Ebenezer, Deliverance e Jedidah.

Os garotos estão por ali jogando uma bola de futebol, usando as lápides como marcadores. Alguém colocou a música "Thriller", de Michael Jackson, e Rennie, Ash e algumas outras garotas estão dando um show, fazendo a dança do zumbi. Rennie está usando uma fantasia de enfermeira sexy, com meias brancas transparentes até o meio da coxa e com um fio de costura vermelha na parte de trás. Há algumas semanas, eu estaria bem ali na frente e no centro, exatamente ao lado de Rennie. E agora estou aqui, sozinha, sentada num cobertor e tomando a "bebida de bruxa" que Ash preparou — basicamente um ponche de rum com pedaços de canela em pau, laranja e sidra. É muito doce, e eu a estou bebendo como se fosse refresco. Pronto, não tenho nada mais para fazer a não ser beber. Não haverá aula amanhã nem no dia seguinte, por causa da reunião de pais e mestres, então, tudo bem.

Reeve está esparramado no meio de outro cobertor, com as pernas estendidas à sua frente. Ele está cercado por calouras em fantasias de garotas safadas. Garota da caverna safada, ratinha safada, índia safada. Elas estão praticamente colocando uvas na boca dele. Não posso acreditar que um dia eu senti pena dele. Ele é horrível, um monstro. Ele falar com Mary daquele jeito, depois de tudo o que ele fez a ela, me dá vontade de vomitar. Estou feliz por ter dito algumas verdades a ele no estacionamento. Foi bom ter desabafado e dizer um pouco do que sinto.

A música muda, e Rennie vem correndo para o lado de Reeve, criando um espaço para si no cobertor, e afastando as outras meninas.

— Você precisa de alguma coisa? — pergunta a ele. — Nós temos uns sanduíches e algumas outras coisas.

— Tem cerveja? — ele questiona.

A cabeça de Rennie balança para cima e para baixo, e ela vai procurar no cooler. Argh. Fico enojada só de vê-la servindo-o como se fosse uma escrava. Nojo, nojo, nojo.

Ela traz uma cerveja para ele, e ele olha e diz:

— Não tem nenhuma Bud Light?

— *Não tem nenhuma Bud Light?* — digo, imitando-o. Eu prossigo em voz alta. — Reeve, por que você não tira esse traseiro preguiçoso do chão e vai procurar você mesmo? Pelo que sei, você não está paraplégico! É apenas uma perna quebrada!

Reeve vira a cabeça rapidamente e me lança um olhar maldoso.

— Cale a boca, Cho — ele diz ameaçadoramente.

Estou prestes a tomar mais um gole da minha bebida de bruxa, mas antes eu retruco:

— Não, cale a boca você. — Ele acha que pode manipular quem quiser. Bem, a mim, ele não vai manipular. E à essa altura ele já deve ter percebido isso.

De repente, Alex se abaixa e se senta ao meu lado, com a respiração pesada de tanta correria.

— Você viu aquela jogada? — me pergunta, tirando Reeve do meu campo de visão. — Eu quase completei a jogada toda até a área final. Consegui driblar três caras antes de ser derrubado.

Dou um suspiro. Meigo e querido Alex. Alex que conseguiu que houvesse cupcake bastante para todas as crianças, e que nunca fez nada para me magoar. Ele está sempre ao meu lado, todas as vezes. Suspirando novamente, apoio minha cabeça no ombro dele.

— Você é tão legal — sussurro.

— Você esta bêbada? — me pergunta, achando graça, mas parece preocupado e, principalmente, surpreso.

— Sim. Não. Tudo bem, sim.

— Você nunca bebe — diz ele.

— Eu bebi — digo, sentando-me ereta e olhando para ele. Levo alguns segundos para poder vê-lo com clareza. — Uma vez eu bebi, e foi o pior erro da minha vida. Às vezes penso... às vezes penso que nunca mais serei a mesma. — Meus olhos continuavam se fechando por vontade própria. — Não importa. Não deveria ter dito isso. Meus olhos estão pesando.

Alex tira a caneca térmica das minhas mãos e coloca minha cabeça novamente no seu ombro.

— Você está com frio?

Nego com a cabeça. Não estou. O ponche me faz sentir calor.

Além do mais, estou com um blusão sobre os ombros por cima do collant. Ainda pareço estar usando uma roupa estilo bailarina. É como se eu estivesse saindo de um ensaio.

— Calorzinho por dentro? — pergunta Alex.

Coloco uma mão na boca.

— Eu disse isso em voz alta?

— Sim — responde ele, dando uma risada. Inclino um pouco a cabeça e olho no rosto dele. Seus olhos são tão agradáveis.

— Tão agradáveis — digo, tocando os óculos dele.

— Obrigado — diz ele solenemente.

Eu estremeço, e Alex tira a jaqueta com um movimento rápido, e a coloca sobre meus ombros.

— Fique à vontade para se encostar em mim — afirma. Então me encosto nele. Apoio todo o peso do meu corpo no dele, relaxando por completo. Quase como se não tivesse ossos. Ele coloca seus braços em torno de mim, e eu me sinto segura. Mais segura do que jamais me senti. É exatamente o oposto daquele momento ruim.

Nós ficamos olhando enquanto PJ chuta a bola de futebol para o alto.

— Gol de campo! — grita, exultante.

— Não, cara, a área final é o túmulo dos Zane — explica Derek. Ele aponta para um conjunto de cruzes de pedras brancas cobertas de musgo, bem no centro do cemitério. Os Zane. Deve ser da família de Mary. Eu não sabia que eles pertenciam a uma família antiga de moradores da Ilha Jar.

Eles discutem de um lado a outro, e eu digo a Alex:

— Não acredito que o último jogo de futebol será já na próxima sexta-feira. Está chateado por vocês não terem se classificado para o campeonato?

— De jeito nenhum. A temporada poderia ter terminado

quando Reeve se machucou, mas nós conseguimos dar a volta por cima. Estou orgulhoso com o que conseguimos. E você sabe do que mais? Foi incrível ver como Lee conseguiu jogar tão bem nesta temporada. Ele realmente encontrou seu jeito de jogar. Aposto que, no ano que vem, os Gulls conseguirão chegar ao campeonato estadual.

— Você é um cara tão bom — digo, assentindo para mim mesma. Dou uma olhada de relance em Reeve. Ele está tentando se levantar, equilibrando-se numa das muletas.

— Aonde você está indo? — pergunta-lhe Rennie.

O rosto dele fica vermelho.

— Vou para casa. Isso aqui tá uma droga.

Rennie faz uma cara emburrada, mas ele nem sequer olha para ela. Ele já está indo embora, apoiado nas muletas.

— Reevie, fica um pouquinho mais — suplica ela. — Eu levo você para casa daqui a pouco.

— Tchau! Não deixe a porta pegar o seu rabo quando sair! — digo aos gritos, e então solto uma risada histérica.

Ele me ignora e sai cambaleando noite adentro. Assim que ele parte, Rennie se aproxima e se posta à minha frente.

— Você está com a cabeça no lugar agora?

Antes que possa dizer sim, percebo que estou mil por cento com a cabeça no lugar agora.

— Cara, ela está bêbada. Ela nem sabe o que está dizendo — diz Alex.

— Sei sim! — digo, cutucando o peito dele. Eu me sento ereta e digo a Rennie: — Você não me ajudou no Festival de Outono e deu um jeito para que ninguém mais me ajudasse.

Rennie fecha os olhos e sacode a cabeça.

— Estou tão cansada de ficar ouvindo você, você só choraminga e faz beicinho. Coitadinha de Lillia precisa de *tanta ajuda*. Ela não consegue fazer nada sozinha, ela precisa que todo mundo venha salvá-la. Sua postura de donzela em perigo está ficando cansativa, Lil.

Sinto como se ela tivesse me dado um tapa na cara. A única coisa que consigo fazer é olhar para ela, espantada.

Alex se levanta.

— Por que você está sendo tão leviana?

Rennie sorri e aponta seu dedo para ele.

— Está falando na hora certa, cãozinho.

Os garotos pararam de jogar a partida. Alguém diminuiu o volume da música. As pessoas estão olhando para nós. Mas eu não me importo com quem estiver olhando.

— *Ah*... donzela em perigo — repito. — Como daquela vez que eu gritei para você me ajudar na noite daquela festa. — Observo a percepção de realidade se estampar em seu rosto, prova de que eu realmente toquei na ferida. Aquela noite no carro alugado, com Mike e Ian. A coisa sobre a qual nós nunca, jamais, deveríamos conversar novamente. — Mas, espere aí, você disse que não me escutou, certo? Ou você me escutou, mas estava ocupada demais com o seu cara? — Assim que as palavras escapam da minha boca, percebo que estou tremendo incontrolavelmente.

O rosto de Rennie fica cinza.

— Você está obviamente bêbada, e eu não sei do que você está falando, mas não temos mais nada para conversar. — Ela solta a respiração. Então ela se vira nos seus saltos altos e sai apressadamente na direção por onde Reeve foi.

Alex coloca a mão no meu ombro. Eu me esquecera de que ele ainda estava ali.

— Que diabos foi isso?

Eu não respondo a pergunta dele. Apenas pergunto:

— Você pode me levar para casa?

Capítulo 17

MARY

Tenho a sensação de que se passaram horas quando saio cambaleando do bosque e vou parar numa rua residencial. Não tenho certeza de que horas são, nem há quanto tempo estou caminhando. A lua ainda está alta lá no céu, e não há sinal de que a madrugada esteja se aproximando.

Pela aparência das casas, chalés exóticos em áreas pequenas de terreno pantanoso e cheio de relva, acho que estou em Canobie Bluffs, o que significa que estou exatamente do lado oposto da Ilha Jar, já que minha casa fica do outro lado. Será uma longa caminhada de volta até Middlebury. Só de pensar em fazer essa caminhada de volta por essas colinas, nesses saltos altos, bem, eu tenho vontade de chorar novamente. Mas não posso, mesmo que eu quisesse. Minhas lágrimas secaram.

A única coisa pela qual tenho de ser grata é por não ter ferido ninguém. Eu não poderia me suportar se tivesse feito isso. A energia que eu senti esta noite foi como a que senti no homecoming, só que cem vezes maior. Mesmo agora, ela ainda não foi embora completamente. Ainda posso sentir parte dela dentro de mim, revolvendo-se como um oceano na maré baixa.

Estou caminhando pelo meio da rua, desejando fechar os olhos, estalar os dedos e estar agora mesmo na minha cama. Tudo está silencioso no bairro. As crianças fantasiadas já foram há muito tempo embora para casa. Nada além dos últimos gafanhotos de verão que ainda não morreram e alguns carros que passam pela rua. Praticamente todas as casas estão com as luzes apagadas. A gente pode perceber quais estão vazias e são alugadas durante o verão — elas não têm abóboras, nem figuras assustadoras, nem decoração de outono. Todo mundo está dormindo, portanto já deve ser bem tarde.

Caminho por alguns quarteirões. Então um carro entra na rua e me banha com a luz do farol. Ele reduz a velocidade ao passar por mim. E então para.

Não dá para reconhecer quem está lá dentro. O vidro é escuro. A janela reflete meu rosto, uma versão Halloween de mim mesma, arrasada e coberta de lágrimas. Felizmente, as lágrimas não fizeram muito estrago na maquiagem. Pensando bem, ela me faz parecer mais dura. Mas é completamente falsa, porque eu não sou dura, eu não sou forte. Eu sou uma grande confusão.

O vidro do lado do motorista desce um pouquinho.

— Oi, motoqueira.

É o garoto. O garoto da fila do labirinto. Suas ataduras de múmias foram retiradas, e estão enroladas numa pilha no assento ao lado. Agora ele está usando uma camiseta de manga comprida da equipe de cross country da Ilha Jar e calça jeans. Sem ataduras, eu posso dizer com certeza: ele é bonitinho. Ele é negro, olhos claros, covinhas. É magro e alto também, grande demais para seu carro. Seus joelhos praticamente tocam o volante, embora o assento esteja todo puxado para trás. Ele deve ser ainda mais alto que Reeve.

— Posso te dar uma carona para algum lugar? — Passo pela frente do carro, eclipsando um farol e depois o outro. Ele se inclina e abre a porta para mim, como um cavalheiro.

— Meu nome é David. — Ele limpa a garganta. — David Washington.

— Acho que não o conheço.

— Qual é o seu?

Eu me viro em direção à janela para não ter de olhar para ele.

— Elizabeth. — É o que digo. Saiu simplesmente, e eu fico feliz. Não quero contar nada sobre mim a este cara.

De um jeito brincalhão, ele pergunta:

— Ganhou muitos doces de Halloween esta noite, Elizabeth?

— Não — digo num suspiro. — Na verdade, meu Halloween foi completamente o oposto de doce.

— Bom, vamos consertar isso imediatamente. — Ele aponta para o porta-copo do console do carro, que está lotado de guloseimas. — Pode escolher o que quiser.

Não me lembro da última vez em que comi balas. Mas por que eu deveria estar preocupada com não engordar novamente? Como se algum dia Reeve fosse olhar para mim.

Eu pego um pirulito e lentamente o desembrulho. O centro dele é de um rosa brilhante. Eu o coloco na boca, e o sabor é tão doce que chega ser amargo. David me olha de um jeito engraçado.

— Eu não como doce há muito tempo — explico. E, como nada daquilo parece fazer sentido, acrescento: — Eu era bem gorda. — Ele dá risada, como se eu estivesse fazendo uma piada. Giro o pirulito na boca e deixo que ele se dissolva. — É verdade. Todo mundo tirava sarro de mim o tempo todo. Na verdade, eu fui vítima de bullying.

David parece ligeiramente desconfortável ao ouvir isso. Imagino se ele já assediou alguém dessa maneira em algum momento de sua vida.

Viro-me e o encaro.

— Você me acha bonita? Minha amiga achou que você estava me paquerando no labirinto.

David parece surpreso.

— Sim. Você é linda. Realmente linda.

— Bom, eu não estou muito parecida comigo mesma hoje à noite — digo a ele, com mais urgência do que eu pretendia. — Eu não costumo usar muita maquiagem.

Ele balança a cabeça.

— Mas este é o fundamento do Halloween, não é, usar um disfarce?

Percebo então que eu estava usando um disfarce. Talvez eu não mais me pareça com aquela garotinha triste e gorda, mas, definitivamente, é isso o que está por debaixo da fantasia.

Ele parece nervoso. Garanto que ele não tem certeza do que dizer.

— Sabe do que mais? Eu tinha um olho estrábico. Tive de usar um tampão durante três anos para exercitar o músculo do olho. — Ele sorri enquanto confessa isso. — Você consegue adivinhar que olho era? Aposto que não consegue.

Olho para o rosto dele. Seu rosto lindo. Não posso dizer, então nem tento adivinhar. Em vez disso, digo:

— Você pode me levar para casa?

David mantém a conversa durante a maior parte do trajeto. Ele se mudou para cá vindo da Califórnia há dois anos, com a mãe, depois que seus pais se divorciaram. Na maior parte do tempo, conversamos sobre como é estranho morar aqui. Eu aprecio o fato de David não falar mal da ilha. Ele não é como Kat, que não aguenta esperar até poder se mudar para outro lugar porque tudo aqui na Ilha Jar a irrita. David é muito controlado. Por exemplo, ele detesta o fato de não existir aqui uma comida mexicana boa, que eu acho que deve ser uma coisa muito comum na Califórnia. Mas ele adora poder surfar aqui.

Ele se oferece para me ensinar.

Num sinal vermelho, ele tira uma das mãos do volante e a desliza sobre a minha.

— Suas mãos estão tão frias.

Ele parece envergonhado, as palavras parecem ter saído de supetão. Luto contra a vontade de tirar a minha mão dali. Eu penso: É assim que eu deveria ser. Uma garota que *não tem medo de paquerar os meninos, uma garota que é segura e alegre e que quer se divertir.* E, para falar a verdade, eu não costumava ser tímida, não até Reeve ter me destruído.

Eu peço a ele que me deixe na porta de casa. Ele para o carro no meio-fio, coloca o motor em ponto morto e se aproxima de mim.

Ele me beija.

Eu o beijo de volta.

É meu primeiro beijo, meu primeiro e único beijo. David coloca uma de suas mãos no meu cabelo e segura gentilmente a parte de trás da minha cabeça. A boca dele tem um gosto doce, como um milho doce.

Eu o beijo porque esta é a vida que eu deveria estar vivendo.

Só que a única parte que é boa é o fato de ele me querer. Eu gostaria apenas de querê-lo também.

Ele se afasta de mim e diz baixinho:

— Vou procurá-la na escola segunda-feira, Elizabeth.

Não digo nada. Meus olhos estão no relógio — é quase meia--noite. David fecha os olhos e se aproxima de mim para outro beijo. Em câmera lenta, como se fosse num filme.

Dessa vez eu viro minha cabeça.

O desapontamento no rosto dele é imediato.

— Tenho de ir embora — digo.

— Espere. Me dê o seu número. — Ele se vira para o assento traseiro procurando por seu telefone. Naqueles poucos segundos, eu saio rapidamente do carro e corro na direção de casa. Eu não gosto de David. Eu não quero beijá-lo. Esta não é minha vida, esta não é quem eu sou. Eu não sou... normal. Não posso fingir que sou nem sequer por uma noite.

Eu me esgueiro pela porta dos fundos. Imagino que tia Bette já esteja dormindo, mas então a vejo na sala, espiando pelas cortinas.

— Você estava me *espionando*?

Tia Bette arqueja, como se estivesse debaixo d'água. Ela se vira e me olha firmemente.

— Quem é aquele garoto?

Estou irritada por ela ter me observado. É assustador! Será que não mereço um pouco de privacidade? Como Kat disse, agora eu sou uma adolescente, não sou mais uma garotinha.

— Não é ninguém. Estou indo para a cama.

Tia Bette me segue escada acima.

— Eu sei que você sente falta de ter vivenciado esse tipo de experiência, e meu coração fica apertado quando penso em você, mas isso tem de parar.

— Por que tem de parar? Por que eu não posso beijar um garoto se eu quiser? Ou sair com meus amigos? Eu cometi um erro há muito tempo, e vocês não me deixam esquecer isso!

Tia Bette se aproxima para tocar meu braço, e então afasta a mão rapidamente, como se eu estivesse pegando fogo.

— Há tanta raiva dentro de você que ela… se irradia.

Eu a encaro com firmeza.

— E sabe do que mais? Eu estou brava. Com você. — Cruzo os braços. — O que são todos aqueles livros no seu quarto? Você está fazendo feitiçaria para mim?

— Mary, eu…

— Aqueles barbantes esquisitos que você está pendurando na parede do seu quarto, para que servem?

Tia Bette está tremendo.

— Mary. É para sua proteção.

— O que você quer dizer com "proteção"? — Tia Bette parece não querer me contar, o que intensifica minha vontade de saber de tudo. Ela começa a afastar-se pelo corredor, mas eu continuo me aproximando dela. — O que eles são *exatamente*?

Tia Bette levanta a mão.

— Não importa, eles não estão mesmo funcionando.

Eu dou um grito.

— *O que são essas coisas*? — berro com toda a força dos meus pulmões.

Tia Bette desaba no chão.

— Eles são feitiços de união — diz ela num sussurro.

De união? Imediatamente me lembro daquela manhã que eu não consegui abrir a porta do meu quarto. E do modo como aquela fumaça me fez ficar enjoada.

Será que o feitiço dela funcionou?

Afasto esses pensamentos insanos da minha cabeça. Como eu pude acreditar nessa loucura, ainda que por um segundo? Tia Bette não é uma bruxa. Essas coisas não são feitiços de verdade. Ela é apenas... maluca.

Eu me abaixo para poder olhá-la diretamente nos olhos.

— Tia Bette, você precisa sair de casa. Precisa voltar a pintar. Você precisa sair e viver sua vida, e não tentar me manter trancada aqui com você. — Ela apoia a cabeça nas mãos. Sem sequer olhar para mim. Não há como argumentar com ela. Eu nem sei por que estou tentando argumentar com uma pessoa louca. — Eu quero que você tire esses barbantes. Hoje à noite. Quero também que você pare de queimar aquelas coisas sujas, tire aquele pó de giz... Se você não parar com isso, vou chamar a mamãe e o papai e contar tudo sobre essas coisas estranhas que você tem feito comigo.

Ela começa a chorar. E isso me faz sentir horrível, mas não quero saber. Não esta noite, quando meu coração já está destroçado.

Na verdade, não, não é apenas meu coração. A minha vida toda está destroçada.

Capítulo 18

KAT

ACORDO SENTINDO O CHEIRO DOCE, BEM DOCE, DA MÁQUINA DE WAFFLES. Eu geralmente tenho de esperar até o sábado para tomar o café da manhã com meu pai, mas nós tivemos a quinta e a sexta-feira de folga por causa de uma conferência dos professores. Noite passada, eu andei de carro tentando encontrar Mary. Eu fui até a casa dela, mas as luzes estavam apagadas. Eu só espero que ela tenha chegado bem em casa. Pego meu telefone e mando uma mensagem curtinha para Lillia, sobre ir mais tarde à casa de Mary para ver como ela está, e então desço para o andar de baixo, ainda vestindo minha enorme camiseta de dormir e meias.

— Você se divertiu ontem à noite? — pergunta meu pai assim que entro na cozinha. É claro que Pat ainda não está acordado, ele nunca acorda antes do meio-dia, não importa se é fim de semana ou não.

Dou um abraço rápido no meu pai, ele sempre foi um cara grande, no formato exato de pai, e é gostoso e gratificante passar meus braços em volta dele.

— Não muito — digo, porque, honestamente, a noite passada foi uma droga. Eu sei que não foi só culpa minha, mas me sinto culpada por ter deixado Mary sozinha no labirinto. Se eu tivesse ficado com ela, se tivesse ficado ao lado dela, aquela merda com Reeve não teria acontecido. Não sem que eu tivesse quebrado a outra perna dele.

Eu encho uma xícara de café para cada um de nós. Gosto do meu com leite, já meu pai prefere o dele puro, com duas colherinhas de açúcar. No entanto, coloco em segredo apenas uma colherinha, pois o médico quer que ele reduza o consumo de açúcar. Meu pai coloca os pratos na mesa, juntamente com a manteigueira e o pote de geleia de framboesa. Eu gosto do meu waffle com geleia, não com calda, e fiz com que ele gostasse também.

— Alguma criança veio aqui pedir doces ontem à noite? — pergunto.

— Apenas duas garotas lá do fim da rua.

Sento na minha cadeira.

— Como elas estavam vestidas?

Meu pai se debruça sobre seu prato, sua clássica posição de tomar café.

— Acho que de princesas? Eu não sei bem. Para mim, elas pareciam bolinhas cor-de-rosa.

— Eu detesto essa coisa cor-de-rosa — digo. — Isso ofende a minha Gloria Steinem íntima. Será que não existe uma garota no mundo que goste de se vestir de piloto de corrida ou médica? — Tiro a tampa da manteigueira e franzo a testa. A manteiga está toda salpicada de migalhas de pão que alguém deixou cair.

E também tem uma gosma que sobrou do tablete anterior e acabou endurecendo no fundo, porque a manteigueira não é lavada há muito tempo. Pego minha faca, raspo os restos de manteiga e jogo no lixo, coloco a manteigueira no topo da pilha de louça suja que já está enchendo a pia, e então pego uma nova manteiga da geladeira. Por enquanto, ela pode ficar na embalagem.

Meu pai olha para cima.

— Tudo bem com você?

— Tudo bem — digo e pego a geleia. O vidro está grudento, e a tampa está mal fechada. Isso é coisa de Pat, ele sempre faz sanduíche de manteiga de amendoim e geleia quando está chapado. Eu o coloco na mesa com um gesto brusco.

— Qual o problema, minha filha?

— Nenhum — digo, embora esteja muito irritada. — Como está a canoa? Você vai terminá-la esta semana.

Meu pai acena que sim.

— O cara que a comprou não quer navegar nela. Ele vai deixá-la encostada na parede da sua casa de praia. Isso não é uma loucura? Gastar tanto dinheiro num objeto de decoração. Vale a pena ir para o mar com ela.

Não estou escutando. Estou olhando em volta da nossa cozinha. Uma nojeira. Uma pilha de louça suja na pia, jornais velhos e cartas empilhadas no balcão. A parte da frente do fogão está toda suja e manchada de molho de chili.

Meu pai coloca na mesa a xícara com o resto do seu café.

— Você me enganou no açúcar, Katherine.

Ele se afasta da mesa, e é aí que vejo o que ele está usando nos pés.

— Papaaaaai, que droga é essa? — Começo a dar risadas. — É melhor você não aparecer em público com isso.

Ele olha para mim, confuso. Eu aponto para os pés dele. Ele está usando uma meia esporte preta num pé, e uma meia social azul-clara no outro, que ele deveria estar usar com terno.

Meu pai dá de ombros e pega o pote de açúcar.

— Eu não consegui encontrar meias limpas que combinassem, e daí? Nem me importo. Eu não estou querendo impressionar ninguém.

Pobre papai! É verdade. Ele não está tentando impressionar ninguém. Ele está sozinho desde que minha mãe morreu. Não que eu esteja querendo uma madrasta, mas já faz cinco anos. Eu não quero que ele fique sozinho para sempre. Ele merece uma boa mulher.

Acho que nós dois sabemos qual é o problema: não existe uma mulher melhor que Judy.

— Eu vou lavar roupa hoje. — Isso não quer dizer que sou eu quem estabelece o trabalho doméstico ou qualquer outra coisa, mas eu costumo tomar conta da lavagem das roupas, porque sou a única que se importa em separá-las por cor.

Meu pai faz um sinal para eu deixar para lá.

— Kat, sei que você está ocupada com a escola. Não se preocupe.

Ele está certo. Eu tenho estado muito ocupada. Mas essa não é uma boa desculpa. Preciso arrumar um tempo para ajudar nas coisas de casa enquanto ainda estou morando aqui.

Eu devoro meus dois waffles, termino meu café e então começo a limpar tudo como uma louca. Limpo a cozinha, lavo a louça até o escorredor ficar cheio, troco as toalhas do banheiro e encho a lavadora de roupa para o meu pai. Enquanto isso, Pat está dormindo no sofá na salinha. Quando chego com o aspirador de pó ele mal se mexe.

Loucura de limpeza.

Fico muito irritada, bato o aspirador de pó no sofá e praticamente o sacudo até ele acordar.

— Ah, desculpe — digo, num tom mal-humorado, quando ele finalmente abre seus olhos.

— Qual é seu problema?

— Você precisa ajudar mais na limpeza da casa.

— Tanto faz, Kat. Vá tomar um Midol[3]. Mas você não deveria estar na escola agora?

Ele tenta pegar a manta, mas eu a arranco das mãos dele. A doida da limpeza ataca novamente.

— Não tem aula hoje! Dê uma olhada à sua volta, Pat. Nossa casa está um lixo. O que a mamãe diria?

— A mamãe não diria nada. Ela limparia tudo.

— Sim, é verdade. Mas adivinhe? Eu não sou a mamãe e estou prestes a ir para a faculdade e não quero ficar preocupada com você e o papai morando num monte de lixo!

Pat se espreguiça, estendendo os braços por cima da cabeça e grunhindo:

— Tudo bem. O que você quer que eu faça?

Eu aponto para a mesa do café. Ela está coberta de revistas de corrida de Pat, e algumas partes de um carburador estão espalhadas sobre uma página de jornal suja de óleo.

— Limpe sua merda.

Pat cheira o ar.

— Isso é waffle? — grunhe ele, enquanto se levanta e se arrasta para fora da salinha.

Eu vou para o meu quarto antes de explodir. Pego meu telefone. Já faz quase duas horas, e Lillia ainda não respondeu

[3] Remédio contra cólica menstrual e dor de cabeça.

minha mensagem. Mando outro e então me visto. Quando ela não responde, começo a ligar várias e várias vezes.

Ela finalmente atende na quarta tentativa. Sua voz está fanhosa.

— Oi — diz ela. — Que horas são?

— Quase meio-dia. Por que você ainda está dormindo?

Ela geme.

— Estou de ressaca — responde.

Não sei por que, mas isso me deixa irritada.

— Bem, estou indo à casa de Mary, você vem junto?

— Claro que vou junto. — Ela começa a tossir. Ou talvez esteja com náusea. Não sei dizer. E isso me faz sentir mal. — Dá tempo de eu tomar um banho?

— Claro. Pego você em 20 minutos.

Para matar o tempo, vou até o Milk Morning e pego três cupcakes, um para cada uma de nós. Depois compro também um sanduíche de bacon, ovos e queijo para Lillia, porque gordura vai ser bom para a ressaca dela.

No caminho para pegar Lillia, tento ligar para a casa da Mary, para dizer a ela que estamos indo, mas ninguém atende. Droga. Eu começo a sentir um aperto na boca do estômago. E se a briga dela com Reeve a deixou no limite novamente? E se ela...

Não quero nem pensar nisso.

Lillia está esperando por mim nos degraus da frente de sua casa. Está usando calça jeans larga, um blusão com capuz e óculos de sol. O cabelo dela ainda está molhado. Ela caminha lentamente até meu carro, como um zumbi. Dou-lhe o sanduíche.

— Aqui está.

— Ah, que maravilha — diz. — Você é maravilhosa, Kat.

— Noite selvagem? — pergunto, observando-a pelo canto dos olhos.

— Um monte de gente foi ao cemitério. Eu fiquei um pouco bêbada... fiquei gritando para Reeve que ele é um idiota, até que finalmente ele foi embora.

Lillia e eu batemos nossas mãos no alto.

— Também briguei com Rennie. Agora somos oficialmente inimigas. — Lillia sorri, mas posso perceber que ela não está sendo sincera. — É o fim de uma era, Katherine.

Não consigo evitar a onda de alegria que me atinge ao ver a justiça sendo feita. Rennie é pura maldade. Lil é uma pessoa muito melhor sem ela.

— Estou simplesmente muito feliz por a gente ter se encontrado de novo. Não sei o que eu faria se não tivesse você e Mary ao meu lado — diz Lillia numa voz trêmula.

— Bem, isso não é algo com que você precise se preocupar — digo rispidamente, e Lillia abre um sorriso genuíno dessa vez.

— Você conseguiu encontrá-la noite passada?

— Não.

— Que droga. — Lillia dá uma mordida no sanduíche enquanto eu dirijo para Middlebury.

Enquanto está lambendo os dedos ela diz:

— Espero que Mary esteja bem.

— Ela vai ficar bem.

— Não, quero dizer, será que ela está *mentalmente* bem?

Fico em silêncio, porque não tenho certeza.

— Eu estava pensando que talvez nós devêssemos fazê-la conversar com alguém.

— Alguém quem? Um conselheiro pedagógico? — Penso imediatamente na Sra. Chirazo e balanço a cabeça simbolizando um enorme *Droga, claro que não*. — Vamos prestar atenção e ficar perto dela. Se as coisas piorarem, vamos forçá-la a conversar com alguém. Mas eu não acho que já tenhamos chegado a esse ponto. — Espero que não.

Lillia parece insegura, mas concorda.

— Tudo bem. Negócio fechado.

Nós seguimos de carro até a casa de Mary. Não vejo o carro da tia dela na entrada. Nós vamos até a porta da frente e tocamos a campainha algumas vezes, mas ninguém responde. Estou com uma sensação ruim quando digo:

— Talvez ela tenha saído para tomar café da manhã?

Lillia grita:

— Mary! Mary!

— Estou nos fundos!

Lillia e eu andamos até a garagem. Mary está lá dentro, ela está lubrificando a corrente da sua bicicleta, que agora está de cabeça para baixo.

A garagem está quase toda no escuro, a não ser por uma única lâmpada pendurada numa das vigas. O local está repleto de coisas. Móveis cobertos por lençóis, um telescópio quebrado e apoiado numa escrivaninha velha.

— Nossa, deve ter o equivalente a uma casa inteira aqui.

— São coisas da minha família, na maioria — diz ela. — De quando a gente se mudou.

Eu dou mais alguns passos e olho no telescópio. É muito legal. Alta tecnologia.

— Eles não quiseram levar isso? — Para mim, parece loucura uma família deixar tudo isso para trás. Mas, pensando bem, eu não sou rica. Talvez a família de Mary tenha dinheiro.

Mary dá de ombros.

— Meu pai gostava de observar as baleias da janela da frente. A casa onde eles moram agora não tem vista para o mar.

— Nós trouxemos cupcakes — anuncia Lillia e pega a caixa das minhas mãos.

Eu sento num dos móveis antigos de jardim.

— Nós queríamos ter certeza de que você estava bem, depois de tudo o que Reeve lhe disse no labirinto ontem à noite.

Mary se levanta e puxa as mangas do seu suéter para esconder as mãos.

— Estou envergonhada por vocês terem ouvido tudo aquilo. Pelo modo como me desculpei.

— Você não tem nada do que se envergonhar — digo. — Estamos orgulhosas por você por ter aberto o jogo com ele daquele modo. Você fez muito bem, Mary.

— Acho que sim. — Sua boca começa a tremer, mas ela morde o lábio inferior para controlar o tremor. — Eu não consigo entender por que não sou capaz de superar isso. — Mary retorce as mãos. — Eu tenho me esforçado tanto… — A voz dela fica toda trêmula. — Eu tenho tentado participar dos clubes na escola para encontrar algo em que possa focar a atenção, quero começar a pensar no meu futuro. Porém, embora eu esteja me esforçando para me manter de pé, estou sempre prestes a desmoronar. Eu tive a pior das brigas com minha tia ontem à noite. Sei que é horrível dizer isso, mas parte de mim deseja que eu tivesse conseguido me matar, porque isso não é modo de viver.

Agora parece que o ar foi sugado da garagem, e subitamente percebo como meu coração está batendo acelerado. Isso é o nosso pior pesadelo se tornando realidade.

Olho de relance para Lillia. Ela está mexendo nos cordões do capuz. Ela não sabe o que dizer.

Nem eu.

Fica tudo silencioso demais, e então eu digo:

— Mary, isso não é uma questão de "se não deu certo na primeira vez", não é? — A piada sem graça escapa da minha boca, com uma risada nervosa e vazia. Lillia me olha, mas que diabos? Eu não a vi abrindo a boca. — Você precisa parar de dizer esse tipo de coisa.

Nem mesmo sei se ela está me escutando ou não, porque ela está muito perturbada. Seu corpo todo amontoou, como se todos os ossos que a mantinham em pé tivessem amolecido. Afasto a franja dos meus olhos, me inclino para junto dela e digo:

— Você passou por muita coisa, mas algum dia tudo isso não vai parecer tão ruim assim. Ano que vem você será uma veterana e depois irá para a faculdade. Um dia você vai olhar para trás, para toda essa merda, e dar risada.

Eu gostaria de poder dar a Mary um pouco mais de esperança, alguma coisa que pudesse ajudá-la aqui e agora, mas isso é tudo o que consigo dizer.

No seu jeito manso, ela responde:

— O engraçado é que Reeve nem se importou se eu ia morrer ou não. Você sabe como me sinto depois de tudo que passei? E não é porque ele é insensível. Ele se importa com algumas pessoas. — Ela ergue a cabeça e olha para Lillia. — Mas não comigo.

Lillia olha para ela meio confusa. Suplicante, ela diz:

— Mary, você não pode fazer isso consigo mesma. Ele não vale a pena. — Ela empurra o cabelo para um dos lados. — Ele realmente não vale a pena.

Mary fita Lillia nos olhos.

— Eu escutei a conversa de vocês ontem no estacionamento. Ouvi as coisas que você disse a ele. Nunca ninguém me defendeu desse modo antes, jamais. Você tem sido como uma irmã mais velha para mim. Vocês duas.

Fico emocionada, mas não gosto do modo como ela está falando. É como se estivesse dizendo adeus.

Lillia esboça um sorriso trêmulo e tenta dizer alguma coisa, mas Mary continua falando, e a voz dela vai ficando cada vez mais alta e mais intensa.

— Você sabe que Reeve chorou? Ele chorou depois que você lhe disse tudo aquilo no estacionamento. Isso demonstra que ele se importa com o que você pensa dele.

Observo a surpresa no olhar de Lillia.

— Reeve chorou?

Mary acena que sim.

— É porque ele gosta de você.

Lillia sacode a cabeça apressadamente.

— Não, não, não. Por favor, não diga isso.

— Espere um minuto — interfiro. — Lembra da noite do baile, quando ele a beijou na frente de todo mundo?

— Ele estava sob o efeito do ecstasy! Fui eu quem deu a droga a ele, lembra? Ele teria beijado a senhora Dockerty se ela estivesse no palco com ele.

— Espere aí — digo. — Eu me lembro de quando você se mudou para cá, e teve um churrasco na casa de Reeve. Você disse que queria um cachorro-quente. Só havia sobrado um, e eu estava prestes a colocá-lo no meu prato quando ele praticamente me empurrou e me tirou do caminho.

Lillia pisca os olhos.

— Do que você está falando? Cachorro-quente?

Os olhos de Mary estão praticamente reluzindo, ela está muito animada.

— Ah meu Deus, entendi tudo! Reeve tem tudo o que ele quer. Mas não dessa vez. Nós temos a única coisa que ele nunca conseguiu. Você.

Lillia fica de queixo caído.

— Mesmo que o que você está dizendo seja verdade, e eu não acho que é, mas, supondo que fosse, eu nunca me interessaria por ele. Nunca, jamais, nunca. — Ela estremece.

Eu gosto da ideia de ver Reeve sofrer por uma garota que ele nunca poderá ter. E eu estou prestes a dizer isso, mas Mary se inclina e diz:

— Ele gostar de você e você não gostar dele não é o suficiente. Percebe? A pior coisa que Reeve me fez foi me fazer acreditar que eu tinha uma chance. Ele me atraiu, ele passou seu tempo comigo, contou seus segredos. Ele fez eu me sentir especial. Ele me fez pensar que eu tinha chance.

Dou um sorriso sarcástico.

— Então, quando ele me enganou naquele dia, quando ele me empurrou para a água na frente daqueles meninos da nossa escola, eu fui pega de surpresa. Eu me desfiz em um milhão de pedacinhos. Porque era tudo mentira, cada momento que nós passamos juntos. Ele não se importava comigo, nem um pouquinho. Nada. Ele me usou para se divertir, para não ficar entediado nas travessias da balsa. — Ela limpa a garganta. — Reeve destroçou meu coração, e agora você tem a chance de destroçar o dele. Você vai fazer isso, Lillia? Por mim? Por favor? — A voz de Mary falha nas palavras "por favor".

Lillia leva o dedo mindinho à boca e rói a unha.

— Mary… eu quero ajudar você. Quero mesmo. Mas… — Sua voz desaparece, e ela solta um suspiro. — Rennie faria da minha vida um inferno. A situação entre nós já está bem ruim…

Mary acena com a cabeça tristemente.

— Eu entendo. Eu não iria querer que você se magoasse.

— Esperem um minuto, garotas! — grito, interrompendo,

toda animada, atabalhoada. — Lil, se você conseguir que Reeve se apaixone por você, você ficará *intocável*. Ninguém poderá dizer merda nenhuma para você se você for a garota de Reeve! Ele é a droga de rei desta ilha.

— Então o que acontecerá quando eu romper com ele? — pergunta Lillia. — Onde eu vou ficar nisso tudo?

Eu dou um sorriso safado.

— Eu vou lhe dizer exatamente onde você ficará, Cho. Você ficará conhecida como a Vaca Líder no Comando. Qualquer garota que possa envolver Reeve Tabatsky e depois rejeitá-lo é *poderosa*, garota. As pessoas podem até não gostar disso, mas com certeza vão respeitá-la. É uma jogada de poder, a jogada de poder mais importante de todas. Que merda, queria ser eu a fazer isso.

Lillia sacode a cabeça lentamente.

— Eu realmente disse coisas horríveis a ele na noite passada. Não acho que ele vá me perdoar algum dia por isso.

— Se você se desculpar, ele vai sim — digo. — Caras como ele adoram esse joguinho. Eles não querem que a garota seja fácil demais. Diga a ele que você sente muito, e tudo ficará bem, certo, Mary?

Mary concorda com a cabeça.

Lillia fica em silêncio, e percebo que ela está pensando em tudo. Ela ergue a cabeça, morde o lábio e diz:

— Rennie vai ficar uma fera. — Um sorriso se espalha por seu rosto. — Tudo bem — diz finalmente —, eu topo.

— Tem certeza? — pergunta Mary.

Lil solta a respiração.

— Estou dentro.

Mary praticamente se curva em agradecimento.

— Obrigada. Obrigada, Lillia.

Eu agarro os ombros de Lil e dou-lhe uma sacudida.

— Sim! Lillia, Lillia Cho. VLNC[4]!

Ela dá risada, e eu sorrio para Mary. Um sorriso esperançoso está se espalhando pelo rosto dela agora.

— A operação Destruir o Coração de Reeve começa sábado! — grito. — Na minha casa.

— Por que não exatamente agora? — pergunta Lillia.

Sacudo a cabeça.

— Primeiro, precisamos de munição. Eu vou mostrar a vocês no sábado, depois que eu tiver refeito meu exame do SAT. Tenham paciência, minhas lindas.

[4] VLNC: Vaca Líder no Comando.

Capítulo 19

LILLIA

Por segurança, estaciono o carro a um quarteirão da casa de Kat. Por aqui, as casas são mais próximas umas das outras e, na sua maioria, são sobrados. Não existem cercas altas e portões como nas casas de White Haven, então todo mundo pode ver tudo. Rennie e Reeve moram bem perto daqui, e eu não quero correr nenhum risco. Na Ilha Jar, a gente nunca sabe quem está nos observando.

Eu toco a campainha, mas ninguém responde. O plano era nos encontrarmos aqui logo depois que Kat terminasse o exame. Eu não faria esse exame de novo por nada neste mundo, mesmo que isso me garantisse uma nota perfeita.

Eu espero antes de tocar uma segunda vez. Um minuto se passa e nada ainda. A luz da cozinha está acesa. Alguém está em casa. Hesitante, toco a maçaneta da porta e vejo que está destravada, como sempre esteve.

— Olá? — digo, abrindo uma fresta da porta. — Kat.

Quando éramos crianças a casa de Kat sempre fora assim. As crianças da vizinhança sempre estavam entrando e saindo pela porta da frente, e ninguém se importava. Minha mãe teria um chilique: *Você se importaria de tirar o sapato à porta; Sua mãe sabe que você está aqui?* ou *Quem quer um pouco de iogurte grego com mirtilo?*

Na casa de Kat, tudo era livre, nós podíamos comer Cheetos à vontade, beber refrigerante e jogar video game durante horas e ninguém falava nada. Era o paraíso das crianças.

— Olá? — grito novamente.

Uma voz de homem diz:

— Está aberta.

Eu me aventuro para dentro da cozinha e vejo Patrick sentado à mesa, sem camisa, comendo cereal, apesar de já ter passado bastante da hora do almoço. Ele parece suado e sujo, como se tivesse chegado de um passeio de moto. Seus ombros são sardentos como eu me lembrava, mas agora ele não é mais magricela — ainda é magro, no entanto parece mais musculoso. Então seus olhos se arregalam por um segundo, e ele sorri.

— O que você está fazendo deste lado da ilha, garotinha?

Minha garganta de repente fica seca.

— Oi, Patrick.

Ele fala pausadamente.

— Você tá aqui para ver Kat ou a mim?

Sinto meu rosto enrubescer.

— Kat. Nós temos um trabalho de escola. Ela já terminou o SAT?

— Sim. Ela saiu para comprar alguma coisa. Cigarros, acho — diz ele, e volta a comer seu cereal. Como se fosse completamente normal eu estar na casa dele e ele não estar usando camisa. Com a boca cheia, ele pergunta: — Você quer cereal?

— Qual deles?

— O seu favorito — diz e aponta para uma cadeira ao lado dele. — Senta aqui.

Mesmo tendo comido salada de frango com croissant há uma hora, eu me sento e ele se levanta para pegar uma caixa de Trix, que é o meu favorito, leite e uma colher. Ele coloca um pouco mais de Trix na tigela em que já está comendo e a empurra para deixá-la entre nós dois.

— Bom apetite, Lil — diz ele, me entregando a colher. Então nós dois começamos a comer Trix da mesma tigela, e ele cheira a campo, vento e óleo de motor.

Não consigo acreditar que Patrick se lembra do meu cereal favorito. Eu não o vejo há anos, e agora ele também vai para a faculdade, então por que ele ainda se lembra de alguma coisa sobre mim?

É engraçado. Apesar de minha paixão por ele ter sido há muito tempo, estar sentada agora ao lado dele na mesa da cozinha de Kat faz parecer que foi ontem que eu estive apaixonada por Patrick e que eu, Rennie e Kat éramos as melhores amigas. *RKL até morrer.*

Ele está me contando sobre uma aula de filosofia que está fazendo na faculdade pública, e eu estou acenando firmemente com a cabeça, como se estivesse prestando muita atenção, mas só consigo atentar para como os olhos dele são verdes, como as sempre-vivas, exatamente como antes, e então Kat chega em casa. Ela parece surpresa ao me ver, embora tivéssemos combinado de nos encontrar aqui esta tarde.

Encostada no batente da porta, ela diz:

— O que vocês estão fazendo?

— Comendo cereal. O que você acha? — responde Patrick, e eu dou uma risadinha.

Kat me olha de um jeito estranho.

— Traga isso para o meu quarto, Lil — ordena e então se encaminha para o corredor.

Eu me levanto.

— Você se importa — pergunto a ele — se eu levar isso comigo?

— Fique à vontade — ele responde.

Segurando a tigela contra meu peito, digo:

— Obrigada pelo cereal, Patrick.

— Quando quiser, Lil. — Ele dá uma piscadinha, e eu pressiono meus lábios para não sorrir. Então sigo Kat até o quarto dela.

— Que diabos foi aquilo? — pergunta Kat. Ela está deitada na cama, ainda de sapatos. Eca!

— O quê? — digo, me sentando no chão. Eu sei que nós deveríamos manter tudo em segredo, mas eu não tenho culpa que Pat está em casa.

— Você sabe do que estou falando — diz ela, dando um sorrisinho. Ela sacode a cabeça. — Aquele idiota está faltando às aulas novamente. Que cretino. Eu não tenho ideia de por que você foi sempre tão maluca pelo nojento do meu irmão. Ele está cursando a faculdade pública, isso não está abaixo do seu nível? Porque certamente está abaixo do meu.

— Eu nunca fui *maluca* por Pat — digo bruscamente —, e também não vejo nada de mal em fazer faculdade pública. Ele me disse que provavelmente vai se transferir para alguma outra faculdade em breve. — Então, parece que Kat sempre soube. Eu nunca disse a ela que estava apaixonada por Pat, eu só contei isso a Rennie, que jurou por tudo que é mais sagrado nunca contar a ninguém. Outra traição.

Kat bufa.

— Ó meiga e ingênua Lil. Ele não vai se transferir para lugar nenhum. Ele está fazendo apenas dois créditos. Ele vai ficar preso à Ilha Jar pelo resto da vida.

— Como foi a prova do SAT?

— Não faço ideia.

Concentro-me em comer o cereal rapidamente, porque ele está ficando encharcado.

— Quando Mary vai chegar? — pergunto, limpando o leite do meu queixo.

— Acho que ela disse que tinha de fazer alguma coisa com a tia primeiro, então ela pegaria uma carona ou viria de bicicleta para cá.

— Legal — digo. Eu bebo o restante de leite adocicado pelo cereal e depois coloco a tigela no carpete. Eu descalço as sapatilhas e engatinho para subir na cama e ficar ao lado dela. Ela abre um espaço para mim. Olhando para o teto, digo:

— Então, humm, Patrick alguma vez perguntou de mim?

Kat dá uma gargalhada e me bate na cabeça com sua almofada de banana. Eu caio na risada também. E então explodo.

— Eu não acredito que Rennie lhe contou que eu gostava de Pat, quando ela prometeu que nunca faria isso. Ela jurou pela vida da mãe dela!

Dando uma risadinha Kat diz:

— Mesmo que ela não tivesse contado, eu saberia, era tão óbvio. Você costumava inventar desculpas para a gente dormir aqui em vez de ir para a casa de Rennie.

— Bom, isso era em parte por causa de Shep. — Minha mãe é supostamente alérgica a cachorros, então nós nunca tivemos permissão para ter um, não importava quanto a gente suplicasse. Acho que é porque ela não quer um cachorro sujando a mobília branca. Sento e grito: — Shep! Venha aqui, Shep!

Shep vem com toda a pressa para dentro do quarto, ele pula na cama e lambe meu rosto. Eu o abraço bem junto a mim.

— Olá, rapazinho — digo no ouvido dele.

— Você se lembra daqueles vagabundos que Pat costumava trazer aqui em casa? — pergunta Kat de repente. — Eles eram bem mais velhos que a gente e costumavam fumar dentro de casa. Você se lembra daquela vez?

É claro que eu me lembro.

Eu tinha uns 13 anos, no auge da minha paixonite por Patrick, então ele deveria ter uns 15 ou 16 anos naquela época. E as garotas com quem ele saía pareciam mulherões para mim. Elas tinham peito, falavam palavrões e andavam na garupa da motocicleta dele.

Havia uma garota chamada Beth. Foi no meio da tarde, e Rennie, Kat e eu estávamos na sala ouvindo música bem alto e praticando os passos de um daqueles filmes de dança em que as pessoas dançam na chuva no meio do estacionamento.

— Lil, você tem de rebolar o quadril assim — me disse Rennie, demonstrando.

Ela e Kat começaram a fazer o rebolado juntas, em perfeita sincronia.

— Se solta, Lil — disse Kat. — Você é muito dura.

Hesitante, eu tentei seguir as instruções delas e fazer o movimento certo. Foi aí que Patrick e Beth chegaram. Eles caíram na gargalhada, e eu parei imediatamente, mas Rennie e Kat ignoraram os dois completamente e continuaram dançando, mesmo quando eles se sentaram no sofá e ficaram observando.

Beth tinha cabelo castanho-acobreado, era comprido o bastante para prender num rabo de cavalo, mas não muito. Ela passava muito delineador, nada de batom, e vestia uma camiseta preta enorme com as mangas cortadas que ela usava à maneira de um vestido. Ela aparentava ter uns 22 anos, embora tivesse provavelmente uns 18.

— Olhe para essas safadinhas treinando — falou ela, rindo e acendendo um cigarro. Sua voz era rouca e baixa.

Patrick bufou, e eu baixei os olhos. Através dos meus cílios, olhei de soslaio para ela. Ela estava com as pernas esticadas em cima da mesinha de centro, embora estivesse de sapatos.

— Vamos lá para cima — murmurei, mas Kat me ignorou.

— Nós somos as safadinhas? — disse Kat. — Olhe para você. Onde está sua calça? Na traseira da caminhonete de alguém?

Beth deu uma risada rouca e uma tragada profunda no cigarro. Ela parecia bem sexy fazendo isso, como se estivesse num filme.

— Desculpe, mas você não tem permissão de fumar dentro de casa — disse Rennie, com as mãos no quadril.

Pat pegou um cigarro do maço de Beth.

— Vão brincar lá fora, garotinhas, nós queremos assistir à TV. — Eles sorriram um para o outro.

— Nós chegamos aqui primeiro — disse Rennie.

Patrick a olhou ameaçadoramente, e Kat tentou apaziguar.

— Tudo bem, tudo bem. Estamos indo. — A nós, ela disse: — Vamos lá. — No último segundo, ela agarrou o maço de cigarros de Beth e saiu correndo com nós duas disparando atrás dela. Nós passamos pela porta de tela, e eu escutei a gargalhada de Pat.

Eu nunca fui tão ciente da idade que tinha quanto naquele momento. Eu queria ter 18 e não 13. Eu queria que Pat olhasse para mim do jeito que olhava para Beth.

E, mais que tudo, eu queria andar na garupa da moto dele. Uma única vez, só para saber qual era a sensação da velocidade com apenas ele me prendendo ao mundo. Meus pais teriam me mandado para o convento se eu tivesse dito isso em voz alta. Eles me fizeram prometer que nunca andaria na garupa dele, essa era a condição para eu poder frequentar a casa de Kat.

Eu nunca quebrara uma promessa feita aos meus pais antes, mas se Patrick tivesse me convidado para dar uma volta com ele naquele momento, eu teria ido. Eu nem hesitaria. Ser selvagem e livre. Queria saber qual era a sensação.

•••

Estamos comendo pipoca doce e ouvindo música — o grupo favorito de Kat —, mas isso me dá dor de cabeça, porque a música está tão alta a ponto de a gente não escutar quando a Mary chega. Ela entra no quarto com o rosto afogueado, já aparentando estar muito melhor do que estava na quinta-feira.

— Mary! — cantarolo.

— Oi, oi! — diz ela, aproximando-se da cama. Ela está prestes a sentar-se com a gente quando Shep arreganha os dentes e rosna para ela.

Kat o segura pela coleira e lhe dá uma sacudida.

— Pare com essa bobagem — diz ela a Shep. — Ele é inofensivo, eu juro — diz a Mary.

Mary dá uma risada nervosa e senta-se no chão.

— Os cachorros geralmente me amam.

— Eu posso colocá-lo para fora — oferece Kat, levantando-se.

— Não — protesto. — Deixe que fico segurando ele. Mary, ele não chegará nem perto de você.

— Para mim, tudo bem — ela diz, com uma risadinha. — Cachorrinho bonitinho.

Shep corre para debaixo da cama, e eu rastejo atrás dele e tento fazê-lo sair de lá com um punhado de pipocas na mão. Ele parece tentado, mas não sai. Ofereço a lata a Mary.

— Está muito boa — digo, balançando-a na frente dela.

Mary faz uma careta.

— Você só gosta de coisas superdoces, Lil.

— É porque eu sou muito doce — digo numa voz melosa. Ela sorri de volta para mim, e eu deito na rede de Kat.

Kat bufa e vai até o armário. Ela me joga uma sacola cheia de roupas.

— Aqui está. Munição.

Antes mesmo de abri-la, digo:

— Só para você saber, eu não vou usar meia arrastão.

— Não tem nenhuma meia arrastão aí, sua vadia. — Ela se joga na cama, enquanto começo a olhar dentro da sacola.

Um top cor-de-rosa estilo espartilho, sem alças. Um top preto de renda. Meias sete-oitavos creme feitas de um fio macio. Uma saia bandage tão curta que poderia ser confundida com um bustiê. Não dá para saber. As meias até que são bonitinhas, mas essas outras coisas parecem saídas de uma ponta de estoque de uma loja popular. Não é meu estilo de jeito nenhum.

— Kat, você roubou tudo isso? — pergunto. Estou brincando.

Kat revira os olhos.

— Você sabe que eu não roubo, vagabunda. Isso é coisa de sua amiga Rennie. E só para você saber, está me devendo 160 paus.

Eu seguro e ergo um minivestido de malha de manga longa. É basicamente um collant de balé.

— Não vou usar isso! — dou um gritinho. — Vou ficar parecendo uma prostituta.

— Eu tenho um desses roxo — diz Kat, olhando furiosa para mim.

— Ops! Mas isso não é mesmo meu estilo — digo. — Eu tenho certeza de que você fica maravilhosa nele, mas isso não é meu estilo. — Vejo um espartilho de renda preta no fundo da pilha. — Você espera que eu vá para escola usando lingerie?

Kat corre para a beirada da cama.

— E daí? Você precisa parecer sexy! Você vai entrar na escola se exibindo, usando isso e uns sapatos de salto 15 poderosos, e a cabeça de Reeve vai pirar. Tudo o que você precisa fazer é usar as roupas e chamar a atenção dele. A seguir vem o contato físico, um toque no braço e uma mão no joelho dele. Então você conversa com outros caras, e provoca um pouco de ciúme. É simples.

— Humm. Desculpe, mas eu sei conversar com garotos — digo num tom rude. Como se eu precisasse dos conselhos de Kat sobre como fazer um garoto me notar! — Só para você saber, no último dia dos namorados, eu bati o recorde de maior número de rosas já enviadas a uma garota na Escola Secundária da Ilha Jar por garotos. É verdade que uma dúzia delas me foi enviada por meu pai, mas eu recebi rosas dos meninos também. Eu superei até Rennie. Ela não parava de dizer que eu não teria vencido se não fosse por meu pai. Pensando bem, acho que vou ganhar dela este ano também. Vou fazer tudo o que for preciso, até conversar com aqueles calouros horrorosos se for preciso.

Kat solta um suspiro profundo.

— Tudo bem. Se não vai vestir essas coisas, o que você pensa em usar?

Enfio algumas pipocas na minha boca e penso.

— Bom, eu tenho essa blusa linda com um laço na gola, eu

poderia usá-la com aqueles shorts incríveis de flanela cinza que enrolam na ponta. Eu vi um modelo on-line noite passada.

Kat e Mary trocam um olhar. Kat se inclina para perto de mim.

— Preste atenção. Pelo que estou percebendo, você faz mais o estilo Jackie O. Você é classuda, sofisticada e estilosa.

Eu aceno com a cabeça.

— Verdade, verdade e verdade.

Revirando os olhos, Kat continua:

— Mas precisamos que você faça mais o estilo Marilyn. Sexy. Bombástica. O tipo de garota que Reeve não vai querer levar para casa e apresentar à mãe dele. Nós queremos que ele *deseje* você. Uma obsessão profunda. Um desejo intenso...

— Tudo bem, tudo bem! Entendo! — Dando uma risadinha, me jogo de volta na cama. — Mas, meninas, ele é tão nojento. Eu vou vomitar todas as vezes que tiver de fingir ser carinhosa com ele.

Kat joga o vestido na minha cabeça.

— Pelo menos experimente esse.

Mary diz:

— Sim, Lil. Qualquer coisa vai ficar lindo em você.

Solto um grunhido.

— Lil, confie em mim. Nisso eu sei do que eu estou falando. Você faz ideia de com quantos cantores de banda de rock eu fiquei este verão? Quatro! Havia garotas muito mais sexy em volta, mas eu fui aquela que eles escolheram entre muitas. E quer saber por quê? Atitude. É tudo questão de atitude. Você precisa agir como se fosse o máximo. E os caras são tão tontos que vão acreditar nisso.

Ela está completamente certa. Veja Rennie. Rennie é atitude pura. O que ela quer, ela consegue. Ela tem a escola toda sob seu domínio. Esqueça Marilyn, vou focalizar em Rennie.

Pego o vestido.

— Então, o que vocês querem que eu use primeiro? Este vestido de prostituta ou este bustiê?

Mary dá um gritinho, e os olhos de Kat brilham quando ela diz:

— Definitivamente, o vestido.

Quando chegamos ao estacionamento da escola, na segunda-feira, Nadia vê sua amiga Janelle e me faz deixá-la na entrada da frente. Demoro a estacionar e arrumar meu cabelo no espelho retrovisor. Eu coloquei os *hot rollers* da minha mãe antes de ir para a cama e dormi com eles, para o cabelo ter um pouco de balanço. *Cabelo sexy*, Kat não parava de dizer na noite passada. Este não é exatamente um cabelo sexy, mas é muito mais elaborado que meu estilo normal. Passo um pouquinho de brilho rosa nos meus lábios também. Quando saio do carro, vejo se meu casaco está bem abotoado e apertado na cintura. Exatamente quando eu estou fechando a porta do meu carro, vejo Kat me observando do outro lado do estacionamento, parada ao lado da cerca de arame. Ela sacode a cabeça e diz, apenas movendo os lábios, sem fazer barulho, *Sem o casaco*. Eu respondo do mesmo modo *Estou com frio*, e lanço um olhar suplicante para ela, mas ela balança a cabeça de novo e diz *Marilyn*. Lentamente, eu retiro o casaco e o guardo no porta-malas. Atravesso o estacionamento e entro na escola. Estou usando um sapato de salto bem alto, o mesmo de couro rosa-pálido que usei no homecoming. Eu subo os degraus cuidadosamente para não tropeçar e cair. O vestido é apertado, mas muito confortável, porque ele é basicamente feito de lycra. Ele mal cobre o meu traseiro, e faz meus peitos parecerem enormes. Coisa que nunca, jamais, vesti. Espero que não seja mandada de volta para casa por estar usando isso. Minha mãe provavelmente iria desmaiar.

Percebo imediatamente que as pessoas estão me olhando, mas mantenho o olhar para a frente, a cabeça erguida e os ombros para trás. Uma garota do segundo ano murmura para sua amiga — Droga... — e uns dois garotos assoviam. Eu caminho como se não estivesse escutando ninguém. Caminho como se fosse a dona da escola.

Deve ser assim que Rennie se sente.

Deixo minha mochila no armário e saio carregando apenas uma carteira, que é muito mais sexy que a minha mochila da escola. Retoco meu batom. Faltam cinco minutos para o sinal tocar, e isso significa que Reeve deve estar perto da máquina de salgadinhos e doces, junto com Alex e PJ, como toda manhã.

E de fato eles estão, apoiados na parede dos armários comendo donuts, mas não Reeve, que está comendo uma barra de proteína. Rennie não está lá, graças a Deus.

Meu coração está pulsando forte nos ouvidos enquanto dou um "oi" e passo deslizando por eles. Vou direto para a máquina de doces. Enquanto digito os números para os donuts de chocolate, espio pelo vidro para ver se Reeve está olhando. Não está. Ele está devorando sua barra. Percebo também que ele não está usando mais as muletas e que trocou o imobilizador soft cast por uma bota imobilizadora ortopédica.

PJ solta um assovio baixo e grita:

— Por que você está vestida assim, Lil?

Virando-me ligeiramente, digo:

— Tenho de fazer uma apresentação na aula de francês. — O que faria bastante sentido se eu fosse fazer uma apresentação no Moulin Rouge.

— *Très bien* — diz PJ, me elogiando, e eu faço uma reverência para ele.

Meu vestido é curto demais para que eu posso me curvar e pegar os donuts na gaveta. Felizmente, Alex se aproxima.

— Você está... uau! — diz ele em voz baixa.

Sinto que estou enrubescendo.

— Obrigada.

Alex se abaixa, agarra meus donuts e os entrega a mim.

— Uau — diz ele novamente. Seus olhos estão arregalados, e ele não para de me encarar.

Tento não sorrir. Não consigo lembrar — será que devo tentar fazer um contato físico com Reeve, ou tentar fazê-lo ficar com ciúme? Eu nem mesmo sei se ele está olhando para mim.

Estou prestes a olhar de soslaio para Reeve quando vejo Rennie descendo pelo corredor com Ashlin. Rapidamente, passo meu braço pelo de Alex.

— Me acompanha até a classe? — convido alegremente.

— Claro — diz ele. — Serei seu guarda-costas.

Reeve está me olhando agora. Os olhos dele deslizam sobre mim e rapidamente se afastam. Completamente desinteressado. Ele nem sequer faz uma piada desagradável sobre o modo como estou vestida. Ele limpa a boca e joga a embalagem no lixo, sem olhar de novo na minha direção.

Talvez ele ainda esteja bravo pelas coisas que eu disse na noite do Halloween. Droga. Para esse nosso plano ter alguma chance de dar certo, vou ter de me humilhar e me desculpar com ele, que é a última coisa que gostaria de fazer.

•••

Na mesa do almoço, estou me preparando para sentar perto de Reeve e me desculpar, mas, quando chego lá, ele já está sentado na ponta e Rennie está ao lado dele. Seus olhos ficam arregalados ao me ver com meu novo visual, e eu preciso resistir à vontade de cruzar os braços no peito.

Deslizo na cadeira em frente a ela. Meu plano é fingir que nossa briga no Halloween nunca aconteceu, pois que outra escolha eu tenho?

— Oi, pessoal — digo, abrindo minha garrafinha de chá branco com mirtilo.

Ela age como se não tivesse ouvido, tudo bem para mim, e então ela apoia a cabeça no ombro de Reeve e diz:

— Quer que eu vá pegar alguma coisa para você da fila do almoço, meu bem?

— Não, estou ótimo — diz ele, sacudindo uma caixinha de Muscle Milk.

— Tudo bem, vou pegar umas batatas fritas. Volto em dois segundos. — Rennie vai praticamente saltitando para a fila do almoço.

Quando ela se afasta, eu me inclino junto a ele e murmuro rapidamente:

— Ei, olhe, eu sinto muito pelas coisas que disse no Halloween. Acho que eu tinha bebido demais.

Ele mal escuta as minhas desculpas. Ele diz simplesmente:

— Você acha?

Reeve claramente não vai facilitar as coisas para mim. É a cara dele fazer isso. Eu engulo em seco, abaixo a cabeça e olho para ele através dos meus cílios. Foi uma performance digna do Oscar. Fazendo uma voz arrependida, complemento:

— Reeve, eu realmente sinto muito. Eu nunca deveria ter

dito aquelas coisas a você, principalmente depois de você ter ido até o Festival de Outono e tentado fazer o que podia para me ajudar, mesmo estando machucado. — Estendo o braço e toco no dele levemente.

Reeve afasta o braço de mim.

— Eu não fui ao Festival de Outono para ajudá-la. Fiz isso porque eu tinha um compromisso com as crianças. — Ele se encosta de volta na sua cadeira.

Isso não está funcionando de modo algum. Vou ter de mudar de tática. Talvez contar um pouco da verdade.

— Eu não sei se você percebeu, mas Rennie e eu estamos meio brigadas. Está sendo um tanto difícil, e acho que descontei em você, porque você estava por perto. Então, eu peço desculpas. Juro que eu realmente não quis dizer aquelas coisas. — Bem, essa parte é mentira.

Reeve dá de ombros e toma um gole do seu leite.

Nossa, obrigada por ser tão compreensível Reeve. Agradeço muito mesmo.

Capítulo 20

MARY

JÁ PASSAM DAS CINCO HORAS, TODO MUNDO JÁ FOI EMBORA DA ESCOLA. Estamos sentadas nas duas últimas fileiras do auditório. Lillia está ao lado de Kat, que está com seus coturnos apoiados na poltrona da frente, e eu estou empoleirada numa das cadeiras da fileira à frente delas.

Lillia desembrulha um pirulito marrom-claro e oferece a todas.

— Primeira lambida? — pergunta ela a mim e a Kat. Nós duas balançamos a cabeça.

— Novidades! — grita Kat, batendo as mãos. — Novidades! Novidades! Novidades! — Eu bato palmas com ela, porque isso é superempolgante. É o que eu estava aguardando o dia todo.

Lillia gira o pirulito na boca.

— Bom, eu me exibi na frente dele antes da aula, e ele mal me olhou. Na verdade, pensando bem, isso foi até meio insultante.

É verdade. Eu gritei com ele no Halloween, mas ele é homem. Não dizem que os homens estão com tesão o tempo todo? Como é que ele fica vidrado com todas as garotas da escola, e nem me dá atenção? — Ela suspira. — E depois de eu ter passado o maior tempão arrumando o cabelo e fazendo maquiagem.

— Ele provavelmente estava tentando esconder o tesão — diz Kat, roendo uma de suas unhas. — Você está sexy pra valer, Lil.

Lillia dá uma risada.

— Hum, obrigada.

— Na aula de espanhol, eu escutei Conner Dufresne descrevendo o que você estava usando hoje, com uma quantidade incrível de detalhes — digo. — Ele disse que você é a veterana mais sexy até agora. Ele disse…

— A segunda mais sexy — diz Kat com um estrondo, e todas nós caímos na gargalhada. — Não se estresse ainda, Lil. Nós só estamos nos aquecendo. Hoje foi só para lançar a base. A seguir, nós avançamos.

— De que modo? — pergunta Lillia. — Eu até me desculpei com ele na hora do almoço, mas ele não quis nem saber. E ele nunca está sozinho. Rennie Parasita fica constantemente grudada nele.

Eu limpo a garganta.

— Conheço um lugar onde ele fica sozinho. — Olhando para baixo, enrolo uma mecha de cabelo na ponta do meu dedo. — A piscina.

Surpresa, Lillia pergunta:

— Reeve vai entrar para o time de natação?

— Não, é para fisioterapia. Ele vai lá quase todos os dias desde que tirou o gesso. — Tenho certeza de que eu pareço uma perseguidora, mas não importa. Essa é uma oportunidade boa demais para deixar passar. Fixo meu olhar no dela. — Lillia, comece a nadar com ele! Vão ser só vocês dois. Ninguém vai lá depois da aula.

Lillia já está sacudindo a cabeça.

— Mary, eu não nado. Conte para ela, Kat!

— Lillia não nada — confirma Kat.

— Você não sabe nadar? — pergunto.

— Eu sei, mas detesto nadar. — Lillia fica na defensiva. — E Reeve sabe disse. Ele vai suspeitar se eu começar a aparecer na piscina de repente.

Tranquilamente, Kat diz:

— Acalme-se, Lil, ninguém vai jogá-la na água hoje. — Mas Lillia ainda está balançando a cabeça. Então o rosto de Kat se ilumina. — Espere! Você não tem de fazer o teste de natação para se formar?

— Meu médico me fez um atestado — explica Lillia, levantando bem alto o queixo. — Isto é, meu pai fez.

Kat fica tão animada que está praticamente vibrando.

— É isso aí, Lil! Essa é a sua desculpa. Você está praticando para o teste.

Lillia cruza os braços.

— Eu disse a você, eu não vou fazer o teste! Eu já entreguei o atestado médico do meu pai. O que eu devo fazer agora? Entrar no escritório do senhor Randolph e dizer a ele que meu medo de água foi milagrosamente embora?

— Reeve não precisa saber que você não fará o teste! Finja que vai. Tudo o que você tem a fazer é segurar a prancha e bater os braços — insiste Kat. — Você pode, por exemplo, ficar literalmente fazendo o nado cachorrinho na parte mais rasa da piscina. E não se esqueça de que Reeve é um nadador incrível. Ele bateu o recorde de nado peito da Ilha Jar quando tinha dez anos, e até hoje ninguém ainda o superou. Mesmo com aquela perna manca, ele pode salvá-la com facilidade!

Bruscamente, Lillia diz:

— Não estou preocupada em me afogar.

— Então com o que você está preocupada? Esse plano é à prova de falhas. Se você está no mesmo ambiente que ele, vocês dois lá sozinhos? Dia após dia? — Ela estala os dedos. — Ele não vai conseguir se segurar por muito tempo.

Lillia parece um pouco enjoada. Acho que não posso culpá-la. Dia após dia tendo de encarar Reeve Tabatsky usando apenas um maiô me deixaria ansiosa também. Ela se vira para mim, mordendo os lábios.

— O que você acha? — me pergunta.

Passo os dedos pelo cabelo. Não quero forçar Lillia a uma situação na qual ela fique muito desconfortável. No entanto, que outra opção nós temos?

— Acho que Kat está certa — digo finalmente. — Você vai ao menos tentar, Lillia? Por mim?

Lillia me encara e então dá uma risada. Ela cutuca Kat, e mantendo seu olhar fixo em mim diz:

— Como posso dizer não a essa carinha? Eu não sou igual a Rennie. Se uma amiga precisa de mim, eu estou pronta.

•••

Mais tarde, quando chego em casa, tia Bette está lá em cima no sótão. Eu pressiono meus ouvidos na porta e escuto o raspar do pincel na tela. Fecho os olhos e dou um sorriso de alívio. Ela está pintando novamente, graças a Deus. Tia Bette sempre fica mais feliz quando está trabalhando, e a nossa casa sempre pode lucrar com esse tipo de energia positiva.

Capítulo 21

LILLIA

Depois que as aulas terminam, vou direto para a piscina. O prédio está vazio e tem uma sombra azulada por causa da iluminação. Detesto o cheiro do cloro. Coloco minha toalha de banho com estampa de ursinho e minhas sandálias perto das arquibancadas, ao lado da bota de Reeve, da toalha e da bolsa de ginástica dele. Estou usando um biquíni branco, com margaridas bordadas e lacinhos do lado. É o mais bonito que tenho. Eu prendo o cabelo num coque para não molhar muito.

Reeve já está na água. Ele está com boias presas nas pernas e está dobrando as pernas para dentro e para fora, fazendo caretas enquanto usa seus braços para se impulsionar para a frente. Ele está tão concentrado que parece nem notar minha presença, então eu limpo a garganta. Sua cabeça se levanta bruscamente.

— O que *você* está fazendo aqui? — pergunta, num tom de exigência.

— Estou aqui para praticar para o teste de natação — digo. — É uma exigência para a formatura.

— Bom, não me atrapalhe — diz ele. — Estou aqui pra trabalhar, e não para conversar. É por isso que venho aqui *sozinho*.

— Mas foi *você* quem *me* perguntou...

— Eu preciso dessa raia e eu preciso desse material aqui. Não toque em nada — diz, e então volta para seus exercícios.

Agitada, eu agarro uma das pranchas da pilha e me encaminho para a escada da piscina do lado mais fundo. Começo a descer um degrau de cada vez, cuidadosamente. A água é aquecida, mas ainda assim parece gelada para mim. Estou toda arrepiada. Isso realmente não vale a pena.

E meus pés ficam plantados na escada.

Se eu fosse fazer o teste de natação, teria de ir de um lado ao outro da piscina duas vezes sem parar para descansar. Além de sobrenadar por três minutos e boiar por um minuto. Não consigo fazer nada disso.

Isto é, eu sei nadar estilo cachorrinho. Eu não sei dar braçadas oficiais, ou sei lá como chamam isso. Mas quem se importa? Não vou me afogar na minha própria piscina. Eu não gosto de colocar a cabeça debaixo d'água. Não gosto da sensação de não poder respirar. Então, quem quiser que me processe. Existem outras modalidades de exercícios físicos de que eu realmente gosto, como animar torcida, cavalgar e jogar golfe e tênis. Por que eu deveria ser forçada a nadar?

Eu me seguro na lateral por um minuto, um braço na parede e um braço agarrando minha prancha. Meus pés não alcançam o fundo, e eu fico apavorada. Todas as vezes que entro na piscina de casa, eu fico do lado raso.

Enquanto isso, Reeve tirou as boias e está nadando como um nadador olímpico, volta depois de volta, depois de volta. Ele mal levanta a cabeça para respirar. Está se esforçando muito, talvez demais. Está fazendo nado borboleta, e seus braços cortam a água em braçadas fortes e seguras, mas suas pernas se arrastam frouxas atrás dele. Tenho de admitir que me sinto mais tranquila com o fato de ele estar aqui. Porque se algo acontecer, não importa quanto ele me odeie, ele não me deixará afogar.

Acho que não.

Solto-me da parede da piscina e começo a usar a prancha, segurando-a bem forte. Eu bato os pés com força, subindo e descendo na água, tentando evitar que ela respingue no meu rosto. É bem difícil, e eu fico paranoica, temendo não ter amarrado a parte de cima do meu biquíni forte o bastante. Meus maiôs sempre foram decorativos, nunca viram muita ação. Resultado: eu demoro um tempão. Reeve faz três voltas, enquanto eu consigo chegar pela primeira vez do outro lado da piscina.

Reeve não para nem olha para mim. Estou boiando perto da escada, esperando que ele termine, como se eu fosse uma fã da equipe de natação, se é que tal coisa existe. Quando ele finalmente termina, arranca os óculos de natação, olha para o enorme relógio na parede e solta a respiração, irritado.

Então, recoloca os óculos e começa a fazer as voltas novamente.

O que é isso, já que sua carreira no futebol não deu certo, ele vai tentar entrar para a equipe de natação agora?

Eu olho para o comprimento da piscina. É tão longa. Estou tentada a ir para casa. Mas só estou na água a uns 15 minutos. Eu respiro fundo e volto a bater os pés e a nadar apoiada na prancha. Concentro-me com força, imaginando que eu sou um pato. Patada, patada, patada.

Estou tão concentrada que nem percebo quando Reeve vai embora.

Na quarta-feira estou usando meu biquíni de bolinhas amarelas, um de cintura alta. Rennie chama esse biquíni de estilo vovó chique, mas ele me faz sentir glamorosa, uma beldade, como Marilyn. Este não tem uma alça em volta do pescoço, mas um fio de arame no decote, o que me deixa mais segura.

Está silencioso aqui, a não ser pelas braçadas de Reeve, e pela água batendo contra o azulejo. Sinto-me deprimida ao pegar a prancha e descer a escada para dentro da piscina, do mesmo modo como me senti ontem. Ontem nós não conversamos. Não de verdade. E, definitivamente, não flertamos.

Estou jogando água e boiando em direção ao meio da raia, quando decido que hoje será meu último dia. Kat e Mary não podem me pedir mais nada. Elas terão de compreender que eu fiz o melhor que pude para fazer Reeve notar-me. Mas não adiantou nada. Eu não prometi passar o resto do meu último ano segurando uma prancha.

Estou decidindo tudo isso quando a voz entediada de Reeve grita:

— Por que você está aqui novamente? — Ele está parado ao lado da piscina, sacudindo a água dos óculos.

— Eu pensei que você não quisesse conversar — digo, apoiando o queixo e os braços na borda.

Ele ignora isso.

— Você sabe que eles não vão permitir que você use uma prancha no teste de natação, certo? Pelo menos é assim que eu lembro. Mas eu fiz esse teste há muito tempo. No primeiro ano, com todo mundo.

— Sei disso — falo irritada, e então me calo antes de dizer qualquer outra coisa. Isso não é muito Marilyn da minha parte. Essa é a grande chance de fazer contato com ele, eu tenho de aproveitar ao máximo. Respiro fundo e falo num tom mais meigo: — Eu estou apenas me acostumando a fazer as voltas.

— O que você precisa é se acostumar a colocar o rosto dentro da água — diz ele, nadando em minha direção. Quando ele se aproxima bastante, ele salpica água no meu rosto.

— Para com isso! — grito, virando-me para me afastar dele e segurando firme na minha prancha. Ah meu Deus, como eu o detesto!

Reeve faz um movimento como se fosse dar um bote e me dar um caldo, e eu solto um grito.

Ele me agarra pela cintura e me levanta no ar. Ainda estou com os dedos agarrados na prancha, então eu chuto e espalho água o máximo que posso, mas ele não me solta.

— Eu disse pra parar! — grito, e minha voz apavorada ecoa pela piscina. Não porque eu esteja com medo que ele me jogue. Mas porque as mãos dele estão onde eu não quero que elas estejam. Eu estou falando para um garoto parar, e ele não está me ouvindo.

Isso é pior do que se afogar.

Ele me solta, e eu caio de novo na água. Quando volto para a superfície, ele está me olhando como se eu fosse louca. Meu coração está batendo acelerado, estou respirando com dificuldade. Reeve nada de volta para o outro lado da piscina, e sai da água. Com as costas voltadas para mim, ele se enxuga com a toalha.

— Nunca mais faça isso comigo novamente! — grito.

Ele se vira e me olha.

— Um dia ou outro você terá de molhar o cabelo. Se eu fosse você, me preocuparia menos com o biquíni e com o cabelo e mais com, você sabe, nadar.

Fico de queixo caído.

— Bom, sinto muito por não ter uma touca de natação, nem um maiô de natação da Speedo.

Ele me olha e sacode a cabeça como se eu fosse uma maluca. Então se afasta com seu andar vacilante, e mais parece estar se arrastando. A porta se fecha atrás dele. E meu coração ainda está batendo acelerado.

• • •

Agora à noite estou vasculhando minha gaveta de maiôs atrás de um maiô preto para levar à piscina amanhã. Porque preto significa *Eu estou falando sério*. Não é um Speedo — ele é frente única com um decote pequeno —, mas me dará mais suporte que um maiô de duas peças.

Estou vasculhando entre os biquínis fio-dental quando encontro. Não o preto. Mas o vermelho. Aquele que eu usei naquela noite na casa da praia.

Minhas mãos tremem quando o amasso e o jogo no cesto de lixo.

Capítulo 22

KAT

É SEXTA-FEIRA, E ESTOU PERAMBULANDO PELOS CORREDORES COM UM passe para ir ao banheiro, tentando matar o tempo da sexta aula, quando eu vejo Mary escondida debaixo da escadaria do primeiro andar com um livro na mão.

— Você não deveria estar na sala de aula?

Mary ergue o olhar assustada, mas relaxa quando vê que sou eu, e não o inspetor do corredor. Ela sorri timidamente.

— Eu estou, humm, fazendo uma pausa.

— Uma pausa para ir ao banheiro? Ou uma pausa do tipo estou matando aula hoje?

Mary abaixa a cabeça.

— Pronto, você me pegou. Eu não estudei para a prova de espanhol, então na última aula eu pedi para ir ao banheiro, e vim até aqui me esconder até a aula seguinte. — Ela solta um suspiro. — Minha tia vai me matar quando vir o meu boletim deste semestre. Eu juro, a única aula em que vou tirar nota boa é a de coral.

— Bom, então você fez bem em faltar, mas precisa achar outro lugar para se esconder imediatamente. Os inspetores do corredor sempre checam este lugar nas suas rondas. Pode confiar em mim, eu sei. — Olho de relance por cima dos ombros. — Na verdade, estou surpresa por você ainda não ter sido pega. Você deveria ir até a enfermaria e se esconder lá. Finja que está com cólica ou alguma outra coisa.

— Obrigada — diz Mary, levantando-se.

— Como estão as coisas com sua tia? Melhores?

— Um pouquinho. Ela começou a pintar novamente, mas ainda não está conversando comigo. — Mary balança a cabeça. — É engraçado, eu não me lembro de ter brigado desse jeito com meus pais, eu me sinto tão... indesejável na minha própria casa, você entende?

Eu me apoio no corrimão.

— Ei, quer fazer alguma coisa hoje à noite? Você e eu?

Mary fica animada.

— Fazer o quê?

— Que tal se a gente sair para um passeio?

— Claro. Isso vai ser ótimo!

— Legal, eu pego você às nove. — Estou prestes a me afastar dali de volta para o segundo andar quando digo: — Espere. Onde está o seu passe para sair da sala? — Eu levanto o meu. É um enorme pedaço de madeira com a letra Pi, uma coisa horrorosa que as crianças de alguma aula de recuperação devem ter feito para o departamento de matemática, provavelmente para ter crédito extra.

Mary parece confusa.

— Ô-ô. Acho que meu professor da última aula se esqueceu de me dar um.

— Bom, então não se aproxime do laboratório de ciências. Acabei de vir de lá, e tem um inspetor à espreita, bem atrás das portas. Pegue a porta dos fundos ao lado da quadra, atravesse a biblioteca e vá até a enfermaria.

— Entendi — diz Mary, e vai para o outro lado. — Obrigada. Eu nunca fiquei de castigo antes.

Reviro meus olhos e digo.

— Claro que não, lindinha.

• • •

Acordo e sinto Shep lambendo meu rosto. Dou um pulo do sofá e vou até a janela. Já está escuro lá fora.

— Que horas são?

Pat checa seu telefone.

— Alguns minutos depois das dez. Por quê?

Droga, droga! Droga, droga, droga!

— Para onde você está indo? — pergunta ele, enquanto eu corro até a cozinha procurando minhas botas na porta dos fundos.

— Estou saindo — digo. Graças a Deus o carro pega. Eu dirijo super-rápido até a casa de Mary. Que idiota que eu sou por me atrasar para uma coisa que eu mesma marquei. Tento ligar para a casa de Mary quando paro num sinal vermelho, mas a linha está ocupada.

Quando chego lá, ela está me esperando na calçada. Esperando no escuro. Ela está com o mesmo vestido que usou na escola hoje, uma coisinha florida embaixo de um casaco.

— Sinto muito pelo atraso — digo, saltando do carro. Abro a porta do lado do passageiro para ela, educadamente, porque me sinto uma idiota completa. — Eu caí no sono assistindo à TV. Tentei ligar para sua casa, mas estava ocupado. — Eu me contraio. — Você esperou muito tempo aqui fora?

Ela me dá um sorriso tímido. Não parece brava comigo, o que é um alívio. Mary é talvez a pessoa mais indulgente que eu conheço.

— Eu sabia que você viria.

Mary e eu rodamos de carro um pouco ouvindo música. Depois de algumas voltas pela ilha, percebo que estou com fome. O único lugar aberto nesta época do ano e nesta hora da noite é o Greasy Spoon, um restaurante 24 horas em T-Town. Nunca está cheio, porque a comida não é boa, mas tem algumas coisas que não são tão ruins no cardápio.

Freio e estaciono o carro na lateral. O estacionamento está estranhamente lotado. Espero não ter de esperar muito tempo pela comida.

— Você quer alguma coisa?

Mary boceja e meneia a cabeça.

Eu entro e faço meu pedido no balcão. Café, com leite e açúcar, e um donut de canela. Estou esperando enquanto a senhora anota o meu pedido, quando escuto a voz dela. Rennie.

Viro minha cabeça e lá está ela. Sentada na ponta de uma mesa comprida, bem no meio do restaurante. Parece que o time completo de futebol da Ilha Jar está aqui hoje à noite. E as animadoras de torcida também. Vejo Lillia dando risada, toda à vontade ao lado de Ashlin e de algumas outras garotas da equipe. Cada uma delas tem uma rosa vermelha de cabo longo dentro de um copo de água. Todas estão usando o uniforme de animadora de torcida. Menos Rennie.

Eu me lembro agora. Hoje foi o último jogo de futebol da temporada.

Olho para trás, e Rennie está me encarando. Olhamos nos olhos uma da outra, e eu desvio imediatamente o olhar, porque não quero nenhuma confusão agora.

— Ah, olhem só! É Kat DeBrassio! — diz num sussurro simulado e todo mundo se vira na sua direção. — Ei, será que nós devemos convidá-la para sentar conosco?

Posso perceber, pelo modo como as palavras saem de sua boca, que ela esteve bebendo. Aposto que está irritada porque nosso time realmente se deu muito bem sem Reeve. Alex me vê. Todos eles me veem. E ele tenta colocar um cardápio na frente de Rennie para fazê-la olhar para outra coisa. Ela o afasta.

Viro-me novamente para o balcão e tento olhar firmemente para a garçonete. Será que ela poderia servir depressa meu café, para eu sair logo daqui? Imagino se esse tipo de merda ainda acontecerá depois que nos formarmos. Se toda vez que eu voltar para casa para uma visita, vou ficar apavorada com a possibilidade de encontrar Rennie em algum lugar da ilha.

— Kat, por acaso você está me perseguindo ou alguma outra coisa? — diz Rennie. — Quantas vezes vou ter de lhe dizer: eu não sou lésbica! — Rennie dá uma risada histérica, como a de uma hiena. — Fracassada.

Pronto. Eu me viro para responder, mas não preciso fazer isso. Lillia abaixa seu cardápio e diz:

— Rennie, você está irritadiça assim porque todas nós recebemos rosas dos nossos jogadores hoje à noite, e Reeve nem sequer se importou de aparecer para ver você.

Dá para ouvir uma agulha cair no chão. Rennie fica de queixo caído. Todo mundo na mesa se vira para olhar para Lil, que por um segundo parece tão surpresa quanto os outros. O rosto de Rennie assume um vermelho intenso, o mais intenso que eu já vi numa pessoa. Então ela olha em volta para ver se alguém lhe dará apoio. Mas Ashlin evita o olhar dela e todos os caras estão olhando desconfortavelmente para o outro lado. As demais garotas da equipe também. Então Rennie faz um sinal para uma das garçonetes

— Será que podemos, *poor favoor*, fazer nosso pedido? — diz ela em sua voz mais melosa e impaciente. Ela toma um gole da sua água, e percebo que sua mão está tremendo.

Lil não olha para mim. Ou talvez eu não lhe dê a chance. Eu me viro novamente para o balcão, pego minhas coisas e saio dali o mais rápido que posso.

Eu vou para fora, e Mary se ergue no assento.

— Ei. Tudo bem?

— Sim — digo, sorrindo. — Estou bem.

Capítulo 23

MARY

Pensei algumas vezes em desistir de participar do comitê do anuário, mas fico dizendo a mim mesma para continuar nele, embora ainda não tenha feito nenhuma foto-colagem. É difícil participar, porque todas as tarefas legais já foram escolhidas e, mesmo que você pergunte se pode ajudar, eles fingem não escutá-lo.

A única pessoa que não me ignorou completamente é uma menina do segundo ano chamada Marisa Viola. Ela faz a revisão de prova de todas as páginas, procurando por problemas na diagramação ou erros de ortografia no texto. Eu puxei uma cadeira até a mesa dela, e leio por cima do seu ombro. Ela é muito rápida, e está circulando coisas com seu lápis vermelho antes mesmo de eu notar quais foram as correções, mas ainda assim acho bom ter outro par de olhos procurando erros.

Depois da nossa reunião de segunda-feira, decido ir até a biblioteca para pegar um daqueles livros de gramática e pontuação. Isso certamente me ajudará a fazer um trabalho melhor.

A caminho da biblioteca, passo pela sala da professora de educação física. A porta da treinadora Christy está aberta. Ela está tendo uma discussão acalorada com alguém. Então vejo Rennie, sentada sobre os joelhos numa das cadeiras da treinadora. Ela largou o projeto do anuário. Atualmente, tudo o que Rennie tem feito é procurar obsessivamente por fotos do baile e ir embora mais cedo. Juro, eu não compreendo por que ela ainda se dá ao trabalho.

Assim que passo por ali, eu me aproximo da parede para poder escutar melhor.

— Rennie, você não apareceu durante todo este mês para os treinos — diz a treinadora Christy, suspirando. — Você não está exatamente numa situação boa comigo no momento. Você compreende isso, certo?

— Por que você acha que isso está acontecendo? É por causa de Lillia! Como eu posso ficar perto de alguém que me roubou a posição de rainha do homecoming?

Ouço a cadeira da treinadora ranger, como se tivesse sendo empurrada para trás.

— Eu não sei quantas vezes terei de lhe dizer isso, Rennie. Eu mesma contei os votos. Fui a única pessoa a tocar neles. Lillia ganhou justa e honestamente a coroa de rainha do homecoming.

Espero que Rennie retroceda, que ela aceite a verdade, mas acontece exatamente o oposto. Com uma voz firme ela diz:

— Eu ganhei como rainha do baile. Eu ganhei. Perguntei a praticamente todo mundo em quem eles votaram, e 99% das pessoas disseram que votaram em mim. Tudo que estou querendo é uma nova eleição, e então você verá. Eu mesma posso pagar a impressão das cédulas!

— Rennie, por favor, esqueça isso. Você e Lillia são amigas há muito tempo. Você não vai querer que uma coisa tão mesquinha como quem ganhou uma tiara de plástico vagabundo destrua essa amizade, quer?

Rennie dá uma risada. Ela ri, e isso me faz um arrepio percorrer minha espinha.

— Não existe amizade. E você pode me dizer o que quiser, que a perfeita e pequena Lillia não teve nada a ver com a trapaça que fizeram comigo naquela noite, mas eu nunca vou acreditar em você. Além do mais, você é uma droga como treinadora das animadoras, seus passos são todos ultrapassados, e ninguém gosta das músicas que você escolhe para metade das coreografias!

Num segundo, Rennie passa correndo por mim, descendo o corredor.

Fico apavorada em saber que Rennie descobriu o que fizemos. Mas, graças a Deus, ela não tem como provar isso.

Capítulo 24

LILLIA

SEGUNDA-FEIRA À TARDE, EU JÁ SUBI E DESCI TODA A EXTENSÃO DA piscina duas vezes, antes mesmo de Reeve chegar. Ele não entra na piscina, em vez disso, fica ali parado me observando, comendo uma maçã. Eu não ergo os olhos, nem demonstro perceber a presença dele. Continuo a fazer o que estava fazendo.

— Você deveria retesar os dedos dos pés — diz ele, mastigando ruidosamente. — Isso vai deixar seu corpo mais longo.

— Desculpe, mas acho que você não tem permissão para comer aqui — bufo. — E você não deveria estar usando aquela bota imobilizadora? — Ele a está arrastando atrás de si.

— Estou desenvolvendo minha tolerância à dor. — Ele joga a maçã dentro da lata de lixo. Um arco perfeito. Nem preciso olhar para saber que ela caiu exatamente lá dentro. Descuidadamente, ele joga sua toalha no banco onde estão minhas coisas.

Então mergulha na raia ao lado da minha, em vez de mergulhar naquela bem à esquerda, como está acostumado a fazer. Meu corpo todo enrijece.

— Bom, então você não poderá culpar ninguém se machucar a perna novamente.

Não preciso que ele fique me analisando, nem me dando conselhos sobre natação. Mas tento retesar os dedos enquanto nado em direção à escada, e acho que sinto uma ligeira diferença.

Eu luto para me aproximar da minha toalha porque estou morrendo de frio. Estou arrumando a toalha à minha volta como um cobertor, quando ele, subitamente, nada por debaixo das divisórias e vem na minha direção como um tubarão. Ele sai da água, sem se importar em subir pela escada. Sem completar volta nenhuma.

Eu lhe passo a toalha sem dizer nada. Ele me olha direto nos olhos e diz:

— Sabe de uma coisa? Eu não ia dizer nada, mas, sim, Lil, vamos falar da minha lesão. Vamos falar sobre como tudo isso aconteceu.

Ah meu Deus. Por favor. Por favor, não.

— Eu não faço ideia do que você está falando — digo e me viro para ir embora, mas ele agarra meu braço.

— Eu sei que foi você quem colocou alguma coisa no meu ponche durante o homecoming.

Parece que o chão está escapando dos meus pés, meus joelhos ficam fracos e, em dois segundos, sinto que vou desmaiar.

— Me diz por quê — indaga, e sua voz soa áspera agora. Seus olhos verdes estão olhando firmemente nos meus, e eu estou encarando seu olhar, tentando não vacilar, tentando não demonstrar nada, me forçando a olhar nos olhos dele. Não dizem que os mentirosos não olham as pessoas diretamente nos olhos?

Eu tento me desvencilhar dele, mas ele é forte demais.

— Que ponche? Do que você está falando? Me solte!

Ele não me larga.

— Você não se lembra de ter me dado um copo de ponche? Nós estávamos sentados à mesa. Você estava me criticando por eu enganar Rennie. Então, fizemos as pazes e brindamos com nossos copos. Você não se lembra de nada disso?

— Reeve, você estava bêbado no baile! — digo.

Os olhos dele se estreitam.

— Não, eu não estava. Eles fizeram um teste antidrogas em mim no hospital. Deu positivo para MDMA.[5]

— Eu nem mesmo sei o que é esse MDMA! — grito.

— É ecstasy. E você sabe disso, porque foi você que o colocou na minha bebida.

Engulo em seco.

— Você já estava bêbado quando chegou à casa de Ash. Eu vi vocês bebendo de uma garrafa, vocês estavam bebendo na limusine, vocês estavam bebendo no homecoming! Como pode ter tanta certeza assim que o ponche que eu lhe dei tinha esse tal de MD, ou qualquer outra coisa dentro? Porque eu conheço tantos traficantes, não é?!

— Eu sei onde você conseguiu as drogas. — A boca de Reeve fica dura, seus olhos se estreitam. Ele cospe as palavras. — Aqueles caras que você conheceu na praia eram traficantes de droga! Rennie me levou até a casa deles para eu comprar um pouco de maconha para nossa pescaria.

Espere. Reeve não sabe. Não de verdade. Mas apesar de tudo meu corpo todo fica gelado.

— Ah, você não sabia que o cara com quem transou era traficante de drogas!

[5] Sigla para metilenodioximetanfetamina.

É o modo como ele diz isso, o modo como olha para mim. Com tanto desprezo. Nojo.

Rennie contou a ele. Ele sabe de tudo. Um calor sobe dentro de mim, e lhe dou um tapa na cara, o mais forte que consigo. Ele cambaleia para trás, e uma marca vermelha fica impressa no seu rosto. Nós olhamos firmemente um para o outro. A expressão dele é de choque, a minha deve ser de vazio, porque é assim que me sinto. Entorpecida.

— Não peguei nenhuma droga daqueles caras. Você não faz ideia do que está falando — digo.

— Então me explique — exige.

— Por acaso Rennie já não lhe contou tudo? — pergunto. Neste momento, eu a odeio mais do que jamais odiei alguém em toda a minha vida.

— Não. Ela não me contou nada. Vi tudo com meus próprios olhos. Eu estava lá naquela noite. Naquela festa.

— Não acredito em você.

— Foi naquela casa na Shore Road. Uma droga de lugar alugado que meu pai administra. Eu dei uma passada lá depois que a festa na casa de Alex acabou. Eu vi você e Rennie preparando umas bombas irlandesas na mesa da cozinha, e então vi vocês duas subirem para o andar de cima com eles.

Eu cambaleei. Ele estava lá. Ele viu.

Começo a me afastar dele, enrolando a toalha com mais força à minha volta.

— Então você já sabe.

— Sim, eu sei que você não é aquela boazinha que todo mundo pensa que é.

Olho para ele, meu queixo está tremendo com o esforço de encarar seu olhar sem chorar, sem fugir.

— Então acho que você também sabe que eu estava tão bêbada que mal conseguia me manter de pé e que Rennie estava doh outro lado do quarto com outro cara. Que eu acho que disse para ele parar, eu acho que pedi, mas não posso ter certeza de que tenha pedido.

Então começo a chorar, porque não aguento mais, não consigo mais reprimir isso dentro de mim. Reeve recua.

— Eu... eu não sei nada disso. — Ele levanta o braço como se fosse tentar me tocar, mas eu me encolho, porque ele abaixa a mão. Esse era meu segredo, meu e de Rennie. Ninguém mais deveria saber. Especialmente ele. Choro com mais intensidade, minhas lágrimas se misturando com a água da piscina que escorre do meu cabelo.

— Sinto muito — diz Reeve. — Por favor, não chore. Eu me afundo no banco. Ele não tenta se aproximar, simplesmente fica parado ali, desajeitado.

— Então não diga coisas sobre as quais você não tem certeza — digo, limpando meu rosto com a ponta da toalha.

— Você está certa — concorda ele rapidamente. — Sou um idiota, eu nunca deveria ter falado sobre isso.

Ainda estou chorando. Agora que comecei não consigo parar. As lágrimas rolam por meu rosto, e eu tento enxugá-las com a toalha.

— Lillia, se eu soubesse que você estava tão bêbada... Você tem de saber que eu nunca teria deixado você ir para o andar de cima com aquele cara. Eu a teria impedido. — Ele se abaixa na minha frente para ficarmos frente a frente, e apoia as mãos nos meus joelhos. Quando eu me retraio, ele rapidamente se afasta e apoia seus cotovelos nas coxas. Ele suplica: — Por favor, pare de chorar.

Aceno que sim. Solto o ar. Sinto uma estranha sensação de alívio por ter contado isso a alguém. Por ter dito isso em voz alta. Eu me sinto... um pouco mais leve. Um pouquinho. Mas já é alguma coisa.

Ficamos assim por certo tempo, que parece longo demais. Então ele se move, e eu percebo que a perna dele está incomodando.

— Sua perna dói? — pergunto. Minha voz reverbera nas paredes, como se a sala não mais estivesse acostumada com o som, já que estávamos em silêncio havia tanto tempo.

— De modo algum — afirma ele.

Eu me levanto e lhe estendo a mão, que ele aceita. Ele estica sua perna, a massageando.

— Você não deveria se forçar tanto assim — digo a ele. — Deveria prestar atenção ao que seus médicos dizem.

Reeve sacode os ombros, e os músculos das suas costas se ondulam.

— Tenho de me esforçar muito se quiser conseguir uma bolsa de estudos.

Fungando, digo:

— Bom, seu fisioterapeuta não disse que você pode piorar as coisas se exagerar nos exercícios? Tenho certeza de que ele disse isso. Ou ela disse. Se é que ele, ou ela, é bom de fato.

— Ah, então agora você é médica também? — diz Reeve, sorrindo ligeiramente. — Parece que temos outro doutor Cho na ilha.

Começo a secar meu cabelo com a toalha. Depois me sento, abro minha sacola e retiro minha legging e meu blusão com capuz.

— Detesto sair no frio depois de nadar. Parece que eu nunca vou me sentir aquecida novamente.

— Viu, é por isso que você deveria estar usando uma touca de natação.

Eu estremeço.

— Jamais eu iria ficar parecendo um amendoim na casca. Sacudindo a cabeça para mim, Reeve diz:

— Princesa Lillia. Sempre tão vaidosa. — Ele, no entanto, parece gentil. Carinhoso. Ele se senta perto, mas não perto demais. — Então, não vamos embora ainda. Espere até seu cabelo secar mais um pouco.

E é isso o que a gente faz. Quando estou no meu carro, mando uma mensagem de texto para Kat. Não explico exatamente como aconteceu, mas digo que finalmente nosso plano começou a funcionar.

Capítulo 25

KAT

Terça-feira é o terceiro encontro do grupo preparatório para a faculdade. Alguns garotos desistiram, coisa que eu não entendo de jeito nenhum. Alô-ô! Na verdade, é um passe livre para escapar das aulas a cada duas semanas. Alex já está presente, clicando como um louco no seu notebook. Eu me esgueiro por detrás dele para lhe dar um susto, mas então vejo qual site ele está olhando.

Da Universidade do Sul Califórnia.

Engraçado. Eu achei que Alex só estivesse se inscrevendo para duas faculdades. Aquela que ele escolheu desde o começo, a Universidade de Michigan, e a Boston College como segunda opção.

Ele clica para rolar um menu de todos os cursos de graduação e seleciona um programa de composição de música.

Antes que eu possa dizer qualquer coisa, a Sra. Chirazo se aproxima de nós. Alex rapidamente fecha seu notebook, como se estivesse olhando pornografia ou outra bobagem qualquer. Eu puxo minha cadeira para perto dele e me sento.

— Tudo bem, vocês dois. Já li o rascunho das redações de ambos. — Ela coloca os papéis sobre a mesa. A minha e a de Alex. Ele não escreveu muita coisa. Algumas correções em caneta vermelha marcam o papel. O meu está coberto de anotações.

Droga. Eu pego minha folha antes que Alex possa vê-la.

— Alex, eu adoro o que você está explorando aqui. Acho que você construiu uma tese forte sobre como classe e privilégio desaparecem no campo de futebol, e o sucesso depende apenas de trabalho duro. Mas eu quero ter certeza de que você não está sendo crítico demais em relação à fortuna dos seus pais, quando você relaciona isso com a sua própria vida. Espero que você possa minimizar algumas dessas posições, para parecer um pouco mais grato pelas oportunidades que teve na vida.

Alex concorda.

— Claro, com certeza.

Eu desabo na cadeira. Eu achei que a redação de Alex estivesse ótima, que estivesse bem escrita e concisa. Mas eu sei exatamente do que a Sra. Chirazo está falando. Existem alguns pontos em que acho que ele estava sendo meio idiota. Nas partes onde ele diz coisas como *Eu nunca soube o quanto minha família era rica e como isso fazia com que as pessoas me olhassem diferente.*

Vamos lá, cara. Sua caminhonete custa mais que um ano de mensalidade na Oberlin.

A Sra. Chirazo vira a cabeça na minha direção.

— Agora, Kat... fiquei surpresa com a sua redação.

— Agradavelmente surpresa? — pergunto sem nenhum entusiasmo, pois tenho certeza de que ela odiou.

Eu escrevi como é bizarro crescer num lugar como a Ilha Jar. Como ele o protege do mundo lá fora. Falei sobre minha amizade com Kim, como a música fez o mundo parecer um lugar bem maior. Falei sobre como estou pronta para sair daqui e começar a viver minha vida. Claro, não exatamente com essas palavras, mas foi uma acusação bem explícita deste lugar. Foi um contraponto à redação de Alex. É meio hilário como Alex e eu escrevemos basicamente sobre a mesma coisa. É como se nós dois tivéssemos planejado.

— Acho que a redação de Kat está ótima — diz Alex. — A Ilha Jar é realmente um lugar estranho para se viver, e isso deve ajudá-la a sobressair.

Deus o abençoe.

Os óculos da Sra. Chirazo estão presos numa corrente em seu pescoço. Ela os coloca novamente no nariz e pega minha redação.

— Concordo. Não estou dizendo que sua redação não está boa. Ela está. Eu só não sei se eu já havia percebido a Ilha Jar do modo como você a apresenta. — Ela começa a virar as páginas, e aperta os lábios com força. — Meu maior problema é que ela não revela muito sobre você, é mais sobre este lugar. E, lembre-se, estamos tentando fazer com que o comitê de admissão pense em você como uma pessoa de verdade. — Ela abaixa os papéis e gira sua cadeira na minha direção.

— Você já pensou em escrever como é perder a mãe tão cedo?

Meu queixo cai. Será que ela realmente vai querer falar desse assunto? Juro por Deus, a Sra. Chirazo parece delirar com o fato de minha mãe ter morrido. Ela menciona esse fato toda vez que tem oportunidade!

— Eu pensei nisso, mas decidi fazer o contrário — digo, usando toda a minha energia para aparentar calma e não soltar minha raiva em cima dela. Provavelmente é isso que ela quer. Que eu exploda, para que ela me force a fazer mais sessões de aconselhamento.

— Você se importa de me explicar seu raciocínio?

Eu bufo.

— Veja. Tenho muitas razões, mas vou lhe dar apenas uma.

Eu não quero usar o fato de minha mãe ter morrido para provocar piedade nas pessoas. Sem mencionar que eu tenho certeza de que não sou a única aluna do Ensino Médio nos Estados Unidos que perdeu um dos pais. Não é tão incomum quanto a maioria das pessoas pensa. E lá fora há muitos garotos com problemas bem, mas bem maiores que os meus. Pode acreditar em mim — digo num tom arrogante. — Portanto, não preciso usar isso. Minhas notas são altíssimas, e tenho certeza de que arrasei no meu último exame do SAT.

— Seu histórico escolar é maravilhoso, Kat. Especialmente se considerarmos o que você conquistou apesar da sua situação.

— Minha situação — repito, os lábios curvados. Então eu sinto algo. A mão de Alex no meu joelho, por debaixo da mesa, onde ninguém pode ver. Ele dá um aperto encorajador na minha perna, um sinal para eu relaxar, para eu não deixar que isso me afete tanto assim, para não explodir com essa mulher na frente da sala toda. Eu me recosto na cadeira e digo: — Tudo bem. Vou pensar nisso. Tanto faz.

— Eu não tive a intenção de aborrecê-la. Mas pense nisso.

Você pode escrever sobre sua mãe, sem explorar a memória dela. Acho que você deve isso a si mesma, falar sobre essa experiência, e de como você tirou tanta força a partir daí.

Forço um sorriso rígido enquanto a Sra. Chirazo se levanta, dá um tapinha nas minhas costas e segue para outra dupla.

— Obrigada por aquilo — digo bem baixinho a Alex. — Se você não estivesse aqui, eu teria avançado no pescoço dela.

Ele dá um cutucão na minha perna por debaixo da mesa. Fico pensando se ele dirá alguma coisa para me consolar, se vai perguntar alguma coisa sobre a minha mãe ou tentar me convencer a escrever aquele tipo de redação. Mas tudo o que Alex diz é:

— Tem alguma banda legal tocando esta semana?

Penso em contar a ele que vou a um show com Ricky, para ver se ele fica com ciúme. Mas decido não fazer isso, porque, e se Alex estiver perguntando isso porque quer sair comigo? Nós estamos nos divertindo bastante juntos ultimamente, como neste último verão.

Eu decido bancar a desentendida.

— Talvez eu vá assistir a uma banda que vai tocar na quinta-feira — digo. — Você está a fim?

— Eu estou indo a Boston com Lillia. Vamos partir amanhã de manhã bem cedo. Vamos tirar dois de folga da escola.

Ah. Não importa.

— Que droga. Esqueci. Para falar a verdade, tenho um encontro na quinta-feira à noite. Ele toca numa banda. É o vocalista. Eles são bem famosos na Alemanha.

— Uau. Que legal!

— Sim, é mesmo, não é? — Lillia não me contou nada sobre essa viagem especial com Alex. — Por que vocês estão indo a Boston?

— Nós temos entrevistas preliminares com os ex-alunos. — Ele solta um suspiro. — Isso acabou criando uma briga enorme entre meu pai e minha mãe. Se meu pai conseguisse fazer as coisas do jeito dele, eu me inscreveria apenas para a Universidade de Michigan, mas minha mãe disse que eu deveria pelo menos visitar essa, que é minha segunda opção. Cá entre nós, acho que ela só quer ir às compras.

Tudo bem. Então não é uma viagem romântica ou qualquer outra coisa parecida.

— Você talvez devesse dar uma olhada em Berklee também.

— Hein?

— É a escola de música número três do país. Acho que eles devem ter um programa de composição muito bom também.

— O rosto de Alex fica tenso. E de repente me sinto culpada, como se tivesse dito alguma coisa que não deveria dizer. — Sinto muito. Eu li por cima dos seus ombros.

Fico imaginando se Alex vai tentar negar. O que seria bem estranho. Quer dizer, o que é que tem demais? — Acho que não — diz ele baixinho. — Provavelmente não vai dar tempo.

— Como é que vocês vão para lá? De carro? Saia um pouco mais cedo, então. Ou volte um pouco mais tarde. Não importa. Alex faz uma careta. Ele se inclina para a frente e murmura, envergonhado:

— Nós vamos pegar um avião particular. Eu até gosto de ir de carro. Mas meu pai não está na cidade, e ele acha que minha mãe é péssima motorista, então ele disse para pegarmos o avião. Ele já paga para ter esse serviço, então não vai nos custar nada.

Um avião particular.Meu Deus!

O sinal toca.

— Bem — digo, e guardo minhas coisas bem depressa. — Divirtam-se vocês dois. — Mas não é isso que quero dizer. Não é mesmo.

Capítulo 26

LILLIA

É TERÇA-FEIRA, E A AULA JÁ TERMINOU. EU ENTREI E SAÍ DA PISCINA, E agora estou na arquibancada estudando para minha prova de História Americana enquanto Reeve faz mais voltas. Imagino que desse jeito poderemos ir embora juntos, que eu poderei lhe dar um adeus mais apropriado. Não dá para paquerar um cara que está debaixo da água enquanto você está em terra firme.

Reeve tem uma prancheta apoiada em cima de sua bolsa de ginástica. Olho de relance para ela e reconheço de imediato os traços da escrita de Rennie. Ela continua planejando todas as sessões de malhação dele. Eu sorrio, presunçosa, para mim mesma. Ela seria capaz de matar só para poder estar aqui com ele. Mas ela não está. Eu estou.

É óbvio que Rennie não sabe nada sobre esses nossos encontros após a aula. Se soubesse, ela esvaziaria a piscina.

Acho que Reeve não mencionou isso. Eu.

Depois de mais ou menos meia hora, Reeve finalmente sai da piscina.

— Estou morrendo de fome — diz ele, esticando os braços e sacudindo a água dos seus ouvidos. — Quer comer umas panquecas ou qualquer outra coisa?

Meu coração dá um pulo. Essa é a primeira vez que ele sugere que saiamos juntos. Isso é realmente um progresso. Desde a nossa briga, as coisas ficaram bem diferentes.

Com naturalidade, ergo os olhos do meu livro.

— Hum. Não sei. Eu ainda não acabei de estudar. Você não tem uma prova de História Americana na sexta-feira também? — Eu estou na classe avançada; e ele, não. Mas tenho certeza de que nós dois temos prova na sexta, quando eu voltar de Boston.

Reeve dá de ombros.

— Eu não tenho assistido a nenhuma aula já há alguns dias, tenho dobrado meu tempo na sala de musculação. Agora que estou usando a minha bota imobilizadora, tenho trabalhado um pouco nas minhas corridas rápidas. Assim, quando o médico me liberar para ir com a força total, já estarei preparado.

— Você está falando sério? Então é melhor você começar a estudar, tipo, ontem!

— Não estou preocupado. Tenho uma memória ótima — afirma ele. Dando um tapinha na própria cabeça, ele se vangloria. — É uma armadilha de metal.

— Tudo bem, então em que ano foi a Rebelião de Shay?

— Hum... — Reeve se inclina para a frente e espia no caderno que está no meu colo. — 1786. — Uma gota de água da piscina cai do seu cabelo e se espalha pela página.

Eu o afasto. Zangada, sopro a página e digo:

— Reeve, você vai fazer meu caderno ficar todo molhado.

Ele se senta ao meu lado.

— Ah, vamos lá. Isso é chato. Vamos sair daqui. Estou morrendo de fome.

Panquecas parecem ser uma boa ideia. Nós poderíamos ir até o Greasy Spoon. Eles servem panquecas com xarope de bordo de verdade. Mas essa prova é importante. É praticamente o exame de meio de ano.

— Tenho de terminar de estudar minhas anotações. — Pego minha mochila e tiro uma barra de cereal com pedaços de chocolate. — Coma isso por enquanto. — Digo, entregando-lhe a barra e voltando para o meu livro.

Abruptamente, ele me pergunta:

— Por que você está sendo tão agradável comigo?

Ergo os olhos, surpresa. Agradável? É uma barra de cereal.

— Porque nós somos amigos.

— Amigos? — zomba ele. — Admita, Cho. Você nunca gostou de mim.

Uau.

Isso é. É verdade mesmo. Mas nunca pensei que Reeve tivesse reparado se eu gostava ou não dele, muito menos que ele se importasse com isso. E não quer dizer que eu sempre o *tenha odiado* ou qualquer coisa assim. Pelo menos, não antes de conhecer Mary.

Eu rapidamente tento formular algumas palavras.

— Sim, eu gostava. — Sacudo a cabeça. — Eu gosto.

Reeve não parece convencido. Impulsivamente estendo minha mão para ele.

— Bom, somos amigos agora, não somos? — Ele inclina a cabeça e acena afirmativamente, e eu digo: — Então, vamos nos dar as mãos!

Ele finalmente pega minha mão, a aperta e diz:

— Isso significa que você vai me ajudar a estudar esta semana, amiga? Amanhã, depois da natação, vamos à biblioteca?

— Ah... não posso. Estou indo amanhã de manhã para Boston, para visitar as faculdades.

— Você também? Lind me disse que vai visitar algumas faculdades em Boston esta semana.

Eu hesito.

— Sim, ele vai comigo — digo, e acrescento imediatamente: — com as nossas mães. Foram elas que arrumaram tudo. Eu nem sabia disso até semana passada. Vamos ficar todos juntos no nosso apartamento na cidade.

Não sei por que estou explicando isso a Reeve. Não é da conta dele. E, a julgar por sua expressão de tédio, ele não está dando a mínima.

— Divirtam-se — diz, bocejando e esticando seus braços por cima da cabeça novamente.

— Vamos nos divertir, sim — afirmo. Estou irritada agora, e não sei qual é a razão. Fecho meu livro com força, e o coloco de volta na mochila. — Acho que eu tenho de ir para casa fazer as malas. — Ele provavelmente irá se encontrar com Rennie agora. Eu nem mesma sei o que está acontecendo entre esses dois. Imagino se eles discutiram a relação, ou qualquer coisa assim.

— Seu cabelo ainda está molhado — protesta Reeve.

— Tudo bem. Vou correndo até o carro. — Visto o moletom e amarro a toalha em volta da cintura.

Reeve estica preguiçosamente o braço e puxa meu capuz para cima, de modo que ele cobre toda a minha cabeça.

— Por que você precisa de umas dez horas para arrumar uma mala para dois dias?

— Na verdade, são três dias. Nós não vamos voltar antes de sexta-feira de manhã. Além do mais, minha mãe fez reserva para nós em lugares sofisticados, então tenho de pensar bem nas roupas que vou levar. E essas entrevistas são importantes. Preciso estar com a melhor aparência possível.

— Parece divertido — diz ele, revirando os olhos. — Vocês também vão ao balé? Ou talvez à ópera?

— Talvez! — Eu retorço os lábios. — E talvez a gente também vá a um jogo do Red Sox! O amigo do meu pai tem cadeiras no camarote!

Reeve começa a dar risadas, tanto que mal consegue falar.

— O quê? O quê? — Eu exijo saber, apoiando as mãos nos quadris.

— Lillia, Lillia, Lillia. O campeonato de beisebol já terminou. Vocês não vão assistir a nenhum jogo do Red Sox! — Ele sacode a cabeça dando gargalhadas. — Vocês dois nerds se divirtam mesmo assim.

Tenho vontade de empurrá-lo para fora da arquibancada. Então um pensamento me ocorre. É a segunda vez que ele me diz para eu me divertir.

Que é o jeito de um garoto dizer "Estou com ciúme". Reeve está com ciúme! De Alex. De mim e Alex juntos.

Está funcionando. O plano está funcionando!

Coloco minhas coisas na mochila e digo:

— Então, vamos comer panquecas ou não?

— Pensei que você tivesse de fazer as malas — desafia ele.

— Acho que sobra tempo para uma panqueca — digo, olhando para ele com olhos sedutores, espero.

Reeve se levanta, esticando-se.

— Tudo bem. Não importa o que a princesa Lillia queira, ela sempre consegue. — Mas posso perceber que ele está feliz, porque coloca as mãos no meus ombros e dá um leve aperto.

Capítulo 27

KAT

Quarta-feira à noite, eu ainda estou pensando no que a Sra. Chirazo disse sobre a minha redação para a faculdade. Talvez eu esteja sendo idiota. Eu deveria fazer tudo o que for possível para entrar em Oberlin e conseguir uma boa ajuda financeira. Não vejo nenhum avião particular no meu futuro próximo. E eu não sei por que, mas não importa quantas cervejas eu beba, não consigo deixar de pensar em Alex e Lillia voando juntos esta semana.

— Vamos entrar numa banheira quente! — anuncio de repente, para todo mundo na garagem. — Quem topa?

Ricky, Skeeter e um monte de outros caras olham para mim.

— Onde? — pergunta Ricky.

Desligo o rádio.

— Eu conheço um lugar. Uma mansão. E ela está completamente vazia esta noite. — Parece uma bobagem desperdiçar a casa de Alex uma noite.

— Mas está meio frio lá fora — resmunga Skeeter.

— É por isso que nós estamos indo para uma *banheira quente*, bobão.

— Eu não quero ser preso — diz Ricky.

Vou até ele e puxo os cordões do seu capuz.

— Você não vai ser preso. Eu garanto. Não tem ninguém em casa. E o garoto não tem vizinhos.

Ricky dá de ombros.

— Tudo bem. Estou dentro.

Sou eu, cinco caras e a namorada de um deles que sempre me perturba, então eu nem me importo em saber qual o nome dela. Pat fica em casa. Ele diz que prefere ficar em casa trabalhando em sua moto. Mas eu sei a verdade: ele tem um problema com banheiras quentes. Elas o deixam apavorado. O calor, os germes, e todos os corpos juntos amontoados em uma enorme banheira. Eu, no entanto, não revelo seu medo, principalmente porque não quero que os outros fiquem com nojo.

O que me garante uma ótima oportunidade. Hoje à noite, vou deixar que Ricky tenha o que ele tanto quer. Esse cara tem flertado comigo há semanas. E eu bem que gostaria de ficar com ele. Nem me importo que tenha aula amanhã. Eu não beijo um garoto desde... Lind. Penso em ligar para convidar Mary, mas decido o contrário. Talvez eu acabe assustando a coitada se ela perceber minhas jogadas.

Colocamos duas embalagens de seis latas de cervejas numa sacola, subimos nas motos e arrancamos para a casa de Alex. As luzes na casa dele estão todas acesas, como se alguém estivesse em casa, mas eu sei que ela está vazia. Preciso arrastar Ricky até a entrada.

— Você tem certeza disso? — ele continua a dizer.

Abro uma cerveja e tomo um gole antes de oferecê-la a ele. Eu me aproximo do rosto dele e digo

— Você sabe que sim. — Eu gosto de paquerar Ricky. Ele é gentil. É dois anos mais velho que eu, e um ano mais novo que Pat. Em certa altura, nós dois estudamos na Escola Secundária ao mesmo tempo, mas naquela época ele estava namorando alguém. Sarah? Eu esqueço. Não importa. De qualquer modo, ele a largou naquele verão depois que ela o traiu com seu professor da faculdade. Esse é o tipo de merda que acontece na nossa faculdade pública, e é por isso que eu preciso dar o fora daqui.

A cerca está trancada, por isso temos de escalar por cima das latas de lixo para conseguirmos subir e passar para o outro lado. Assim que chegamos do outro lado as luzes do quintal se acendem automaticamente. Meu coração para, e fico esperando ouvir uma sirene ou algo assim. Todos nós ficamos paralisados, e então elas se apagam.

— Viram só? — digo, tentando parecer indiferente. — Está tudo bem.

A piscina de Alex está fechada nessa época do ano. Está meio vazia e coberta por uma lona bem esticada. Ah, merda. Levanto a capa que cobre a banheira quente de hidromassagem do Alex, e graças a Deus ela está cheia de água. É um modelo superlindo e moderno, com botões que fazem as luzes aparecerem com cores diferentes, e um sistema de som embutido. Todos nós entramos, ligamos o jato, e não demora muito para ela ficar bem quente. Ricky não está de sunga, então ele entra de cueca. Ele está usando uma cueca boxer preta e parece tremendamente atraente. Seu corpo é bem definido e dá para ver cada músculo do seu abdômen, e ele tem uma cicatriz asquerosa de uma apendicectomia.

Eu estou usando meu biquíni preto e um top preto. Afasto a garota de Tim do meu caminho, para poder me sentar ao lado de Ricky.

— Este lugar é demais! — diz um dos caras.

— Droga, eu queria estar montado no dinheiro — diz Skeeter.

Isso me deixa um pouco chateada, pois a maioria desses caras nunca terá dinheiro, nunca terá a experiência de viver deste lado da Ilha Jar. A menos que eles se tornem *pool boys*[6]. O que, provavelmente, alguns deles se tornarão.

— Você conhece o cara que mora aqui? – pergunta-me Tim.

— Sim.

— Você já ficou com ele? — pergunta Ricky.

— Droga, claro que não — minto, porque sei o que meus amigos pensam desse tipo de gente. Eles não são iguais a nós. Embora isso possa soar racista, classista ou qualquer outra coisa, é a pura verdade. Alex não é como eu. Afinal de contas, ele está viajando numa droga de avião particular, indo visitar uma faculdade para a qual seus pais provavelmente farão uma enorme doação em dinheiro para ele ser aceito. Eu não sei nem por que ele está fazendo esse curso preparatório de redação para faculdade comigo. Ele nem precisa de uma redação, já ele tem um cheque em branco. Termino minha cerveja e jogo minha lata no pátio, como se não desse a mínima. Eu me aproximo de Ricky. Ele coloca um braço à minha volta, tipo por um segundo, mas então o retira.

Humm, estranho.

Sinto uma dor no estômago. Será que eu entendi mal os sinais? Será que Ricky não está a fim de mim? Não sei se consigo

---

[6] *Pool boys* são empregados de hotel ou balneários que trabalham à borda da piscina prestando serviços diversos aos hóspedes. São geralmente jovens e atraentes.

aguentar outra rejeição, como a de Alex Lind. Um cara que estava apenas sendo agradável comigo, que, na verdade, não estava a fim de mim. Meu ego não é indestrutível.

Olho para a banheira quente, para todos os amigos do meu irmão que estão nos observando.

Ah. Ok. Acho que entendo. Ele quer ficar sozinho comigo.

— Que droga — digo de repente. Todo mundo fica bem quieto.

— O quê? — sussurra Ricky.

— Acho que escutei alguma coisa. — Saio da água. Droga, está gelado aqui fora. Meu corpo todo está liberando vapor.

— O quê? Eu não ouvi nada.

Cretino. Agarro o braço de Ricky.

— Venha investigar comigo. — Ele me lança um olhar suplicante, e então olha de relance para o resto da turma na banheira quente. Estão todos rindo e conversando em sussurros novamente. Eles não estão prestando nenhuma atenção em nós.

— Apresse-se! — digo num grunhido. Meu traseiro está congelando.

Caminhamos pelo pátio principal, e em volta da lateral da casa da piscina. Penso em como vai ser incrível beijar Ricky, praticamente em frente ao quarto de Alex. Eu o empurro contra a parede e digo:

— E aí, vamos fazer isso ou não? — Mas as palavras não soam tão sexy quanto eu desejava, pois estou tiritando de frio.

Os lábios dele param a alguns milímetros do meu.

— Tá todo mundo ali, Kat.

Coloco minhas mãos nos ombros dele e me encosto no seu corpo, meus seios pressionados contra o peito dele. Se nada mais acontecer, isso já vai me manter aquecida.

— Com o que você está preocupado? — sussurro. Minha respiração sai em nuvens de fumaça. Fecho os olhos e espero que ele coloque seus lábios nos meus.

Nada.

Quando abro meus olhos, vejo que Ricky está me olhando com olhos patéticos de um filhotinho.

Deixo meus braços caírem.

— Está falando sério, Ricky? Você está me dispensando bem agora? — Minha voz é muito menos sexy. Ela está soando muito irritada.

Ricky dá de ombros.

— Vamos lá, está frio. Vamos voltar para a banheira quente.

Eu me afasto dele, com os dentes tiritando tão alto que posso ouvir. A última coisa que eu preciso agora é ficar ao lado de outro cara frouxo.

Ricky tenta me virar, para eu olhá-lo de frente.

— Kat, espere.

Só que eu já fui embora, na direção da banheira quente. Mas, em vez de entrar na água, pego minhas coisas que estavam numa das cadeiras de descanso do pátio.

— Ei. Os policiais passaram lá fora e iluminaram o pátio com suas lanternas. É melhor a gente dar o fora daqui. Agora.

Ricky volta e me ouve contar essa mentira, mas não me denuncia.

Todo mundo sai correndo da água e se encaminha descalço até onde estacionamos as motos.

Eu os sigo até lá fora, mas, no último segundo, olho de relance por sobre o ombro para toda aquela sujeira que deixamos para trás na casa de Alex. As guimbas de cigarro e as latas vazias de cerveja.

— Você não vem? — pergunta Ricky.

Eu não respondo. E ele não pergunta novamente antes de ir embora e me deixar para trás.

Eu encontro um saco plástico dentro das latas de lixo, e começo a caminhar pelo pátio usando a luz do meu telefone celular, para encontrar o lixo no gramado. Não demora muito e a neve começa a cair. Minha camisa fica ensopada, e eu não tenho sequer uma carona para voltar para casa. Merda.

Capítulo 28

LILLIA

Está nevando lá fora. Pequeninos e delicados flocos que mal chegam ao chão, mas são lindos. Eu sempre adorei Boston no inverno. A cidade parece saída de um romance de Charles Dickens.

Estamos esperando por uma mesa no Salt. Restaurante favorito meu e da minha mãe. Eles têm uma lagosta maravilhosa, e o garçom a serve numa vasilha de prata. Nós tínhamos uma reserva para as sete horas, mas a Sra. Lind demorou tanto para se arrumar que nós perdemos o horário. E agora são quase oito horas e ainda não jantamos. Acho que vou desmaiar.

— Isso é ridículo — diz a Sra. Lind de maneira que todo mundo possa ouvir. Ela está usando um casaco de pele de raposa e botas pretas de salto alto finíssimo que sobem até depois do joelho.

— Eles devem nos atender daqui a alguns segundos — diz minha mãe. — Eu posso vê-los limpando uma mesa para quatro agora. — Embora ela pareça tão calma como sempre, seus lábios cobertos por um batom vermelho estão pressionados numa linha fina, e sei que ela está irritada.

— Nós já estamos esperando há mais ou menos meia hora — bufa a Sra. Lind. — Numa quarta-feira.

— É um restaurante cinco estrelas — comenta minha mãe. — E aqui não é a ilha.

A Sra. Lind balança a cabeça de um lado para o outro, o cabelo acobreado deslizando pelo seu ombro.

— Eu vou dizer algumas coisinhas à recepcionista.

— Celeste — suplica minha mãe.

Felizmente, a recepcionista vem até nós e diz que nossa mesa está pronta.

— Finalmente — diz a Sra. Lind, e Alex e eu trocamos um olhar.

Tem sido assim desde que chegamos aqui — ligeiramente tenso. Por exemplo, minha mãe queria passar no seu antigo escritório de decoração antes do jantar, para dizermos "oi" a Bert e Cleve, amigos dela que me conhecem desde bebê. Eles são sócios e viajam o mundo todo se inspirando em tapetes de Marrakesh e cerâmica da Provença. Eles mandam presentes de Natal lindos para mim e para Nadia — óleos de lavanda, pulseiras de cristal e potes de lama do Mar Morto.

Porém nós não pudemos ir porque a Sra. Lind não parava de dizer, *Grace, nós precisamos passar na Hermés antes que a loja feche. Eu quero sua opinião sobre aquela mesinha de canto em que estou interessada.* Então, em vez disso, fomos a essa loja. Alex não parava de simular uma arma com os dedos e fingir dar um tiro na própria cabeça. Eu fiquei para trás, examinando umas pulseiras de laca, esperando que minha mãe fosse notar e acrescentá-las à minha lista de presentes de Natal. Meio casualmente apontei a que eu gostara, e ela disse: *Não vai dar, Lilli, você não precisa de uma pulseira de 600 dólares*. A Sra. Lind tentou dizer à vendedora para colocar a pulseira na conta dela, mas minha mãe negou terminantemente, o que fez a Sra. Lind fazer uma careta. Isso me fez sentir culpada, pois, se soubesse o quanto ela custava, não teria dito nada. Embora eu deva admitir que usar essa pulseira na escola e ver a cara da Rennie valeria os 600 dólares.

E então, quando estávamos fazendo o tour pelo campus da BC, minha mãe quis olhar a biblioteca e o prédio das artes, mas a Sra. Lind ficava reclamando que seus pés estavam doendo. Eu sabia o que minha mãe estava pensando, pois eu estava pensando a mesma coisa: por que usar um salto de 15 centímetros para visitar um campus? Tão desconfortável.

A recepcionista nos leva para o fundo, até um elegante banco de couro. Eu me sento ao lado da minha mãe, e Alex e sua mãe se sentam à nossa frente.

A Sra. Lind pega a carta de vinhos.

— Tinto ou branco, querida? — pergunta à minha mãe.

— Acho que vou querer um copo de Sauvignon Blanc — diz minha mãe, estendendo a mão e colocando meu cabelo atrás da orelha. A mim, ela diz: — Você está tão bonita esta noite, querida.

— Ah, Lillia é sempre um arraso — diz a Sra. Lind. — Ah meu Deus, como eu gostaria de ainda poder me vestir assim.

Dou um sorriso humilde, com os olhos baixos. Eu tomei um cuidado extra com a minha roupa. Sinto que na Ilha Jar não é muito importante o que a gente veste, mas aqui em Boston as pessoas são mais bem-arrumadas. Elas se cuidam mais. Estou usando um vestido justo de malha cinza, com um cinto de couro branco na cintura, e um par de botas de salto meia-pata que eu comprei especialmente para esta viagem. Encaracolei o cabelo, e o puxei todo para um lado num rabo de cavalo baixo. Quando eu saí do banheiro, Alex me disse que eu estava bonita. Ele estava usando um suéter de cashmere azul-marinho, mas, depois que me viu, trocou por uma camisa azul-clara e uma gravata.

Assim que o garçom se aproxima, antes mesmo de ele dizer uma só palavra, a Sra. Lind diz:

— Vamos querer uma garrafa de Sauvignon Blanc e uma garrafa de Veuve Clicquot.

Minha mãe parece assustada. Ela não é uma grande bebedora.

— Celeste, eu não sei...

— Vamos aproveitar um pouco a vida! Vamos deixar que as crianças tomem um gole de champanhe. O vinho é para nós. — A Sra. Lind dá uma piscadinha para mim, e Alex e eu nos entreolhamos, indiferentes.

— Um gole pequeno — me diz minha mãe.

Alex e eu tomamos um gole de champanhe cada um, e nossas mães terminam a garrafa. A cada taça, elas ficam mais e mais bobas, e a tensão entre elas desaparece.

— Ao futuro! — diz a Sra. Lind, erguendo sua taça no ar.

— Aos nossos bebês! — diz minha mãe, tilitando sua taça na da Sra. Lind.

A Sra. Lind toca o alto da cabeça de Alex.

— Onde foram parar nossos bebês? — diz ela com tristeza.

Posso jurar que todo mundo no restaurante está olhando para nós. É aí que elas começam a contar histórias sobre nossa infância. Minha mãe conta sobre uma vez em que ela me levou ao zoológico. Eu morria de medo de todos os animais, e quando ela pagou para eu andar no elefante, eu fiquei tão completamente apavorada que fiz xixi em cima dele.

— Ela estragou o vestido — diz ela, engasgando e caindo na gargalhada. — Era um vestido lindo, branco, com um aventalzinho de renda e mangas bufantes. Eu o comprei em Paris, quando ela era bem pequenininha. Ela parecia um anjo nele. Lilli, você se lembra daquele vestido?

Cruzo meus braços.

— *Não* — digo, numa voz bem baixa — Por favor, chega dessas histórias, mamãe.

— Ah, espere aí, eu tenho uma ótima. — A Sra. Lind dá um gritinho. Ela começa a contar sobre como foi difícil fazer Alex parar de mamar no peito. E ele fica o tempo todo olhando para ela, furioso, como se quisesse lhe jogar o prato de salada em cima.

Enquanto nossas mães estão ocupadas se divertindo, Alex me cutuca com o pé por debaixo da mesa e gesticula com os lábios, sem emitir som:

— *Elas estão tão bêbadas.*

— *Eu sei* — respondo.

Nós compartilhamos um sorriso secreto, e eu imagino como seria se nós dois ficássemos aqui juntos, na mesma faculdade. Acho que seria como ter um pedaço de casa comigo.

Na noite seguinte, Alex e eu estamos sentados numa saleta do apartamento de minha família em Boston. Na TV está passando um programa a que nenhum de nós está com vontade de assistir. Acho que é porque estamos bastante cansados. Graças a Deus, vamos embora amanhã. Mesmo que eu tenha de ir direto para a escola.

Alex está sentado no meio do sofá, com as pernas cruzadas debaixo dele, usando calça de ginástica e uma camiseta do Academic

Decathlon[7] da última primavera, quando nós perdemos o campeonato por causa de duas perguntas idiotas. Estou recostada numa das cadeiras de couro favoritas do meu pai, usando calça legging e um suéter bem grande, debaixo de uma das mantas de cashmere pelas quais minha mãe tem uma verdadeira obsessão. Todas na mesma cor creme. Nós estamos folheando os panfletos reluzentes das universidades que pegamos no nosso tour de hoje, rindo das fotos obviamente montadas. Fomos à Tufts pela manhã e à BC à tarde, e então nós nos dividimos para que Alex pudesse ir comprar um terno e eu fosse conhecer a Wellesley, uma faculdade só para garotas.

— Ah, vamos lá! — diz Alex, e pressiona seus lábios para segurar uma risada. — Lil, me diga que tem de errado com essa foto? — Ele vira o panfleto e aponta para uma foto de página inteira, de uma aluna usando um avental de laboratório e óculos de proteção e segurando orgulhosamente, no alto, uma proveta vazia.

Eu dou uma risada quando percebo.

— Ah meu Deus! Eles nem sequer colocaram alguma coisa *dentro* da proveta? Será que eles não têm um contrarregra ou um diretor de arte?

Alex começa a rir tão forte que mal consegue respirar.

— Cara, eu não sei o porquê você está sorrindo. Você vai falhar na sua experiência, a menos que coloque alguma coisa nessa proveta. — Ele balança a cabeça e então coloca o panfleto na mesinha de centro com os outros. — Me passe um cookie?

Jogo para ele uma nova embalagem do Chips Ahoy!, já que no meu tem somente cinco cookies dentro. O panfleto no meu

[7] Academic Decathlon® é um evento muito prestigiado em que equipes de estudantes secundaristas concorrem em 10 categorias de conhecimento.

colo mostra fotos de alunos num quarto. Tem uma que mostra quatro garotas sorrindo em cima de um par de beliches, num quarto do tamanho de uma cela de prisão.

— Eu não sei como vou conseguir morar num dormitório. O meu banheiro é maior que qualquer um dos quartos que vimos hoje. — Tomo meu último gole de leite e chuto minha manta. — Você quer beber alguma coisa?

Alex acena que sim.

— Água, por favor. Você provavelmente vai entrar para uma irmandade, não acha?

Dou de ombros.

— Não sei. Depende de onde eu for parar. E você? Você pensa em se inscrever numa fraternidade?

— Ah, não sei. Acho que muitos daqueles caras são uns cretinos — observa Alex, enquanto eu me levanto. — Talvez você pudesse morar aqui. Este apartamento é demais, Lil.

— Psiu — digo, e aponto com meu queixo para o corredor onde estão os quartos. Minha mãe está na suíte principal, e a Sra. Lind está dormindo no quarto de hóspedes. — Minha mãe já está surtando por eu sair de casa, e meu pai adoraria me manter aqui trancada com ele.

Alex pega o controle remoto e coloca no canal de esportes.

— Eu duvido que alguma coisa vá acordá-las esta noite.

Ele provavelmente está certo. Elas abriram uma garrafa de vinho tinto quando nós voltamos para casa. Juro, elas consumiram mais álcool nestes últimos dois dias que todos os calouros nos dormitórios. Suas taças de vinho ainda estão na mesa, relativamente cheias e com duas cores de batons na beirada. Eu as coloco na lavadora, esvazio o que sobrou da garrafa e a coloco na lata de reciclagem. Espero que meu pai não fique bravo com minha mãe por tê-la aberto. Cada palavra naquele rótulo está em francês. Ele guarda seus melhores vinhos e champanhes aqui.

A caminho de Tufts, percebi que minha mãe estava ficando irritada com a mãe de Alex. A Sra. Lind estava usando o GPS no celular e tentava nos direcionar para fugir do tráfego, embora minha mãe conheça Boston como a palma de sua mão, e por isso mesmo sabe os melhores caminhos para atravessar a cidade. Minha mãe queria chegar cedo para estacionar em um estacionamento do campus e caminhar até o salão de matrículas, mas a senhora Lind ficou dizendo que as vagas em que minha mãe tentava estacionar eram pequenas demais para nossa SUV. Nós chegamos em cima da hora, então minha mãe usou um manobrista do estacionamento de um restaurante próximo e deu uma boa gorjeta ao cara, já que não estávamos comendo lá.

Eu faço algumas tentativas antes de me lembrar onde estão os copos nos armários. Coloco água para nós dois. Eu não venho a este apartamento há mais de um ano, mas meu pai fica aqui o tempo todo, trabalhando no hospital. Nós temos uma faxineira e uma pessoa que mantém a casa abastecida e faz outras coisinhas, então ele não precisa se preocupar com nada. Deus me livre de ele ter que ir ao mercado comprar uma caixa de leite.

Quando eu volto para a saleta, Alex está olhando pela janela lá embaixo. Eu coloco nossos copos em cima da mesa e vou para o lado dele. Está nevando novamente.

— É bem bonito lá fora — digo, inclinando-me para a frente até que minha testa se encoste no vidro. Nós estamos no trigésimo andar de um arranha-céu e, por isso, vemos tudo. Faltam ainda algumas semanas para o Dia de Ação de Graças, mas muitas pessoas já estão com as luzes de Natal acesas e penduradas no teto ou na varanda. As árvores no parque estão todas nuas e com os galhos espigados, e o céu está superescuro com manchinhas brancas. As pessoas caminhando lá embaixo parecem formiguinhas. Alex se vira com um enorme sorriso e pergunta:

— Você quer sair para uma caminhada ou alguma outra coisa? Eu não estou cansado.

— Agora? — Já passa da meia-noite, e estou basicamente com minha roupa de dormir. — Mas nós temos aula amanhã. — Além do mais, meus pés doem depois de tantas caminhadas. Já estou com duas bolhas surgindo, uma em cada dedinho do pé. Eu não queria usar salto, mas minha mãe insistiu, porque estávamos indo para uma entrevista. E quando estávamos andando pelo campus da Wellesley, ela se curvou e sussurrou: "Nunca, jamais, jamais, Lillia". E apontou para um grupo de garotas que estavam caminhando para as aulas usando chinelos e calça de pijama. Eu revirei o olhos, porque, é claro, não pode ter ocorrido a ela que eu pudesse fazer isso algum dia.

— Vamos lá, Lil, vamos ter uma aventura sem supervisão. — Ele dá um gemido. — Essa deveria ser uma viagem sobre os nossos futuros, mas eu não me sinto tão criança assim há muito tempo.

Dou risada. Sei o que ele quer dizer. Ambas as nossas mães estavam completamente em cima da gente o tempo todo hoje. Elas fizeram duas vezes mais perguntas que eu e Alex juntos no tour pelas faculdades. Minha mãe escolheu todos os restaurantes a que nós fomos, não que eu me importe com isso. Eu adoro o nhoque caseiro do Sorrento's. Às vezes, eu peço para o meu pai levá-lo para mim quando ele toma o avião particular do hospital, mas nunca tem o mesmo sabor de quando está fresco, fresco, fresco. E a Sra. Lind não parava de mexer no cabelo e na gravata de Alex. Estou prestes a admitir para Alex que, na verdade, eu nunca caminhei por Boston sozinha, e, definitivamente, nunca à noite. Mas ele está tão animado e eu não estou tão cansada assim. Especialmente depois daqueles doces. Então digo:

— Tudo bem.

Entro pé ante pé no meu quarto, troco a legging por um jeans, coloco um Band-Aid em cada dedinho do pé e calço minhas botas. Antes de sair pela porta, pego meu celular e vejo que tem uma mensagem de Reeve que diz *E aí, você e Lind foram à ópera, ou estão passando um dia no spa?* Dou uma gargalhada, imaginando eu e Alex fazendo manicure e pedicure, usando roupões iguais. Mando uma mensagem de volta. *Dia no spa? Dã!*

Quando saio do quarto, Alex já limpou toda nossa bagunça na salinha. Ele está se trocando num canto, onde ele colocou sua sacola de roupas. Ele também está usando jeans, e está colocando um par de tênis, mas ainda não vestiu uma camisa. Posso ver cada um dos seus músculos nos ombros e braços. Dou a volta pelo canto, finjo que não o vejo e lhe dou alguns minutos de privacidade.

Estamos bem quietos enquanto nos esgueiramos pelo corredor e abrimos a porta da frente. Alex faz um sinal de silêncio enquanto eu destravo a porta lentamente. Quando entramos no elevador, eu solto a respiração. Passamos pelo portão e saímos para a rua. Alex e eu batemos nossas mãos no alto.

Boston é ainda mais bonita à noite. É uma cidade antiga, com muitos detalhes charmosos, como lâmpadas a gás nas ruas e placas de madeiras.

— Eu amo esta cidade — diz Alex. — Tem tanta coisa para se ver e fazer. Eu provavelmente vou morrer de monotonia em Michigan.

— Você acha que é para lá que vai?

Alex dá de ombros.

— Meu pai doou um monte de dinheiro, e seu colega de fraternidade está na diretoria. Acho que é inevitável.

Passo a mão pelo seu braço.

— Você vai se adaptar — digo a ele. Porque este é o tipo de cara que Alex é.

Nosso apartamento é de certa maneira perto da Harvard Square, então é para lá que a gente vai. A princípio, estou um pouco assustada, porque tem pouca gente nas ruas, e a cidade parece ter muitos becos escuros. Eu me mantenho perto de Alex, meu braço em volta do dele. Mas assim que nos aproximamos da faculdade, nós vemos mais jovens na rua. Acho que não importa se eles terão aula amanhã, ou se está nevando. Nós seguimos o fluxo deles para uma rua onde há muitos bares.

Alex pega minha mão para não nos perdermos no meio da multidão.

— Eles deveriam colocar isso no tour — diz Alex, com uma risada.

Começo a dizer alguma coisa de volta, quando um bando de caras bêbados de alguma fraternidade sai cambaleando pelas portas duplas. Uma onda de náusea e medo abjeto toma conta de mim, e eu congelo. Por um segundo, penso vê-lo. Mike. E então ele se vira, e vejo que não é.

— Você está bem? — pergunta Alex, apertando de leve a minha mão. Mal posso escutá-lo através das batidas fortes do meu coração ressoando no meu ouvido.

E se eu encontrasse Mike? Será que ele se lembraria de mim? Será que ele se desculparia pelo que aconteceu? Ou ele acha que não foi nada? Provavelmente é isso. Provavelmente ele nem sequer se lembra de mim.

Meu peito está tão apertado que tenho dificuldade para respirar. Amherst está a algumas horas de distância de Boston. É o que digo para me acalmar. Mas ele poderia estar aqui. Não é uma ideia maluca. É totalmente possível. Aposto que muitos garotos da universidade vêm a Boston para farrear.

Talvez eu não queira vir para a faculdade em Boston. Talvez eu me inscreva para uma faculdade na Costa Oeste. UC Berkeley talvez, ou a UCLA[8]. Eu fugirei o máximo que puder para não ver o rosto dele novamente.

Acho que enfim entendo o que Mary tem passado todos esses anos. Por que ela foi embora, e por que ela voltou. Ela quer colocar um ponto final. Isso é algo que eu nunca vou conseguir, mas eu posso ajudá-la a conseguir isso.

— Você está bem? — pergunta Alex novamente.

Aceno com a cabeça, afirmando.

— Vamos continuar caminhando, certo?

Meu passo é bem mais rápido, mas Alex me acompanha muito bem.

•••

Quando volto para o meu quarto, vejo que há outra mensagem de Reeve. Diz o seguinte *O que você está aprontando na realidade? Está entediada?* Eu mando uma mensagem de volta, *Nós acabamos de voltar de um passeio na neve! É tão lindo aqui*. Pronto. Deixe ele pensar sobre isso.

[8] Universidade da Califórnia em Los Angeles.

Capítulo 29

KAT

Na sexta-feira, Alex e eu deveríamos estar supostamente trabalhando em nossos currículos, o que é uma burrice, porque não é algo típico para fazer nas inscrições para as faculdades. Mas a Sra. Chirazo costuma dizer que, "no mundo real", precisaremos disso, então nós simplesmente podemos começar a praticar.

Eu começo a entrar em pânico, porque, quando chega a parte de listar as atividades extracurriculares, meu currículo está ficando bem vazio. Tem praticamente apenas o meu nome e minhas notas no GPA[9]. Ah, sim, e meu trabalho de verão na marina. Eu escrevo isso também. Dou uma olhada de esguelha para o currículo de Alex, e lá tem todo o tipo de baboseira: estagiário na empresa do seu pai, Academic Decathlon, voluntário num abrigo de animais em Boston e um coral.

[9] Grade Point Average.

Eu apoio a cabeça no meu caderno e fecho os olhos. Eu ainda não revisei minha redação para incluir aquele assunto sobre minha mãe. Sei que a Sra. Chirazo está irritada por causa disso. Ela nem mesmo ficou empolgada quando mencionei que acho que fui muito bem no SAT, que refiz há algumas semanas. Espero que eu chegue a uma pontuação de 1.900, pela graça de Deus. Isso me colocará alguns pontos acima do necessário para entrar em Oberlin. Mas essa droga de currículo é um problema que eu preciso resolver.

Quando a Sra. Chirazo sai da sala para atender a um telefonema, eu me aproximo de Alex e pergunto:

— Ei, como foi em Boston? Você foi ver Berklee?

Alex ergue os olhos de seus papéis.

— Não, não tive oportunidade. Nosso tempo já estava todo programado.

— Alex, seu idiota! Por que você ao menos não passou por lá?

— Não vi motivo.

— O quê? Por que não?

Alex se inclina na sua cadeira e tamborila na mesa com seu lápis.

— Se eu fosse me inscrever num programa de música, eu faria no USC. Los Angeles é praticamente o centro da indústria da música. E a ênfase lá é muito mais na composição contemporânea, não na clássica, que é no que eu estou interessado. — Ele sacode a cabeça. — De qualquer modo, não adianta nada, porque não vou me inscrever em nenhum programa de música.

— Mas você adora música.

— Claro. Mas como minha mãe estava dizendo, você não tem garantia de fazer um contrato de gravação ou algo parecido ao se formar num programa de música. Se eu fizer um programa de negócios, estarei mais bem preparado. E eu ainda poderia fazer aula de música como matéria eletiva.

Olho para ele de soslaio.

— Negócios? Desde quando você pensa em negócios?

— Eu tenho de pensar no longo prazo, Kat. E, com os contatos do meu pai, eu poderia…

— Mas você quer compor música — digo. — E claro, nada é garantido, mas é isso que torna tudo incrível. O fato de que nada é garantido. — Olho de relance pela sala. Todo mundo está olhando para mim, provavelmente porque estou falando um pouco alto. Eu abaixo o tom de voz e digo: — Você precisa criar coragem e romper barreiras, porque você ama a música. Que se ferre todo o resto e todo o mundo, porque você vai pelo menos tentar, não importa como.

Alex quer isso. Tenho certeza, porque ele não responde imediatamente. Ele fica olhando para o espaço por um segundo, raciocinando. Então franze a testa e diz:

— Você sabe, mesmo que eu entrasse, duvido que meus pais pagassem por esse curso. Eles realmente não me veem tendo uma vida de artista morto de fome. Meu pai sempre conversou comigo sobre trabalhar com ele na sua empresa quando eu terminar a faculdade.

— Alex, eu detesto ser aquela que vai informá-lo disso, mas você é podre de rico. Não importa o que você faça. Você já tem uma rede de proteção. Seus pais não permitirão que você morra de fome na rua. Inscreva-se na USC. Que mal pode fazer? Talvez você não entre. Talvez você seja uma droga. Eu nunca escutei suas coisas. — Dou-lhe um cutucão, e ele dá risada. — Deixe de ser tão medroso e faça uma tentativa. O que você tem a perder? E daí se eles o rejeitarem? E daí? Aí você junta seus trapos e vai para a escola de Administração como o seu pai quer. Mas você nunca saberá se não tentar.

— Acho que sim.

Penso em mencionar que eu soube que Oberlin tem um conservatório maravilhoso, mas engulo em seco. Minha vida já está bastante complicada. Coloco as mãos nas costas dele.

— Vá em frente. Rompa barreiras. Califórnia ou nada!

Ele coça a cabeça.

— Talvez eu vá dar uma olhada em Berklee. Se pelo menos eu fosse para uma escola em Boston, ficaria perto de Lillia.

Sinto uma pontada no peito.

— Cara, você disse que a USC é o programa certo para você. Não escolha uma segunda opção por causa de uma garota.

Alex me olha espantado.

— O quê? Não é isso que estou dizendo.

— Ah, não?

— Não! Nossa, fale baixo, Kat. Eu gosto de Boston. E nós só... nos divertimos juntos. Só isso.

— Amigos — digo. — Isso é o que vocês são. Assim como você e eu.

Ele inclina um pouco a cabeça para o lado e olha diretamente para mim.

— Eu nunca fiquei com Lillia.

Eu me apoio de volta na minha cadeira, satisfeita. — Mande sua inscrição para a USC. Você precisa ir atrás do que quer.

A Sra. Chirazo volta e me fulmina com um olhar de advertência, como se ela soubesse que eu estava jogando conversa fora. É claro que ela está olhando somente para mim, e não para Alex, porque ela acha que Alex é um anjinho de cabelos vermelhos.

Capítulo 30

MARY

Eu me demoro um pouco depois das aulas na sexta-feira, para ir a uma aula especial de espanhol que o Sr. Tremont dará antes do nosso exame de meio do ano. Chego cedo demais à sala e fico pensando se estou com a data certa, mas então dez alunos da minha classe chegam e se sentam nas mesmas cadeiras em que estão acostumados a sentar-se na sexta aula. São os alunos que eu esperava encontrar aqui, aqueles que nunca, jamais conversam na aula, assim como eu. Nós todos nos aperfeiçoamos na arte de olhar para nossas mesas quando o Sr. Tremont chama voluntários para fazer os diálogos com ele.

O único que não está aqui é o Sr. Tremont.

Dez minutos se passam, depois 15. Os corredores se esvaziaram e se silenciaram, o barulho vem lá de fora. Eu abro minha mochila, pego o livro de espanhol e reviso o conteúdo que o Sr. Tremont ensinou hoje na aula. Mas os outros estão menos pacientes. Depois de 20 minutos, um aluno faz um estardalhaço, levantando-se ele diz:

— Que droga é essa, cara?

Alguns outros alunos empurram suas cadeiras, para segui-lo para fora.

Mas então Sr. Tremont irrompe pela porta com o celular na mão e grita animadamente:

— *Mi esposa está teniendo un bebé!* — As palavras saem mais rápido do que os diálogos nas novelas espanholas que ele nos deixa assistir às sextas-feiras.

Os alunos se entreolham querendo dizer *Hein?!*, porque não temos ideia do que ele está dizendo. Será que ele se esqueceu de que essa é uma aula de recuperação? O Sr. Tremont se dobra de tanto rir e traduz para nós.

— Minha mulher está tendo um bebê!

Com essa notícia, o espírito da sala passa de irritado a feliz em um segundo. Todo mundo aplaude o Sr. Tremont enquanto ele guarda suas coisas na pasta e sai correndo pela porta. A coisa toda faz meus olhos se encherem de lágrimas, não sei por quê. Talvez porque eu tenha a sensação de que o Sr. Tremont será um bom pai. Ou talvez porque sinta a falta dos meus pais. Provavelmente, as duas coisas.

Ao sair da sala, vejo Lillia no final do corredor. Eu sei que é ela pelo cabelo. Ninguém na nossa escola tem o cabelo tão comprido e tão brilhante quanto Lillia Cho.

Abro a boca para chamá-la, porém mudo de ideia. Lillia deve estar a caminho da piscina para nadar com Reeve. Eu fico para trás, mas a acompanho com o olhar. E a sigo, para ter certeza.

Lillia caminha diretamente pela neve até o novo prédio da piscina. Ela não usa a mesma porta lateral que nós costumávamos usar na época em que ela, Kat e eu nos encontrávamos para planejar nossa vingança, na época em que a piscina estava sendo reformada. Em vez disso, ela segue pela calçada, até as portas principais do prédio da piscina. Quando chego lá, vejo Lillia virar à esquerda e entrar no vestiário das garotas.

Sei que deveria ir para casa. Sei disso. Só que tem uma coisa me empurrando para o prédio. Muitas vezes antes eu já quis me esconder ali e observá-los, mas sempre consegui convencer-me a não fazer isso. Talvez seja porque Lillia já me contou o bastante sobre o que se passa entre ela e Reeve quando eles nadam juntos. Ela fica feliz de compartilhar os detalhes. E eu fico feliz em escutar.

Mas, de repente, sinto que preciso ver com meus próprios olhos. Vê-los juntos. Enquanto ela está se trocando, eu me apresso pelo corredor para entrar na área da piscina. O espaço todo está terminado agora, ficou lindo. Eles instalaram uma plataforma de mergulho, pintaram uma enorme foca de mascote na parede mais distante. O teto é todo de vidro e permite que entre muita luz. A luz reflete na água fria e azul.

De um dos lados da plataforma de mergulho está o armário, onde Kat, Lillia e eu tivemos de nos esconder de um dos operários da construção. Eu queria entrar lá agora, mas não tem como. Reeve está no lado mais raso da piscina fazendo seus exercícios com o joelho. Ele com certeza me veria. Olho de relance em outra direção e vejo a arquibancada de metal que se estende ao longo da parede, cobrindo praticamente toda a extensão da piscina. Rapidamente, eu me escondo embaixo dela. Sorte minha alguém ter empilhado um monte de pranchas, o que me dará bastante cobertura se eu me mantiver ajoelhada no chão.

Perfeito.

Por alguns minutos, tenho a oportunidade de observar Reeve sozinho. Ele está trabalhando duro e, embora tenha perdido um pouco do tono muscular desde o começo do campeonato de futebol, seu corpo está ainda mais bonito agora. Ele está menos volumoso, mais magro.

Depois que termina uma série de exercícios, ele nada para o lado da entrada e olha pelo corredor do vestiário. Ele está esperando por ela.

Então Lillia chega à piscina. Ela trocou de roupa, e está usando um maiô preto. Definitivamente, não é o tipo de coisa que ela usaria numa praia, mas mesmo assim ela está maravilhosa. Se eu não soubesse que ela não sabe nadar, pensaria que está ali como salva-vidas. Ela se senta na beirada da arquibancada, bem em frente ao ponto onde estou escondida, e coloca o cabelo dentro de uma touca de natação.

— Oi, Cho — grita, Reeve. — Você está atrasada.

Lillia não responde.

Embora haja uma escada mais perto dela, ela caminha até a outra, que está no lado mais raso, e entra na água ali. Ela é tímida e reage como se a água estivesse gelada.

Assim que Lillia está dentro da piscina, Reeve abandona seus exercícios e começa a dar instruções a ela. Ele a ajuda a boiar, segurando-a com as mãos por debaixo das costas dela. Ele faz com que ela pratique movimentos de braços no lado mais raso. A cada exercício, ele a observa atentamente, como se fosse um treinador. Ele a corrige diversas vezes, o que parece frustrar Lillia. Mas ela não pode ver como ele gesticula e sorri, como se ela fosse perfeita.

Por um instante, fecho os olhos e me lembro do dia em que Reeve me empurrou na água. Será que isso teria acontecido se aqueles outros alunos não estivessem lá? Aposto que não.

Aposto que teríamos feito a travessia da balsa juntos, como sempre fazíamos. Sinto as lágrimas em meus olhos e as deixo cair.

Quando abro os olhos novamente, Reeve está fora da água, secando-se bem à minha frente. De perto, posso ver que ele ainda tem algumas das cicatrizes da noite do baile, nos lugares onde o vidro cortou a pele. A pele nesses locais está mais rosada que no restante do corpo. Rosada, pálida e quase transparente.

Enxugo as lágrimas com as mangas.

— Vou me trocar, Cho. Por que você não pega a prancha e faz umas voltas do lado mais fundo?

Reeve sai, e Lillia vai fazer o que ele sugeriu. Mas quando se aproxima para pegar uma das pranchas, ela me vê e quase dá um grito.

— Sinto muito! — sussurro.

— Mary! — Ela olha por trás, sobre os ombros. — Que diabos você está fazendo aqui?

Então eu acho que ela sabe a resposta. De repente, ela parece alegre:

— Você ficou observando o tempo todo? Viu quantas vezes ele tentou me tocar? Está realmente, realmente dando certo!

— Sim, está dando certo — digo baixinho.

— Como um bônus, eu melhorei muito na água — acrescenta ela. — Acho que posso fazer aquele teste de natação para valer. — E ela estremece, e gotinhas de água caem do seu corpo. — É uma vitória!

Eu pisco algumas vezes. Graças a Deus, Lillia não sabe tudo o que sinto em relação a Reeve. Não quero que ninguém saiba. Jamais.

— Isso é maravilhoso — digo rapidamente num sussurro. — Estou tão feliz que você esteja ganhando alguma coisa nisso tudo também.

Mas não tenho certeza se ela me escuta. Seus olhos se voltaram para o corredor.

— Droga! — Ela tira uma prancha do alto da pilha, e pula desajeitadamente na piscina. Reeve entra alguns segundos depois, completamente vestido.

— Você está me enrolando, Cho?

— Não. Eu... eu apenas... eu não gosto de ir à parte mais funda quando estou sozinha.

Reeve se agacha na beirada da piscina. Ele precisa se esforçar para fazer isso. Dá para perceber que a perna está dura e dolorida dos exercícios, e ele ainda está usando a bota imobilizadora.

— Não se preocupe. Eu estou bem aqui — diz, e depois acrescenta: — Você me deve uma volta extra por causa disso. — E diz isso de um jeito carinhoso e brincalhão.

Usando a prancha, Lillia segue até o lado oposto da piscina. Reeve caminha ao lado dela no mesmo ritmo. As pernas dele estão melhores. Mais fortes. Assim que tenho a oportunidade, saio correndo da piscina e vou para casa. Sou eu que estou em águas profundas. Sou eu quem está se afogando.

Capítulo 31

LILLIA

Enquanto eu me seco, Reeve vai até o estacionamento e dá partida no meu carro, de modo que esteja aquecido quando eu chegar lá. Eu nem precisei pedir isso a ele, o que é um bom sinal.

Junto minhas coisas e o encontro lá fora. Mantenho meus olhos atentos, procurando por Mary, para ver se ela ainda está por ali, entretanto não a vejo em lugar nenhum.

Reeve removeu o gelo que estava grudado no para-brisa do meu carro. A caminhonete dele também está com o motor ligado e livre de gelo, estacionada ao lado do meu carro. Mas ele está esperando dentro do *meu* carro, sentado no assento do motorista e ouvindo minha música. Forço-me a apagar o sorriso do meu rosto e pulo para o lado do passageiro.

— Oi — digo, apontando para as ventoinhas que estão soprando diretamente na minha direção. — Obrigada por dar partida no meu carro.

— Sem problema. — Ele não faz nenhum movimento para ir embora, então fico parada também. Subitamente, ele diz: — Ei, você nunca me disse como foram as coisas em Boston.

— Ah, foi muito bem. Minha entrevista com os ex-alunos da Wellesley foi muito boa. A entrevistadora costumava passar as férias aqui na ilha quando criança, então nós tínhamos algo em comum.

— Legal, legal. — Reeve tamborila no volante do meu carro. — Então Lindy finalmente teve coragem e avançou o sinal?

Meus olhos se arregalam. Quer dizer, nós realmente ficamos de mãos dadas. Só que isso não quer dizer que ele *tenha avançado o sinal*, e eu não vou dizer isso a Reeve. Melhor que ele pense que Alex fez isso.

— Por quê? Está com ciúme?

Reeve faz com a boca um ruído de descaso, e olha para fora da janela.

— Lind tem ciúme do tempo que passamos juntos na piscina? — contrapõe ele.

Engulo em seco.

— Ele não sabe nada sobre isso. — Tenho vontade de dizer a Reeve que, *por favor, não diga nada*. Mas não posso fazer isso. Penso rápido e digo: — Rennie sabe? — Embora eu saiba com certeza qual será a resposta dele.

Reeve franze a testa.

— Nããão. Não mencionei nada disso a ela.

— Ok.

— Ok.

Então nenhum de nós contou nada a ninguém. Rennie e Alex não sabem, mas eu temo o momento em que eles descobrirem. Porque isso vai acontecer. O trem já está nos trilhos, e a velocidade está aumentando.

Reeve tira as mãos da direção e as deixa cair no colo, e, por um momento, demonstra inquietação. Então ele olha para mim, e tenho certeza de que está prestes a dizer alguma coisa. Ou fazer alguma coisa.

Entro em pânico.

Pego meu celular, finjo que estou recebendo uma mensagem e digo:

— Tenho de ir para casa. Nos encontramos no final de semana?

Ele morde o interior da bochecha e diz:

— Claro. Vejo você por aí, Cho.

No sábado, encontro PJ a caminho do Milky Morning.

— Oi, estranho! — digo, enquanto ele segura a porta aberta para mim.

Ele levanta a mão, batemos nossas mãos, e ele diz:

— Vejo você hoje à noite, Lil.

Entrego-lhe uma caixa de muffins para segurar enquanto fecho meu casaco.

— O que vai acontecer hoje à noite?

— Rennie conseguiu um monte de bebidas de graça. Vamos nos encontrar no bosque perto da casa dela. Ela não disse nada a você?

— Não — digo. — Ela não falou nada. — Nem Ash. Por ordem de Rennie, tenho certeza. Se é assim que Rennie quer jogar, é assim que será. Eu também posso jogar esse jogo direitinho.

— A que horas vocês vão se encontrar? — pergunto.

— Às nove.

— Está bem frio, não? — comento. — Vamos congelar lá fora.

— A bebida vai nos aquecer, além do mais, aonde mais poderíamos ir?

Tenho sorte, minha mãe e Nadia estão fora da ilha. Elas foram assistir a um show de equitação. Não voltarão até amanhã à tarde. Minha mãe queria que eu ficasse na casa de Rennie, ou pedir a Carlota para passar a noite aqui, o que eu disse que era ridículo.

— Eu tenho 17 anos, e em menos de um ano estarei na faculdade. Sou bastante madura para ficar sozinha por uma noite. Além do mais — acrescentei —, você não confia em mim? — Com isso, ela cedeu.

— Claro que sim — disse.

Mandei primeiro uma mensagem para Alex.

Está tão frio lá fora. Você não quer vir pra cá e assistir um filme hoje à noite? Nove. Traga Derek.

Ele responde imediatamente.

Boa ideia!

A próxima é Ash. Sei que ela ficará interessada se eu disser que Derek estará aqui. Ela morderá a isca. Deixará a Rennie de lado assim que perceber que pode ficar com Derek. Ela está apaixonada por ele desde o ano passado, e eles ficaram juntos algumas vezes, mas, definitivamente, não estão namorando ainda.

Minha mãe e Nadia estão fora da ilha esta noite. Você não quer vir aqui em casa esta noite? Os garotos estão vindo. Derek também.

Sim! A que horas?

Nove.

Oba!

Então Reeve.

Filme hoje à noite na minha casa se você estiver interessado.

Reeve demora um pouco a responder. Mas finalmente o faz. Com uma única palavra.

Legal.

Eu começo a me movimentar. Carlota esteve aqui hoje mais cedo, então a casa está impecavelmente limpa, mas precisamos de algumas coisinhas para comer.

Asso uma fornada de brownies, não faço tudo sozinha, a mistura vem numa caixa. É uma marca sofisticada que minha mãe comprou numa loja especializada em Boston, e que custa 11 dólares. Pelo preço, tem de ser boa. Por segurança, acrescentei um punhado de gotas de chocolate. Pego na adega uma garrafa de vinho tinto que não parece ser muito cara, e a coloco ao lado de alguns copos. No último minuto, preparo um balde de pipoca, acho que será o suficiente.

Então corro para o andar de cima para me aprontar. Tiro as roupas da escola e coloco um jeans skinny e um suéter creme de gola canoa larga, que deixa um ombro de fora. Coloco um pouco do meu perfume atrás da orelha e na curva do pescoço. Sem maquiagem, apenas um toque do protetor labial ChapStick.

Casual.

Mas por dentro estou animada. Animada ao imaginar Rennie sozinha no bosque com suas garrafas de bebida, congelando o traseiro enquanto espera todo mundo aparecer.

Estamos todos acomodados na sala de TV. Ash e Derek estão aconchegados bem juntinhos na poltrona de couro com um cobertor, onde eu falei para eles se sentarem. Alex e eu estamos no sofá grande. Sem Reeve. Acho que ele acabou indo se encontrar com Rennie, afinal de contas. Estou tentando não parecer desapontada, e então a campainha toca.

— Quem mais está vindo? — pergunta Alex.

— Não sei — digo e corro para a porta.

Eu abro, e lá está Reeve, com seu colete acolchoado e um suéter.

— Oi! — digo. Eu fico na ponta dos pés e lhe dou um abraço. Ele parece surpreso, e eu sorrio para ele, mais doce que algodão-doce.

— Lind está aqui? — me pergunta, olhando por cima meu ombro e franzindo a testa.

— Sim… — Então, percebo. Ele achou que ficaríamos sozinhos, só nós dois. Como um encontro. Uau. Isso é bom. Realmente bom. Nem posso esperar para contar tudo isso a Kat e Mary. Enlaço meu braço no dele e o levo pela casa. — Tá todo mundo na sala.

Reeve me segue pelo saguão.

— Reeve está aqui — anuncio, muito embora, dã, todos possam ver que ele está aqui.

— E aí, Tabatsky? — diz Derek.

Alex dá espaço para ele no sofá. Quando Reeve se senta e coloca os pés na mesinha do centro, Alex o repreende:

— Ei, cara, a família dela não usa sapatos dentro de casa.

— Calma aí, Lind. — Mas Reeve obedece e tira os sapatos.

— Você também — diz Ash a Derek.

— Tudo bem — digo, mas fico aliviada que Alex tenha dito alguma coisa. Detesto ser aquela que pede para as pessoas tirarem os sapatos. É tão estranho, mas minha mãe vai me matar mesmo se alguém sujar a mobília branca. É como se fosse sua missão de vida comprar tudo branco e lutar até a morte para manter tudo impecável.

— Será que alguém quer um pouco de vinho? — pergunto. Sinto-me tão adulta, até perceber que não sei abrir uma garrafa de vinho.

— Sim, obrigada — aceita Ash.

Eu me atrapalho com o abridor de vinho, então Reeve o tira da minha mão e abre a garrafa em dois segundos, sem dizer uma palavra. Depois serve vinho a todos nós.

— Onde está Rennie? — pergunta ele, colocando a garrafa na mesa.

Dando de ombros, retruco:

— Não faço ideia. — Levanto em um salto, vou para a cozinha e volto com os brownies. — Recém-assados! — cantarolo alegremente. Eu bamboleio até Ash e Derek, e eles pegam um brownie e o dividem.

Volto para o sofá e ofereço um a Alex, que aceita. Então coloco a travessa na mesinha de centro e me sento entre ele e Reeve.

— Então, o que vamos assistir? Tem algumas coisas no canal *on demand*...

— Você nem vai me oferecer um brownie? — reclama Reeve. — Que tipo de anfitriã é você?

— Você não costuma comer doces! — Disso eu tenho certeza sobre ele.

— Eu não como doces durante o campeonato — me corrige. — E o campeonato já terminou. — Seus olhos verdes reluzem quando ele abre a boca e diz: — Ah.

Eu deslizo a travessa na direção Reeve, e ele sacode a cabeça.

— Ah — repete ele pacientemente.

Reviro os olhos e coloco um pedaço de brownie na boca dele.

— Diva!

Com a boca cheia, Reeve diz:

— Delicioso.

Dou-lhe outro sorriso angelical como recompensa.

— Estes brownies estão incríveis, Lillia — elogia Alex.

— Eu mesma assei — digo. Eles não precisam saber que é uma mistura pronta. Pegando o controle remoto, digo: — Voto para a gente assistir àquele filme francês de que ouvi falar.

Reeve dá um gemido, e Alex diz:

— Aquele sobre o ladrão? Eles estavam fazendo uma crítica dele na NPR ontem. Parece muito bom.

Reeve resmunga.

— Por que vocês dois não se mudam para uma casa de repouso já?

— Não precisamos assistir a isso — comento. — Ash, Der, o que vocês estão a fim de assistir?

Eles estão sussurrando um para o outro, dando pedacinhos de brownie na boca um do outro e não prestando a mínima atenção ao que acontece ao redor.

Reeve agarra o controle da minha mão.

— Vamos colocar no Sports Center por um segundo.

Estendo a minha mão e digo:

— Devolva isso, Reeve!

— Quero ver o placar do jogo — diz ele.

— Reeve! — Fico tentando alcançar o controle, mas ele fica afastando-o de mim. — Nossa, tenho pena da garota que casar com você — digo, então me encosto de novo no sofá e tomo um golinho do vinho. Eu quase o cuspo de volta no copo. Tem gosto de fumaça para mim. Como uma madeira queimada. Eu não sei como os adultos bebem esse tipo de coisa.

Falei isso de brincadeira, mas Reeve obviamente não entendeu assim, porque, sem mesmo olhar para a TV, ele diz:

— Tanto faz.

— Vamos lá cara, dê o controle para ela — sugere Alex. Reeve o joga para mim e começa a olhar seu telefone, enquanto procuro o tal filme francês, e Alex liga o sistema de som.

— Será que é bom diminuir as luzes? — pergunta Alex.

Reeve se levanta.

— Vou dar o fora daqui.

— Já? — pergunta Derek, virando-se.

— Sim. O pessoal está lá no bosque perto da casa de Rennie. Vocês não querem ir?

Derek olha para Ash e diz:

— Não. Está frio demais.

Ash se aconchega mais a ele.

Reeve olha para Alex.

— Al, pelo visto você não vai a lugar nenhum.

— Sim, estou bem aqui — afirma Alex, esticando-se no sofá.

— Tudo bem, encontro vocês mais tarde. — Reeve dá de ombros, veste seu colete e pega os sapatos.

— Tchau — diz Alex, acomodando-se no sofá.

— Tchau, Reevie — grita Ash.

Não acredito que ele está indo embora. Rennie estala os dedos, e ele vai correndo?

Reeve segue na direção do corredor, e eu vou atrás dele.

— Por que você não fica aqui um pouco mais? — pergunto a ele.

— Não, obrigado — diz ele por cima do ombro. — Eu não sabia que estava interrompendo um encontro duplo.

— Não vá — digo, esticando a mão para tocar a bainha do seu colete. Abaixo minha mão quando percebo que ele não se mexe.

Ele calça os sapatos, e então abre a porta. A princípio, acho que sairá sem dizer adeus, ou outra coisa qualquer, mas ele para e olha novamente para mim. Ele hesita, e então numa voz baixa e insegura diz:

— Vejo você segunda na piscina?

Sorrindo, eu aceno positiva e lentamente para ele. Então ele vai embora. Fecho a porta e depois a tranco.

Capítulo 32

KAT

Observo meu despertador marcando as horas, e, um minuto antes de ele tocar, eu o desligo. Fecho o álbum de fotografias que peguei na noite passada e o coloco no chão. Então puxo os cobertores para cima de mim. Minha cabeça encontra o lugar ainda quente marcado no meu travesseiro, e eu deito ali por um minuto.

Desde que minha mãe morreu, há cinco anos, tenho essa tradição de ficar acordada a noite toda na véspera do aniversário de sua morte, para pensar sobre ela. Eu não durmo, nem por um minuto. É uma forma deprimente de meditação, acho, mas é assim que faço. Penso nela a noite toda.

Eu consigo relembrar por completo aquele último e miserável ano de sua vida, desde o momento em que tudo começou, até o dia que em ela me deixou mais cedo na escola, porque teve de sair da ilha para se consultar com algum especialista.

Lembro-me do dia em que ela e meu pai nos fizeram sentar em volta da mesa da cozinha para contar da doença. Como aquilo não parecia ser uma coisa boa, mas como nós, ainda assim, precisávamos ter esperança. Minha mãe estava calma, e meu pai chorava tanto que mal conseguia respirar. Pat saiu correndo pela porta dos fundos só de meias e não voltou para casa por três dias inteiros. Eu sentia tudo, menos esperança.

Assim que nós recebemos o diagnóstico, pensei em contar a Rennie. Fui de bicicleta até a casa dela logo cedo, antes mesmo de ela acordar e a peguei praticamente de surpresa. Ela ficou sentada na cama, ainda meio sonolenta, enquanto eu me ajoelhei no chão e chorei e chorei. Uma parte doentia de mim estava feliz por ter uma história tão triste para contar. Naquela época, ela já estava começando a se afastar de mim. Ela estava completamente fissurada em Lillia e adorando a ideia de que Lillia estaria se mudando de vez para a Ilha Jar no verão seguinte. É patético admitir, mas eu me lembro de querer que Rennie tivesse pena de mim, o bastante para se tornar minha melhor amiga de novo, pelo menos enquanto eu estivesse passando por aquela merda toda, mas minha mãe ter ficado doente só fez as coisas ficarem ainda mais estranhas entre nós.

Penso em como minha mãe se manteve forte por tanto tempo, até não conseguir mais, e então numa única semana ela evaporou. O câncer devora você por dentro, e eu fiquei vendo-a desaparecer até tornar-se apenas pele e osso, um corpo oco, em literalmente sete dias. No último dia, ela abriu os olhos apenas uma vez, e eu não sei se ela me viu parada ali ao pé de sua cama. Meu pai disse o nome dela, e Pat disse que a amava, mas seus olhos não se fixavam em nada. Era como se estivéssemos vendo uma porta se fechando. Queria dizer algo significativo, mas não consegui pronunciar nada antes que seus olhos se fechassem novamente. Trouxemos o aparelho de som para dentro do quarto e deixamos tocar "Suite: Judy Blue Eyes"[10] sem parar.

Foi quase um alívio vê-la ir embora.

Todas essas lembranças, além das coisas boas que aconteceram antes de ela morrer, ocupam a maior parte da noite. Assim que o sol se levanta, eu mudo de direção e imagino como as coisas poderiam ter sido diferentes se ela estivesse viva. Repasso algumas fotos antigas e as cartas que ela me escreveu assim que descobriu que estava doente.

Vejo tudo outra vez, e nunca, nunca durmo.

A vantagem é que posso me arrastar meio sonolenta durante todo esse dia, a data em que tudo aconteceu. Fico tão cansada que não preciso sentir nada. Isso significa que eu não vou chorar na frente de estranhos, não vou desmoronar. Isso faz com que as coisas continuem organizadas e em ordem.

•••

Quando eu desço para o café da manhã, meu pai já está sentado à mesa, olhando para seu jornal com um olhar vazio. Pat está comendo silenciosamente um pedaço de pizza fria em cima da pia. Bom, o mais silenciosamente que Pat consegue comer. O cara é um animal selvagem. É exatamente assim que o dia se passa. Nossa família barulhenta e maluca abaixa o volume o máximo que consegue.

Dou um abraço no meu pai, e isso o traz de volta à realidade. Ele bate no jornal e diz:

[10] Suíte de canções curtas composta por Stephen Stills e interpretada por Crosby, Stills & Nash.

— Encontrei um cupom para a loja. Desconto de 50 por cento numa torta de abóbora para o Dia de Ação de Graças.

O Dia de Ação de Graças costumava ser maravilhoso. Minha mãe me dava a responsabilidade de cuidar da caixa de receitas. Uma caixa de madeira que meu pai fizera para guardar todos os seus cartões de receitas. Eu separava todos aqueles que nós iríamos usar, todos grudentos e manchados de tanto uso. Era meu trabalho alinhar os produtos no balcão, para cada uma das receitas. Batata-doce cristalizada, açúcar, vagem ensopada, peru temperado com sálvia e manteiga, molho de cranberry e farofa de linguiça.

Nem é preciso dizer, não é mais assim.

Meu pai tentou e falhou miseravelmente ao recriar a refeição da família nos primeiros anos depois que minha mãe morreu. Todas as vezes foi um desastre, e ele se sentia mal por ter desperdiçado tanto dinheiro, e por perceber que não poderia sobreviver sem Judy. A coisa era tão horrível que começamos a comprar frango assado e legumes congelados. A única coisa que fazíamos em casa eram as batatas assadas, e, embora seja quase impossível estragar uma batata assada, ela nunca tem o mesmo gosto para mim.

De repente, meu pai começa a soluçar na mesa. Imagino qual lembrança ele está recuperando. E, como todo ano em que essa droga de aniversário cai num dia de semana, entre a segunda e a sexta-feira, eu detesto a ideia de passar o resto do dia longe dele.

Pior ainda, no próximo ano, eu nem estarei na Ilha Jar nessa época.

— Não estou me sentido bem — digo a meu pai, minha voz baixinha e meiga, como se minha garganta estivesse doendo. — Talvez eu devesse ficar...

— De jeito nenhum — diz ele, fungando.

— O quê? Vamos lá, papai. — Sei que eu não pareço doente, mas fala sério! — Eu nunca falto.

— Eu sei que você não falta, e é por isso que você vai à aula. Sua mãe nunca me perdoaria se você faltasse à aula por causa dela.

Abro a boca para continuar discutindo, mas Pat me olha firme. Ele está certo. Este dia é difícil para todo mundo, e eu não quero começar brigando com meu pai. Então, me arrasto de volta para o andar de cima, me visto e saio porta afora.

Uma coisa boa — acho que muitas pessoas não sabem que eu não tenho mãe. Pelo menos ninguém além da Sra. Chirazo. Não é como se eu fosse para a escola e todo mundo me tratasse diferente. E isso me deixa feliz, pelo menos assim eu não preciso lidar com os olhares de pena. No entanto, parte de mim imagina se Lillia se lembra. Se ela dirá alguma coisa. Ela não estava por aqui na época do funeral — a família dela ainda morava em Boston naquele tempo —, mas eles fizeram uma doação em nome da minha mãe para uma sociedade de pesquisa do câncer.

Passo por Lillia no corredor. Ela está conversando com Ash, e me vê e dá um sorrisinho, mas é o mesmo sorriso que recebo todos os dias. Nada diferente.

Tenho certeza de que falei de minha mãe a Mary, mas não lhe disse o dia exato em que ela morreu.

É estranho, embora eu esteja totalmente acostumada a passar esse dia sozinha, este ano de certo modo está pior.

Abro meu armário para guardar minha jaqueta. Tem uma margarida branca lá dentro, colocada no alto da minha pilha de tranqueiras.

Margarida era a flor favorita da minha mãe. Todo mundo colocou uma em cima do seu caixão antes de ele descer ao túmulo.

Eu me viro e olho para trás. Quem fez isso? Não foi Lillia. E não foi Mary. Ela não teria como saber isso.

Então, por um segundo, por um milésimo de segundo, vejo Rennie me espiando do canto do corredor. Nossos olhares se encontram.

No final de semana que minha mãe fez a sua última sessão de quimioterapia, ninguém teve muita vontade de celebrar. Ela fizera todos os tratamentos, apesar de as expectativas não serem muito promissoras.

Um mês antes, seu médico dissera algo do tipo "A decisão é sua, Judy". O que, na realidade, é a pior coisa que um médico pode dizer. Isso significa que nem mesmo ele tem muita esperança. Ainda assim, durante o jantar, nós discutimos em família se ela deveria ou não fazer o tratamento. Meu pai falou primeiro. Ele achava que ela deveria ir devagar, aproveitar o tempo que ainda lhe restava. Mas minha mãe olhou para mim e Pat e disse:

— Como eu posso não tentar?

Meu pai começou a soluçar. Todos nós choramos. Ninguém tocou na lasanha.

Minha mãe terminou seu último tratamento numa quinta-feira, e três dias depois Pat teve uma competição de moto em trilha. Era sua primeira competição de moto fora da ilha desde que minha mãe ficara doente. Geralmente, as corridas de Pat eram um acontecimento familiar, e Rennie iria também. Obviamente, minha mãe não seria capaz de ir daquela vez, e nem é preciso dizer que talvez ela nunca mais fosse. Pat prometeu a ela que lhe traria um troféu. Ele conseguiu não chorar na frente dela. Pat esperou até chegar à garagem para perder o controle.

Eu adorava ver meu irmão correr. Todas as outras famílias de corredores sabiam quem ele era, porque Pat era muito bom. Nós éramos como pequenas celebridades na trilha. Até quando eu ficava na fila para comprar um cachorro-quente os outros garotos me demonstravam respeito. Mas eu não ia apenas para animar Pat. Eu tinha uma tarefa também. Depois de cada aquecimento, eu limpava a moto de Pat até ela ficar brilhando e retirava toda a areia também. Seu capacete idem. Rennie tinha a tarefa de garantir que Pat tivesse sempre uma lata de Coca-Cola gelada.

Meu pai e Pat tinham carregado o trailer. Eu fui embalar um saco de trapos, e meu pai me puxou de lado.

— Katherine — disse ele, colocando as mãos nos meus ombros —, quero que você fique em casa desta vez. Garanta que sua mãe não sinta falta de nada.

Isso podia parecer óbvio, mas não foi para mim. Eu estava ansiosa para sair de casa, me afastar da Ilha Jar por uma tarde. Além do mais, tinha Rennie.

— Mas Rennie vai com a gente! Nós planejamos isso há semanas! Ela está esperando que a gente vá pegá-la.

— Desculpe, minha filha. Fica para a próxima vez.

Meu pai colocou rapidamente os remédios da tarde da minha mãe dentro de uma xícara de chá.

— Tenho certeza de que Rennie entenderá.

Liguei para Rennie, e ela realmente entendeu, embora eu pudesse perceber por sua voz que ela ficara desapontada. Fiquei olhando pela janela da frente enquanto meu pai e Pat se afastavam.

— Kat! Preciso de você!

Era minha mãe. O efeito colateral que nenhum de nós esperara é que ela ficou irritada como o diabo. Ela nunca se comportara assim antes. Tudo parecia incomodá-la. A maneira como a casa ficava bagunçada, o que meu pai preparava para ela comer, o cheiro que vinha do quarto de Pat. Eu sempre fora a queridinha da mamãe, seu bebê, mas nem eu fiquei imune. Ela surtou quando coloquei um suéter especial dela na máquina de lavar.

Honestamente, eu estava com um pouco de medo dela.

— Um segundo! — gritei para o andar de cima e depois disse a Rennie: — Você pode vir para cá? — Eu esperava que fosse óbvio na minha voz. Eu não queria ficar sozinha com minha mãe. Eu precisava de Rennie aqui, ao meu lado.

— Hum... — Eu podia ouvi-la trocar o telefone de um ouvido ao outro. — Na verdade, minha mãe precisa da minha ajuda para tirar uns papéis de parede. Desculpe. Ligo para você mais tarde.

Fiquei furiosa. Mas não com Rennie. Com minha mãe. Eu culpei minha mãe por fazer minha amiga não querer vir para cá, e não por Rennie ser uma droga de amiga. Eu me arrastei para o andar de cima. Mamãe estava na cama. Seus olhos mal se abriam. Ela arrancara todas as cobertas, e estava suando na cama.

— Você pode, por favor, desligar o aquecedor? Estou morrendo!

— Algo mais? — falei, insolente. Tão incrivelmente insolente.

— Não — disse ela. — Desculpe por atrapalhar você — continuou, triste, e eu sabia que essa era minha deixa para me desculpar. No entanto, em vez disso, saí do quarto e bati a porta com força.

•••

Culpei a pessoa errada. Não era minha mãe. Ela estava doente. Ela precisava de mim. Foi Rennie. Se ela tivesse sido uma amiga melhor, eu talvez tivesse tido mais paciência e cuidado melhor de minha mãe naquele dia. É realmente imperdoável.

Pego a margarida, aquela que Rennie colocou no meu armário, e a jogo na lata de lixo. Não sei se ela ainda está me observando, mas peço a Deus que ela esteja.

Capítulo 33

LILLIA

TERÇA-FEIRA, E ESTOU ATRASADA PARA SAIR DA ÚLTIMA AULA, PORQUE nossa prova demorou demais. Corro direto para a piscina, esperando encontrar Reeve na água, fazendo suas voltas. Mas a piscina está vazia, ele não está lá, então vou me sentar na arquibancada e mandar uma mensagem.

Sem piscina hoje? ☹

Nãoooo. Já terminei com isso.

???

Não posso falar agora. Estou trabalhando no escritório do meu pai.

Ahn. O que significa isso, que ele já acabou? Com o quê? Com a malhação ou comigo? Se não nadarmos hoje, não vou passar mais nenhum tempo sozinha com ele antes do feriado de Ação de Graças, porque amanhã só haverá meio período de aula.

Penso depressa. A única coisa que me resta fazer agora é ir direto ao assunto e perguntar-lhe o que ele quer dizer com isso. Demonstrar quanto me importo com ele.

Saio imediatamente da quadra atrás dele e dirijo direto para o escritório do seu pai. Não é longe da escola. É uma pequena casa colonial. Tem uma pequena placa preta e branca que diz: GERENCIAMENTO DE PROPRIEDADES TABATSKY.

A caminhonete de Reeve está estacionada na frente, não há outros carros. Viro meu espelho retrovisor e passo um pouco de brilho nos lábios, ajeito o cabelo. Então agarro minha bolsa, salto do carro e caminho até a porta.

Reeve está sentado atrás de uma mesa, há algumas chaves alinhadas à sua frente, e ele as está separando. Ele ergue os olhos e começa a dizer:

— Oi, posso ajudá-la?...

Seus olhos se arregalam quando ele percebe que sou eu.

— O que você está fazendo aqui?

— Fiquei preocupada quando você não apareceu — digo. Eu me aproximo dele, me encosto na beirada da mesa, e noto que ele não está mais usando a bota imobilizadora para caminhar. Seus dois pés estão com tênis. — Ah meu Deus! Você está sem bota!

— Sim. Foi nessa tarde, mais cedo. — Reeve continua separando as chaves, fazendo pilhas, sem olhar para mim. E ele não parece muito feliz com isso.

— Então por que essa cara? Nós deveríamos estar comemorando! Panquecas por minha conta. — Eu o cutuco de lado, para que ele finalmente me olhe. — Tinha certeza que seu trabalho duro iria compensar.

Ele diz apenas:

— Não compensou.

— O quê? O que você quer dizer com isso? — Reeve olha para a frente e diz: — Perguntei ao treinador se ele viria cronometrar minhas arrancadas hoje. Eu estava ansioso para mostrar a ele o progresso que eu estava fazendo na piscina, e imaginei que iria convencê-lo. Que ele me ajudaria a treinar e talvez fizesse algumas ligações por mim para os olheiros. Para dizer a eles que estou de volta aos treinos, que estou lutando para ficar em forma para quando os treinamentos da primavera começarem e para guardarem um lugar para mim no time. — Ele limpa a garganta, como se as palavras estivessem presas, e sinto meu coração apertado. — Bom, foi uma piada completa. Não estou nem próximo de onde costumava estar. Estou mais lento que a linha de defesa, e aqueles caras pesam mais ou menos 150 quilos, além do mais, não tem como eu me recuperar e voltar à minha melhor forma física em tão pouco tempo. Está acabado. Preciso enfrentar a realidade e descobrir o que vou fazer a partir de agora.

— Espere. Talvez você não consiga entrar nos programas principais, mas acho que ainda há algumas poucas faculdades da divisão III[11] — comento. — Que tal a Williams?

Ele sacode a cabeça.

— Não estou bom o bastante nem para uma equipe de treino, Lillia. Estou acabado. Meu traseiro não vai para faculdade. Não tenho bolsa de estudo de futebol. Vou ficar exatamente aqui na ilha.

Fico quieta e silenciosa enquanto ele tenta abrir com força uma gaveta do arquivo. Ela está emperrada, e ele a puxa com tanta força que as chaves que organizara se deslocam e se amontoam num canto. O rosto de Reeve fica vermelho, e parece que ele vai chorar, ou dar um soco na parede.

[11] Faculdades que não oferecem bolsas de estudo relacionadas a esportes.

— Droga! — grita ele.

Dou um pulo na minha cadeira, e ele sacode a cabeça.

— Desculpe — diz ele, e deixa escapar um som apertado. Ele está chorando. Reeve Tabatsky está chorando.

Não tenho certeza do que fazer. Rennie é tão boa para consolá-lo. Para dizer as coisas certas. Nunca fui muito boa em consolar pessoas.

— Não se desculpe — digo a ele. — Você não tem nada do que se desculpar.

Sou eu quem deveria pedir desculpas. No próximo outono Reeve deveria ser um deus do futebol numa das principais faculdades, tomando cerveja diretamente de um barril e saindo com várias garotas. Esse é o destino dele. Só de pensar em Reeve preso aqui na ilha, indo para a faculdade pública e morando na casa dos pais… é triste demais pensar nisso.

Reeve se afunda na cadeira, apoia a cabeça nas mãos e seus ombros começam a sacudir. Ele está soluçando como um garoto. Enquanto isso, fico com os olhos abaixados. De repente, ele fica quieto e diz:

— Você se lembra do que me disse na noite do Halloween?

Você merece tudo o que está recebendo, porque você não é uma boa pessoa.

Meu estômago revira.

— Reeve, eu estava…

— Não, você estava certa. Eu não sou uma boa pessoa, Lillia. — Ele enxuga os olhos com as costas das mãos. — Eu fiz uma coisa para alguém há muito tempo. Eu magoei muito uma pessoa.

— Quem? — Respiro fundo. Mary. Ele deve estar falando de Mary.

— Uma garota… Quanto mais eu penso nisso, mais acho que estou recebendo o que mereço, de modo que nem posso ficar chateado com isso. — Ele balança a cabeça. — De certo modo, é um alívio. Venho esperando há muito tempo esse castigo. Talvez... talvez seja isso. — Ele parece tão resignado. Tão desesperançado. O meu coração dói.

Apoio minha cabeça no ombro dele.

— Não fale assim — sussurro. É uma loucura, mas estou realmente me sentindo mal por ele.

Ele me deixa ficar sentada assim por um momento e diz:

— Você pode, por favor, ir embora?

Eu me sento ereta para olhar para ele, mas ele se recusa a me encarar. E é então que eu penso. Uma ideia. E antes mesmo de pensar mais profundamente sobre o assunto, estou dizendo a ele que tem um modo de consertar tudo isso.

— Nós temos um amigo da família. É filho de um dos colegas do meu pai. Ele é jogador de futebol. Não um *quarterback* famoso como você, mas ainda assim ele fez um ano a mais do Ensino Médio numa escola preparatória e ganhou um ano a mais para os recrutadores prestarem atenção nele. — Digo tudo isso supercalma, como se ele não estivesse chorando e não tivesse me dito para ir embora. — Você poderia fazer isso, Reeve. Se treinar bastante e suas notas melhorarem, aposto que conseguirá uma bolsa numa escola preparatória qualquer, e então as faculdades poderiam escolhê-lo na próxima primavera. Seria sua segunda chance.

Ele ergue a cabeça e seus olhos estão vermelhos.

— Eu disse a você, Cho. Eu não mereço uma segunda chance. Não sou bom. Você não deveria nem estar perto de mim.

— Eu não quero ouvir você falando desse modo — digo, zangada. Nunca pensei que me sentiria assim, mas talvez Reeve realmente mereça uma segunda chance.

Reeve parece espantado. Então diz:

— Por que uma escola importante me daria uma bolsa de estudos? Minhas notas não são boas o bastante para uma bolsa de estudos.

— Dã, você é um *quarterback* incrível. Se o time deles é uma droga, eles vão estar basicamente pagando a você para melhorar a escola deles. Eu posso pedir para meu pai conversar com o amigo dele e pegar mais informações. Essa poderia ser a sua saída.

— Não sei. Parece um tiro no escuro.

— Não desista de si mesmo, tudo o que você precisa é de mais tempo para se curar e ficar forte novamente. É claro, os treinos de primavera irão acontecer em alguns meses e talvez seja cedo demais pra você, mas e se você tivesse mais um ano para se recuperar? Talvez você não vá para uma escola com um grande time de futebol, mas pelo menos vai estar numa faculdade de verdade e não na faculdade pública da Ilha Jar. — Reeve abre a boca, mas, antes que ele possa responder, eu o seguro pelo colarinho. — Me ouça, ok? Vale a pena tentar. Vou ajudá-lo a estudar, se é isso que o preocupa.

Reeve quase sorri, o que me faz sentir bem.

— Ah, é mesmo? E isso é muito generoso da sua parte, Cho. Mas, só para você saber, não sou nenhum troglodita, eu sou um cara bem inteligente.

— Nem por um segundo imaginei que você fosse burro — digo-lhe, soltando seu colarinho e alisando-o. Então, como se estivesse tudo decidido, digo: — Amanhã, vou marcar uma hora com o senhor Randolph para ver o que ele sabe sobre esse tipo de coisa. Ele deve ter algum tipo de contato com as escolas preparatórias, acho até que ele estudou em uma. Então, é melhor se inscrever para a prova do SAT de dezembro.

— Eu já fiz o SAT — responde Reeve. — Minha pontuação foi ótima.

— Ótima? — repito. Olho para ele de jeito duvidoso.

— Sim. Foi tão fácil que em certa altura abaixei minha cabeça e tirei uma soneca. Acho que estava de ressaca naquele dia.

— Bom, e qual foi sua pontuação? — pergunto.

— 1.920.

Ah. Isso é muito bom. Já fiz essa prova três vezes, e só na terceira tentativa cheguei a uma pontuação de 2.100. Então, Reeve é inteligente. Ele realmente tem chance de ir para a universidade.

— Faça a prova mais uma vez. Se você pontuou tão bem sem estudar, imagine se se esforçar um pouco?

Digo a mim mesma para não me sentir culpada por ajudá-lo. Se eu conseguir consertar isso, se conseguir fazer com que ele consiga sua bolsa de estudos... tudo terminará do jeito que a gente imaginou. Mary terá sua vingança, e Reeve conseguirá ir para a faculdade.

Bato palmas, no estilo animadora de torcida.

— Então, primeiro, nós arrumamos essas chaves, e depois vamos para a biblioteca. E se você fizer um bom trabalho, ganhará um lanchinho depois.

Reeve sorri de verdade dessa vez.

— Você é um figura, Cho. Sabia disso?

Devolvo-lhe o sorriso, petulante.

— Ah, pode acreditar. Eu sei.

Capítulo 34

MARY

Estou andando quase como uma sonâmbula enquanto me arrasto pelo corredor para a aula de inglês. Meus olhos mal se mantêm abertos. Fiquei acordada até muito tarde na noite passada para terminar de ler *A letra escarlate* para a discussão de hoje. Na verdade, sou tímida demais para falar na sala de aula, mas a Sra. Dockerty adora chamar os alunos ao acaso, especialmente os mais quietos.

Eu deveria ter lido algumas páginas por noite, mas é claro que deixei tudo para o último minuto. É uma história muito triste, e não posso dizer que tenha gostado. Ela me tocou de um jeito especial. As cicatrizes que Hester carregou durante toda a sua vida, a culpa e a vergonha que sentiu embora não fosse culpa sua. E quando ela morre no final, eu caí em lágrimas.

Desnecessário dizer que não foi uma leitura divertida.

Não tenho sentido muita vontade de fazer nada desde que vi Reeve e Lillia juntos na piscina. Eu deveria estar feliz. Isto deveria estar me ajudando a seguir em frente.

Mas não está.

Atravesso a porta da sala de aula. Sou a primeira a chegar, o que é estranho, especialmente porque minha última aula foi do outro lado da escola, e parece que todo mundo está contando os minutos para que o recesso de Ação de Graças comece logo. Nem mesmo a Sra. Dockerty chegou. Ela provavelmente está no banheiro, ou fazendo alguma outra tarefa. Jogo-me na cadeira, apoio minha cabeça na mesa e fecho meus olhos por um minuto.

Acordo sobressaltada, meu rosto está colado na capa do livro. Levanto a cabeça lentamente, tentando imaginar quanto tempo fiquei apagada. De repente, a classe está cheia e todo mundo está sentado em seu lugar. Mas a Sra. Dockerty não está lá. Em vez disso, há um homem sentado na mesa dela. Acho que vamos ter um substituto. Limpo rapidamente minha boca e pego meu livro.

— O que acham da decisão do Bartleby[12] de nunca sair do escritório? Vocês simpatizaram com ele ou ficaram frustrados?

Um punhado de mãos se levanta. Olho de relance para o exemplar do meu livro. Não me lembro de um escritório em lugar nenhum de *A letra escarlate* ou de algum personagem chamado Bartleby. Será que não li direito?

O substituto chama um dos meus colegas de classe que diz:

— Eu achei irritante. Se você não está feliz trabalhando num lugar, por que ficar lá?

Outro garoto do lado oposto da sala diz:

[12] Bartleby é um personagem do conto "Bartleby, o Escrivão", do escritor norte-americano Herman Melville. (N.E.)

— Ele está infeliz, mas não sabe como consertar as coisas. Ele está paralisado. Não sabe para onde ir. A vida no escritório é tudo que ele tem. Sem isso, ele não é nada.

Esse garoto nem espera ser chamado. O que é uma loucura. A Sra. Dockerty é muito rígida nessa questão de falar sem ser chamado.

O substituto acena com a cabeça, satisfeito. Ele salta de sua mesa e dá uma pilha de papéis para cada fileira de carteiras.

Assim que ele se levanta, vejo uma coisa na sua mesa. É uma placa de bronze. Está escrito SENHOR FRISSEL.

Ah Meu Deus. Estou na classe errada.

Percebo isso quando os papéis são passados para mim. O garoto sentado à minha frente se vira.

É David Washington, o garoto que beijei na noite do Halloween.

— David — digo antes de conseguir me segurar.

Ele não me responde.

Talvez porque ele não me reconheça sem a maquiagem ou o cabelo selvagem.

Não, é pior. Ele se levanta da cadeira e entrega os papéis à garota que está sentada ao lado, como se eu nem estivesse ali.

Eu me levanto de repente.

— Eu... eu cometi um engano — anuncio. Pego minhas coisas e corro porta afora. Mas não para a aula a que eu deveria ir. Por tudo que é mais sagrado, eu nem me lembro mais qual é. Então volto direto para casa. Afinal, hoje só tem meio período de aula.

Quando chego lá, ainda estou chateada, tanto que minhas mãos estão tremendo quando apoio minha bicicleta na lateral da casa. Só uma luz está acesa lá dentro, na pia da cozinha, o restante dos cômodos está escuro, como o céu.

Escuto uma batida na frente da casa. Espio pelo canto e vejo duas mulheres da Sociedade de Preservação da Ilha Jar com sorrisos falsos estampados nos rostos. Elas já vieram aqui antes, sempre sem serem convidadas. Eu já sei que Tia Bette não irá atender à porta.

Eu estava em casa na primeira vez que elas vieram. Ficamos paradas juntas no umbral da porta, enquanto elas recomendavam paisagistas que poderiam vir ajudar a limpar o pátio ou deram o nome de um faz-tudo que poderia substituir as telhas quebradas, de modo a "manter a integridade original" da casa.

Claro, nossa casa não está em ótimas condições. Não se comparada às outras casas do quarteirão. Essa parte da Ilha Jar tem as casas mais antigas, quase todas são consideradas oficialmente patrimônio da ilha. E algumas pessoas levam muito a sério essa designação, tentando garantir que cada detalhe seja original do período e que, para qualquer reforma que se fizer, deve-se usar material especial idêntico ao que foi usado naquela época, como ardósia e cedro.

Mas casas antigas precisam de muita manutenção, e isso nunca foi o forte de tia Bette. Meu também não. O lugar todo precisa de uma nova demão de pintura. Um dos degraus de madeira da frente está completamente corroído. E, sim, nosso pátio recebe todas as folhas mortas do nosso enorme carvalho, porém eu não vejo qual o problema. O chão agora está coberto de neve, e ficará assim até março.

Sem mencionar que todas essas coisas não estão prejudicando ninguém. E não é problema delas, mesmo que queiram tornar isso um marco histórico. Esta é a nossa casa, parte da família Zane desde que a Ilha Jar começou a existir. Eu vejo as duas senhoras retrocederem lentamente em seus passos.

Mas, como todo problema com o qual a gente não quer lidar, elas acabarão voltando. Nós vamos ter de fazer alguma coisa a respeito disso, do contrário, elas ficarão vindo aqui sem parar.

Planejo conversar sobre isso com Tia Bette, enquanto passo pela porta dos fundos. Contudo não faço isso porque ela está falando ao telefone.

— Ela fica chateada o tempo todo. Não acho que ela entenda. Não tem como argumentar com ela. Tentei dizer a ela para não focar neste garoto, Reeve. Nunca lhe contei sobre isso antes porque ela me fez jurar... — Tia Bette faz uma pausa. — Não, claro que não. Você não precisa vir. Está tudo sobre controle.

Ai, meu Deus, ela está conversando com minha mãe sobre Reeve. Eu corro pela sala, paro bem em frente a ela e a encaro furiosa. Tia Bette fica com os olhos arregalados. Ela fica surpresa em me ver em casa a essa hora do dia.

— Erica, eu... eu tenho de desligar. — E então ela desliga.

— Não posso acreditar que você fez isso. Você me prometeu que guardaria segredo!

Tia Bette cai sentada na cadeira e começa a esfregar a testa.

— Que diferença isso faz agora?

Eu me ressinto totalmente pelo modo exasperado como ela está agindo. Como se a minha própria presença fosse uma cobrança.

— Você está falando sério? Eu confiei em você — digo secamente. — E chego em casa para encontrar você falando de mim pelas minhas costas? Como você acha que me sinto?

Tia Bette dá de ombros.

— Eu já desisti de tentar imaginar como você se sente, Mary. Estou fora disso.

Eu aponto o telefone.

— Isso não quer dizer que está fora disso! — Estou tremendo de raiva. — E agora vou ter de explicar tudo para eles no Dia de Ação de Graças.

— Seus pais não estão vindo para o Dia de Ação de Graças.

— Por quê?

Ela me olha e diz:

— Sua mãe não tem boas lembranças deste lugar. — Ela diz isso num tom mordaz, e acho que mereço, mas, mesmo assim, sou pega desprevenida.

— Ligue de novo para a minha mãe. Ligue para ela e diga que está tudo bem, que eles deveriam vir para o Dia de Ação de Graças. Fale para eles que estou bem.

Tia Bette se levanta:

— Nada a deixaria mais feliz, do que saber que sua filha está bem, porém receio que nós duas sabemos que isso não é exatamente verdade.

• • •

Depois do desastre da minha festa de aniversário de 13 anos, quando o único garoto da minha sala que apareceu foi Reeve, meus pais ficaram muito preocupados. Preocupados e sufocantes.

Papai teve a ideia de me dar outra festa de aniversário, como se a primeira nunca tivesse acontecido. Essa nova festa seria em algum lugar no continente. Ele colocou na cabeça que a travessia da balsa era muita coisa para pedir às pessoas. Ele se recusou a acreditar que ninguém veio porque ninguém queria estar ligado a mim. Ele sugeriu casualmente que nós fizéssemos uma festa mais madura, mais legal para um grupo de adolescentes. Ou patins ou um jogo de boliche.

Disse a ele que definitivamente não.

Minha mãe quis começar a me acompanhar na travessia da balsa, na ida e volta da escola. Ela disse que seria divertido. Ela traria um jornal ou livro, eu nem precisaria conversar com ela se não quisesse. Nós ficaríamos sentadas em silêncio, uma ao lado da outra, e apreciaríamos a paisagem. Eu recusei, é claro. A travessia da balsa era o meu único momento com Reeve. E era o único momento em que eu era feliz.

Quando estava com eles, eu fazia um esforço para não comer demais na hora do jantar, e eles ficavam chateados quando eu dizia, por favor, não me sirvam muita massa.

Eles estavam tentando tanto que acabavam deixando as coisas piores. Comecei a me encolher para dentro de mim mesma. Eu não queria ficar perto dos meus pais nem fazer as coisas legais que a ilha tinha a oferecer nos finais de semana. Eu detestava perceber que eles estavam tentando tanto acertar as coisas para mim. Eu não tinha conserto. Nada que eles pudessem fazer. E eu detestava vê-los magoados. Queria protegê-los do sofrimento. Eu podia suportar. Mas não queria vê-los sofrer.

E o pior de tudo foi quando eles bateram na porta do meu quarto uma noite bem tarde. O semestre terminara na escola Montessori. Eu trouxera para casa um boletim horroroso. Nunca antes tivera notas tão ruins.

Meu pai se sentou na minha cama e minha mãe se apoiou na minha mesa.

— Você tem algum interesse em mudar de escola? — perguntou ele.

— Você poderia estudar aqui em Middlebury. Você não precisaria mais fazer a travessia da balsa. Você poderia ter um novo começo — acrescentou minha mãe.

Neguei com a cabeça veementemente.

— Eu não quero mudar de escola.

Minha mãe concordou imediatamente, fixando um sorriso brilhante no seu rosto.

— Ou a gente pode se mudar. Seu pai e eu sempre conversamos sobre voltar para o continente algum dia. Imagine só nos domingos à tarde um passeio pelo museu de arte, piqueniques no parque.

— Não quero mudar de escola! — afirmei, num tom mais alto.

Meu pai fez um carinho na minha perna. Havia lágrimas nos olhos dele.

— Nós queremos que você seja feliz. É só isso que queremos.

— E tudo o que eu quero é ficar na Montessori — disse eu. Com Reeve.

Caio na cama e fico olhando para o teto. Repetidas vezes. E escolho Reeve acima de qualquer outra coisa ou pessoa. E é sempre a escolha errada. É como se minha vida fosse um disco riscado, e, embora soubesse o que iria acontecer, não fosse capaz de pular o risco.

Capítulo 35

LILLIA

Nadia e eu estamos deitadas no sofá vendo TV, e minha mãe está ao computador, trabalhando na sua planilha do Dia de Ação de Graças. Será um pequeno jantar de Ação de Graças este ano. A família do irmão do meu pai virá de Nova York, e nossa avó da Califórnia também deveria vir, mas decidiu de última hora que não quer tomar um avião, o que deixou minha mãe bem chateada. No próximo ano, ela fica repetindo, nós vamos para a Califórnia.

Algumas vezes nós convidamos Rennie e a mãe dela para o jantar. No ano passado, foi muito esquisito porque a Sra. Holtz não parava de paquerar o amigo divorciado do meu pai que também trabalha no hospital. Rennie me perguntou depois se eu achava que a mãe dela tinha alguma chance com ele, eu não sabia como lhe dizer que ele só namorava garotas de 20 anos e com cara de modelo. Imagino o que Rennie e sua mãe estão fazendo este ano.

— Podemos ter purê de batata-doce este ano, em vez de caçarola de batata-doce? — Nadia pergunta.

— Você adora caçarola de batata-doce — protesta minha mãe.

— Todo aquele creme, manteiga e açúcar? — Nadia estremece. — Rennie disse que é gordura pura.

— Você só come caçarola de batata-doce uma vez por ano — digo a ela. — Você vai sobreviver. Além do mais, a mamãe já encomendou.

— Acho que nossa família deveria adotar uma alimentação mais saudável — diz Nadia, levantando os ombros.

Minha mãe dá um suspiro.

— Eu posso ver se não é tarde demais para trocar — diz ela, e sai para ligar para o bufê.

— Obrigada, mamãe! — grita Nadia para as costas dela.

— O que Rennie *vai* fazer no Dia de Ação de Graças? — pergunto sem demonstrar muito interesse.

Nadia faz um movimento para pegar outra almofada.

— Ela vai jantar com o namorado da senhora Holtz e o filho dele. Ela diz que Rick tem um amigo que é um chef famoso e vai cozinhar para eles.

Reviro os olhos. Rick tem uma lojinha e mora num apartamento de um quarto bem acima dela. Ele é um cara legal, mas não consigo imaginá-lo saindo com chefs famosos. Isso parece invenção.

— Quando foi que Rennie lhe contou isso?

— Ela me deu uma carona para casa ontem, porque você estava na biblioteca — diz Nadia.

Eu não gosto nem um pouco do modo como Rennie está se aproximando de Nadia. Ela já ligou duas vezes aqui em casa pedindo para falar com Nadia sobre as fotos do anuário ou sobre outra coisa. Eu a conheço. Ela está fazendo isso para me irritar.

Cutuco o pé de Nadia com o meu.

— Não leve muito a sério as coisas que a Rennie diz. Às vezes ela fala besteira só para ter o que dizer.

Com os olhos arregalados, Nadia pergunta:

— Vocês brigaram?

— Não, nós só estamos meio afastadas.

— Mas aconteceu alguma coisa — pressiona Nadia. — Para fazer vocês duas terem se afastado.

— Por quê? — pergunto, pensando na nossa briga no cemitério. — Por acaso Rennie lhe disse alguma coisa? — Ela não ousaria.

Nadia hesita por um milésimo de segundo e então sacode a cabeça.

— Nadia!

— Ela não disse nada — insiste Nadia. — Mas eu notei que vocês duas não têm saído muito juntas.

— Bom, não aconteceu nada de específico. Somos pessoas diferentes, nada além disso.

Nadia absorve isso.

— Sim. Acho que isso é verdade. Rennie... é tão esfuziante. Ela faz tudo parecer... um grande acontecimento. Eu nem sei ao certo como descrevê-la.

Eu franzo a testa e olho para ela.

— Se Rennie é tão esfuziante, então o que eu sou?

— Você também é divertida, mas de um jeito diferente — apressa-se em dizer.

Não digo nada, mas continuo a pensar nisso por horas a fio. Sou chata se comparada a Rennie? É verdade que sou mais cautelosa que ela, e não costumo ser o centro das atenções nas festas do modo como Rennie e Reeve são. Mas se eu era tão chata assim, como ela pôde ter sido minha melhor amiga por todos esses anos? Porque não há nada que Rennie deteste mais que ficar entediada.

Detesto o fato de Nadia colocá-la em tão alto pedestal. Como se ela enxergasse Rennie como uma força magnética da natureza, e eu sou a irmã mais velha certinha.

Se Nadi imaginasse as confusões em que me meti este ano, ela não me acharia tão chata assim.

Minha mãe sempre tenta fazer com que a gente se arrume bem para o Dia de Ação de Graças. Ela diz que se comermos essa refeição sofisticada usando simples moletons, ela não será tão especial assim. Nós concordamos para fazê-la feliz. Nadia está usando um vestido xadrez verde sem alças, com uma saia bufante e um cardigã por cima. Eu estou com uma minissaia de malha lilás e uma blusa transparente passado por dentro da saia. Meu pai está usando camisa de manga longa e calça social. Minha mãe está com um vestido bordô de gola alta e um bracelete largo de ouro. Faço uma nota mental para mais tarde pedir emprestado esse bracelete para levá-lo comigo para a faculdade.

Os adultos estão bebendo o vinho que meu tio trouxe, e nós, crianças, estamos na sala de TV. Temos dois primos do lado do meu pai — Walker, que tem a idade de Nadia, e Ethan, de dez anos. Nadia e Walker são bem próximos, mesmo não se vendo com frequência. Ethan é um moleque, mas não é culpa dele. Seus pais estão sempre dizendo o quanto ele é maravilhoso, porque ele é um prodígio do violino.

— Como está Phantom? — pergunta Walker a Nadia, enquanto ajeita seu fone de ouvido. Estamos todos deitados no sofá, e Ethan está jogando no celular.

— Ele está ótimo! Eu vou montá-lo no mês que vem. — Nadia passa queijo num biscoito e o leva a boca. — Ele é o melhor cavalo do mundo.

Eu a cutuco com meu pé.

— Não se esqueça de quem é a dona dele.

— Você já quase não cavalga nele — diz Nadia. — Ele é praticamente meu agora. Aposto que ele nem mesmo a reconhece mais.

Eu a olho com o cenho franzido.

— Eu fui lá semana passada! — Ou foi na semana anterior? Ela está certa. Sou uma mãe de cavalo ausente. Eu tenho estado tão ocupada com a natação, com Reeve e com minhas inscrições para a universidade que acabei negligenciando Phantom por completo. Amanhã. Irei até lá amanhã e vou levar um saco inteiro de minicenouras para ele, e passar a tarde toda o escovando.

— Em breve, você irá para a faculdade, e ele será todinho meu! — Nadia finge dar uma gargalhada, e Walker dá uma risadinha.

— Você está certa — digo. — Você terá de tomar um cuidado extra com ele quando eu for embora.

— Eu já faço isso — diz Nadia, colocando outro biscoito na boca.

O jantar dura uma eternidade, com todo mundo fazendo brindes e os pais se vangloriando dos filhos. Meu pai diz para todo mundo que eu tenho grande chance de ser a oradora da turma, então, se isso acontecer de fato, eles terão de voltar para assistir ao meu discurso de formatura. Eu tenho de corrigi-lo e dizer que farei apenas um dos discursos de abertura, e que nem isso está garantido ainda. Meu tio começa a me questionar sobre as universidades para as quais estou me inscrevendo.

— Boston College — digo. — Wellesley. Talvez a UC Berkeley.

Meu pai franze a testa.

— Berkeley? Nós nunca conversamos sobre Berkeley.

Como uma garfada de peru e farofa para ganhar um pouco de tempo. Quando termino de comer, explico:

— Tenho pensado sobre isso.

Felizmente, minha tia me salva fazendo elogios a Ethan, contando como ele ganhou uma competição de violino, e que talvez faça uma apresentação na Juilliard.

Depois do jantar, todo mundo está confortavelmente sentado assistindo a um velho filme em preto e branco na sala de TV. Estou sentada ao lado do meu pai no sofá, ele está com os braços à minha volta, e eu estou com a cabeça apoiada em seus ombros. É tão bom tê-lo em casa.

Estou com meu telefone no colo e, quando ele vibra, eu quase dou um pulo. É uma mensagem de Reeve. Meu pai tenta ler por cima do meu ombro, mas eu corro para a cozinha. A mensagem diz: *O que você está fazendo*? Respondo: *Vendo TV com a minha família*. Ele responde de volta: *O mesmo. Quer vir para cá?*

Leio a mensagem várias e várias vezes. Será que ele quer dizer para eu ir até lá assistir TV com nossos outros amigos? Ou será que ele quer dizer para assistirmos TV só nós dois, sozinhos no quarto dele?

Eu mando uma mensagem de volta: *Quem está indo*?

E ele responde: *Só você.*

Nossa. Imagino se a família dele pensará que sou a namorada dele.

Quando meu pai entra na cozinha para pegar mais água, eu peço a ele:

— Papai, posso sair com meus amigos hoje à noite? — Não digo a ele que estou indo à casa de um garoto, e que ele vai ser o único amigo que estará lá.

Meu pai pensa por um segundo.

— Você vai levar Nadia e Walker com você?

— Hummm. Não.

— Então minha resposta é não — diz ele.

— Papai! — Faço uma careta para ele. Minha mãe teria dito sim. Eu não deveria ter pedido a ele.

Sacudindo a cabeça, ele responde:

— Resposta final, Lilli. É Dia de Ação de Graças, e sua família só está na cidade por algumas noites. Venha se sentar e assistir ao filme com a gente.

— Daqui a pouco — digo num tom mal-humorado. — Tenho de dizer aos meus amigos que não vou.

Então é isso que eu escrevo, e fico esperando na cozinha até Reeve me mandar uma mensagem, mas ele não o faz.

Capítulo 36

MARY

Eu nem me importo em me arrumar para o Dia de Ação de Graças. Também não desci ao andar de baixo para perguntar a tia Bette se ela precisava de ajuda na cozinha.

Mas é lá que eu a encontro agora. Na pia, preparando os pratos para o jantar de Ação de Graças.

Ou deveria dizer a *falta* de pratos.

Nunca esperei que Tia Bette fosse preparar um peru, pois ela é vegetariana. Passar o Dia de Ação de Graças com ela geralmente significa comer um monte de pratos de legumes. Purê de abóbora, vagens com amêndoas, beterrabas assadas e sopa cremosa de cogumelos. Mas esta noite ela só preparou uma salada. Para si mesma.

Ela passou o resto do dia no sótão. Pintando. Sozinha.

— Bom, acho que não tem sobras — digo, sarcástica.

Tia Bette congela. Depois de um segundo, ela deixa a vasilha cair na água ensaboada. Então, ela gira o corpo para me olhar de frente. Posso perceber que ela também está brava.

— Eu não fiz um monte de comida, Mary, porque você não come.

Isso me magoa, o fato de ela falar assim. Este dia deveria ser um dia de agradecimentos, de estar junto da família. Está tudo errado.

Afundo-me numa das cadeiras da cozinha

— Meus pais deveriam ter vindo. Não sei por que eles estão me punindo deste modo. Eles nunca me ligam. Nunca. — Tia Bette morde os lábios, como se quisesse me dizer alguma coisa, mas se contém. — O quê? Eles disseram alguma coisa?

Será que eles ligaram e Tia Bette não me tem dado os recados?

Ela suspira, e posso perceber que está escolhendo as palavras cuidadosamente.

— Não tenho certeza, Mary, mas se tivesse de adivinhar, diria que sua mãe ainda está chateada por você ter partido.

— Eu não fiz isso para magoá-los!

— Talvez não tenha feito, mas eles ficaram magoados. Você é a única filha dela, Mary. Ela faria qualquer coisa por você! Eu costumava brigar com seus pais dizendo que eles a mimavam demais. Eles davam tudo o que você pedia. Eu dizia que isso não era bom para você. E eles não me escutaram. Eles se esforçavam ao máximo para dar tudo que você queria. Então, você acha que pode culpar sua mãe por sentir sua falta? Você era o mundo dela! — Ela se vira de costas, provavelmente porque não consegue me encarar.

— Mas eu tenho melhorado. Desde o Halloween. Desde que você retirou aquelas coisas estranhas e parou com aqueles feitiços esquisitos. — Digo isso, embora não seja realmente verdade.

Eu não tenho surtado mais, é claro, mas outras coisas estranhas têm acontecido.

Tia Bette olha para mim com pena e murmura.

— Você não sabe do que é capaz, sabe? Você nem sabe o que você é.

Um tremor percorre minha espinha.

— Então me diga! Diga o que eu sou! Você está me deixando apavorada!

Tia Bette se encolhe.

— Você precisa se acalmar.

— É você que está me deixando abalada.

Tia Bette vai para seu quarto. Eu a sigo, mas ela é rápida demais. Ela entra no quarto e bate a porta.

— Vá para o seu quarto, Mary! — grita através da porta. — Vá para o seu quarto e tente se acalmar.

Faço exatamente o contrário. Eu saio na noite.

A Avenida Central está completamente deserta. Todas as lojas estão fechadas, a não ser o cinema. Algumas delas já estão decoradas para o Natal. Vejo pessoas saindo do cinema, paro ao lado das portas duplas e as observo. Será que não sou realmente como elas? Será que não sou normal?

Talvez alguma coisa tenha acontecido comigo quando estive no hospital durante todo aquele tempo. Mesmo querendo, não consigo me lembrar. Será que fizeram alguma coisa comigo enquanto eu estava internada lá? Terapia de eletrochoque ou coisa pior? Algum tipo de experimento ou droga que mexeu com a minha cabeça?

E então vejo Reeve e Rennie saírem do cinema. Ele está caminhando atrás dela, com os braços erguidos e as mãos passadas por trás do seu pescoço, e ela está rindo.

— Reeve, eu disse que esse filme era uma droga! Você está me devendo outro filme.

Ele agita um dedo no rosto dela.

— Não, não. Você ainda estava me devendo um por conta daquela comédia que me fez assistir no verão.

— Então, estamos quites — diz ela. E dá um beijo no rosto dele.

Eu fico parada ali, imóvel, enquanto eles se encaminham até a rua onde a caminhonete de Reeve está estacionada. Ele abre a porta dela primeiro, então vai até o outro lado destrancar a dele. Como um cavalheiro. Não posso acreditar no que estou vendo. Será que Reeve está enganando Lillia como ele fez comigo?

Sinto a raiva e o ciúme crescerem dentro de mim. Em vez de ficar assustada, eu decido tentar me concentrar. Já passei tempo demais tentando ignorar o que há dentro de mim. Tentando esconder. Se existe alguma coisa acontecendo dentro de mim, se há alguma verdade no que tia Bette está dizendo, eu preciso saber.

Olho fixamente para a trava da porta de Reeve. Eu a olho com firmeza e me imagino pressionando-a para baixo. Reeve luta tentando girar a chave. Ele não consegue abrir a porta.

— Ren — chama ele através da janela —, acho que a chave está congelada.

Rennie escorrega pela cabine, passa para o banco do motorista e tenta abri-la pelo lado de dentro.

— Não consigo — resmunga ela.

Reeve tenta girar a chave novamente. Dessa vez, sinto a força desse movimento lutando contra mim. Meu peito está queimando. É como se eu estivesse lutando. Estou perdendo. Sinto que estou perdendo. Então subitamente a trava cede.

Caio exausta contra a parede. Tia Bette estava certa. Não sei do que sou capaz. Pelo menos por enquanto.

Capítulo 37

KAT

A PRIMEIRA COISA QUE FAÇO NA SEGUNDA-FEIRA DE MANHÃ É IR ATÉ A sala da Sra. Chirazo. Bom, primeira coisa depois de ter ido à sala de computadores. Estou com uma pilha de folhas brancas e quentes na minha mão.

— Oi — digo, fechando a porta atrás de mim.

Ela ergue o olhar espantada, segurando o cabo de uma chaleira elétrica que está ligada na parede.

— Oi, Katherine, está tudo bem? — Ela faz um sinal para eu me sentar numa cadeira vazia.

Acomodo meu traseiro no braço da poltrona e deixo meus papéis na mesa dela.

— Fiz um rascunho de uma nova redação. Desculpe, mas eu não tinha um grampeador nem nada. — Vejo um no armário dela e então o pego.

A Sra. Chirazo se ilumina.

— Isso é sobre...

Aceno com a cabeça, afirmando.

— Mas não quero discutir isso no grupo.

Foi bastante difícil escrever sobre isso sozinha no meu quarto. Eu chorei o tempo todo e fiquei tão receosa de pensar em alguém, especialmente Alex, lendo isso, que senti náuseas.

A questão é a seguinte: minha mãe na verdade entrou em Oberlin, mas ela nunca pôde ir para lá porque não tinha dinheiro para arcar com os custos. Se eu conseguir entrar lá, será como estar realizando o sonho de nós duas. Transformando nossos sonhos em realidade. De certo modo, as coisas ficam meio bregas se colocadas nesses termos, mas é verdade. E, ao final disso, quero sair da ilha e ir para Oberlin com uma bela bolsa de estudos, então vou fazer tudo o que for preciso e o que a Sra. Chirazo pedir. E eu já me convenci de que isso não é como vender a minha mãe morta para entrar lá. Ela gostaria que eu fizesse o que quer que fosse preciso.

— Talvez eu tenha exagerado um pouco em alguns momentos — digo. — E ainda não tenho certeza de que vou usá-la. Mas gostaria de saber a sua opinião antes de encaminhá-la esta semana.

Ela concorda com a cabeça.

— É claro, vou tentar ler até o final do dia.

— Não se apresse. Tudo bem — digo, mas estou satisfeita. Eu me levanto. — Obrigada, senhora Chirazo.

Capítulo 38

MARY

O ENSAIO DO CORAL ACONTECE NUMA SALA SEM JANELAS, EXATAMENTE atrás do nosso auditório. As paredes são de um branco reluzente e completamente à prova de som, e a porta faz um barulho estranho de sucção todas as vezes que é fechada. Conforme entramos, tudo é tão claro que parece um sol artificial.

O Sr. Mayurnik, o diretor do coral do Ensino Médio, está sentado ao piano vertical. Assim que os alunos passam pela porta, ele começa a tocar um pouco de jazz, uma melodia cadenciada, batendo nas teclas com tanta força que parece que o ar está vibrando.

— Bem-vindos de volta, perus! — grita ele, enquanto nos sentamos. — Vocês sobreviveram à matança!

Ele quis fazer uma piada, mas é exatamente assim que o Dia de Ação de Graças parece ser. Cem por cento.

Parece que todo mundo está se arrastando hoje. Nosso primeiro dia depois do recesso de Ação de Graças. Sei que também estou assim. Mas não tenho aquela sensação feliz de ter comido e dormido demais. Na verdade, me sinto vazia e esgotada. Acho que é porque a sacola de livros às minhas costas parece pesada demais, embora eu esteja carregando os mesmos livros de sempre.

Passei o resto do feriado praticando. Vendo o que eu conseguia fazer. Será que eu posso fazer aquele lápis rolar por aquela mesa? Sim. Mais ou menos. Será que posso fazer o vento soprar? Não. E quanto às cortinas do meu quarto, será que consigo fazê-las esvoaçar sem tocar nelas?

Às vezes.

Sinto-me maluca por fazer esse tipo de coisa, e por estar aqui agora, de volta à escola, como todos os outros.

Eu não sou igual a todo mundo.

Um maço de folhas fotocopiadas de canções foi distribuído em cadeiras alternadas. Elas têm uma capa de papel verde com motivos natalinos estampados — folhas de azevinho, boneco de neve, presentes embrulhados com laços, pirulitos coloridos. Praticamente todas as minhas coisas favoritas. Penso se sou capaz de discretamente bagunçar as páginas, ou qualquer outra coisa, mas me contenho. Tenho que tomar cuidado com esse segredo. Ninguém pode saber. Nem mesmo Kat e Lillia.

Especialmente Kat e Lillia.

O que elas diriam se eu lhes contasse? Será que ainda quereriam ser minhas amigas? Se é assim que as coisas têm de ser, vou manter esse segredo para sempre. Minha amizade com Kat e Lillia é a única coisa boa que tem me acontecido nos últimos tempos. Mas vou contar a elas sobre o que vi, sobre Rennie e Reeve juntos.

Pego uma cadeira onde normalmente me sento, na última fileira. Alex chega alguns minutos antes de o sinal tocar e se senta na frente. Quando o semestre se iniciou e eu percebi que Alex estava fazendo esta aula também, pensei em largá-la, por medida de segurança. Mas não acho que ele saiba quem eu sou, além de aquela garota que ele às vezes vê ao lado de Kat ou batendo papo com Lillia. Ele nunca falou comigo.

Depois do sinal, o Sr. Mayurnik se levanta e fala conosco por cima do piano. Ele é alto e tem ombros largos, uma cabeça careca reluzente e um bigode prateado que o faz parecer uma morsa. Suas gravatas sempre estampam um tema musical: teclas de piano, cordas de violino, notas musicais.

— Muito bem, senhoras e senhores. De agora em diante vocês não são mais perus. Agora vocês serão pequenos duendes. Não duendes de *Natal*, prestem atenção, porque esta é uma celebração laica sem denominação, ditada pela justiça. — Ele suspira fundo. — Nós deveríamos estar ensaiando essas canções há muitas semanas, porém os idosos da cidade queriam aprovar os folhetos com as canções, e vocês sabem como as coisas se movem rapidamente no mundo da política. — O Sr. Mayurnik toca algumas teclas numa escala lenta para mostrar o que ele quer dizer. Dó. Ré. Mi.

Eu tenho de compartilhar um folheto com a garota que está sentada ao meu lado. Aproximo-me dela enquanto ela folheia as páginas. Meus clássicos favoritos como *The little drummer boy* e *Joy to the world* não estão presentes ali. Em seu lugar, estão as canções típicas *Winter wonderland*, *Frosty the snowman*. Canções de Natal genéricas. Tudo bem. Eu também gosto desse tipo de canção.

— Como sempre, nossa classe vai cantar na Avenida Central durante a cerimônia de iluminação da árvore de Natal da Ilha

Jar, na próxima terça-feira, o que significa que teremos apenas uma semana para ensaiar esses números e ficar afiadíssimos. Então, vamos mergulhar nisso rapidamente!

Ele tamborila algumas teclas e iniciamos o aquecimento padrão. É uma sensação boa usar minha garganta, ouvir minha voz se misturando com a voz de todo mundo.

Terminado o aquecimento, o Sr. Mayurnik diz:

— Muito bom. Agora que estamos preparados e aquecidos, precisamos decidir quem vai cantar os nossos solos. Será que todos os nossos sopranos podem vir até aqui à frente da sala?

Eu sou uma soprano. Então me levanto. Enquanto me aperto para passar entre as fileiras, vou ficando nervosa. Imediatamente nervosa. Eu me dou bem cantando no fundo da sala, mas aqui, com todo mundo olhando para nós, sinto minha garganta me apertar. Meu pai surge na minha cabeça, porque ele sempre diz que tenho uma bela voz. Tão bonita que ele me faz cantar *Parabéns a você* duas vezes antes de ele apagar as velinhas. Ele nem se importa com o fato de que o bolo ficará coberto pela vela derretida.

Mas essa lembrança não me faz sentir melhor. Faz-me sentir pior.

Pego um lugar ao lado do piano e acabo ficando diretamente na frente de Alex.

O Sr. Mayurnik começa a tocar *Baby, it's cold outside*. Eu me esqueci de trazer o folheto comigo, mas conheço bem a letra. Tento fazer o melhor que posso para realizar um bom trabalho. Alguns dos sopranos que eu conheço estão no coral há mais tempo. Alguns deles estão no clube de teatro. Eles já estão praticando as músicas para o musical da primavera. *Hello, Dolly!* Adoraria participar do musical da primavera. Não posso competir com eles, mas tento não fazer feio.

Na maior parte da música fico olhando para o teto. Mas, quando chega perto do final, olho para Alex. Ele está de olhos fechados e com um sorriso no rosto, como se nós estivéssemos nos saindo muito bem.

Ele é legal. Alex é genuinamente bom. Eu sei disso.

Quando terminamos, todos aplaudem. Alex até assovia. O Sr. Mayurnik escolhe Jess Salzar para fazer o solo, e eu acho que ele acertou. Na verdade, estou aliviada. Além do mais, ela tem uma bela voz.

— Muito bem, garotos. Vamos ouvi-los agora.

Alex e os outros garotos se levantam e vão para a frente da sala. Havia apenas quatro deles. O Sr. Mayurnik faz Jess ficar parada ao lado do piano para cantar a parte da garota, e, quando os meninos cantam, ele ouve atentamente.

Eu também.

Alex tem uma voz incrível. Ele não é como alguns dos garotos que estão na peça musical da minha classe e certamente querem ir para a Broadway. A voz dele não é muito poderosa, mas ainda assim se destaca entre as demais.

É simplesmente... melodiosa. Séria. E é perfeita para a canção.

E eu fico feliz por Alex, realmente feliz, quando o Sr. Mayurnik o escolhe para o solo.

Alex parece espantado.

— Eu?

O Sr. Mayurnik bate com força no piano.

— Sim, você! E um passarinho me contou que você também é muito bom tocando violão. Você sabe ler música? — Alex acena positivamente. — Ótimo. Traga-o com você para a escola amanhã, vamos iniciar com você acompanhando.

— Não sei, nunca toquei na frente de um público antes.

— Você vai fazer todas as mulheres na plateia desmaiarem! Não vai, garotas?

Como se tivesse sido combinado anteriormente, todas as garotas na sala gritam para Alex, como se ele fosse um pop star ou um ídolo teen. Até eu. Alex fica mais vermelho que um tomate.

É um lembrete de que coisas boas também acontecem a pessoas boas, de vez em quando.

Capítulo 39

LILLIA

Eu nunca ficara numa plataforma de mergulho antes. Reeve queria que eu tentasse pelo menos uma vez antes de fazer o teste, mas não consegui criar coragem para isso. Meus joelhos estão tremendo. É tão alto aqui em cima, e a água parece tão funda. Existe uma fileira inteira de alunos sobre os blocos. As pessoas estão agachadas e preparadas, em posição de mergulho, todos com exceção de mim. Forço-me a respirar fundo. Na verdade, eu não preciso fazer um mergulho sofisticado, tudo que tenho de fazer é saltar.

Se conseguir fazer isso, posso fazer qualquer coisa. É o que fico repetindo a mim mesma a todo instante.

A treinadora Christy está dando instruções que eu já sei de cor — de um lado a outro da piscina duas vezes e depois dois minutos boiando. Luto para colocar meus óculos de natação. Eles parecem tão apertados em torno dos meus olhos. Detesto ter de usá-los, mas Reeve não se cansa de dizer que me sentirei muito mais confortável debaixo da água se puder enxergar, e ele estava certo.

A treinadora Christy sopra o apito, e eu fecho os olhos bem apertados. As outras pessoas saltam primeiro. Escuto o barulho delas caindo na água. Conto até três, e então eu pulo. Caio na água fazendo um barulho enorme. Movo meus braços e pernas. Tento lembrar de tudo que Reeve disse: mantenha a cabeça abaixada, os braços junto aos ouvidos, e chute, chute, chute. Seguro a respiração o máximo que posso antes de subir ofegante à superfície, então viro meu rosto para baixo novamente, para dentro da água. Tenho a sensação de estar me afogando, mas continuo avançando e me empurrando através da água até meus dedos alcançarem a murada, e me viro e vou no sentido contrário.

Não olho para as raias à minha direita ou à esquerda, porque não quero perder o ritmo, mas tenho certeza de que os outros já terminaram. Eu não me importo com isso. Tenho de me preocupar comigo mesma, e não com o que as outras pessoas estão fazendo.

Você consegue. Você consegue.

Sinto-me exausta da segunda vez que encosto na murada. Todos os meus músculos estão queimando, mas agora já está quase no fim, só falta mais uma volta da piscina. Não me apresso agora, vou com calma, como Reeve disse.

— Vá devagar. Uma braçada por vez.

E então chego lá. Meus dedos tocam a murada. Consegui. Subo para recuperar o fôlego e me agarro à beirada da piscina, respirando com dificuldade.

Escuto palmas e olho para cima — lá está Reeve, em pé, ao lado da arquibancada, batendo palma e assoviando. Para mim.

Não acredito que ele veio.

Todos os outros já estão fora da piscina, então a treinadora Christy se aproxima com seu cronômetro, para marcar o tempo que vou boiar na água. Mantenho minhas costas eretas, os joelhos curvados, e então começo a bater as pernas para frente e para trás, conforme Reeve me ensinou semana passada. Engulo um pouco de água, mas consigo manter minha cabeça levantada.

— Bom trabalho, Lillia — diz ela, encantada.

O cronômetro apita, e eu nem consigo acreditar. Nado até a escada da piscina e subo. Meu corpo está muito dolorido, no entanto me sinto como uma campeã. Sinto como se fosse capaz de fazer qualquer coisa.

Corro até Reeve e grito:

— Consegui!

Ele está sorrindo como um louco.

— Sim, você conseguiu! — Jogo-me nos braços dele, e ele me levanta no ar. Estou delirantemente, euforicamente feliz.

Estamos rindo, e, quando ele me coloca no chão, uma pausa longa e embaraçosa se faz entre nós. Nós dois começamos a falar ao mesmo momento.

— Obrigada...

— Você foi incrível...

Damos risadas, e eu tento novamente.

— Obrigada por tudo. Eu não teria conseguido sem você. A todo o momento eu ficava me lembrando das coisas que você me ensinou.

— Ah — diz Reeve, inclinando a cabeça para o lado. — Quem diria, hein, a natação nos aproximou... como amigos — acrescenta rapidamente.

Outro silêncio embaraçoso.

— Sim, totalmente! — digo. — Muito obrigada mesmo.

Reeve entrega minha toalha.

— De nada — diz ele. — Você vai à biblioteca hoje?

Meneio a cabeça.

— Não, preciso ir a outro lugar. — Tenho uma reunião com Kat e Mary na sala das garotas às cinco horas.

— Ah, ok. — Ele parece desapontado, o que me faz sentir um calorzinho por dentro. Ele estende o braço e dá um puxãozinho de brincadeira no meu rabo de cavalo. — Bom trabalho, Cho.

— Obrigada, treinador. — Impulsivamente lhe dou um abraço, para ele saber que estou sendo sincera.

Capítulo 40

MARY

Estou sentada em cima do aquecedor do banheiro quando Kat chega.

— Ei, ei, garota — diz Kat. Ela joga a mochila no chão e senta em cima dela. — Como foi seu Dia de Ação de Graças?

— Humm… não foi muito bom. — Eu tiro uns fiapos do meu suéter. — Meus pais não vieram.

— Droga.

— Simmm — digo, e a letra m se arrasta. — Foi realmente uma droga.

A porta se abre bruscamente, e Lillia entra correndo.

— Eu consegui! — grita ela. — Passei no teste de natação.

Eu bato palmas, e Kat dá um grito.

— Valeu, Lil!

Ela está praticamente pulando para cima e para baixo de tanta empolgação.

— Eu estava tão nervosa lá em cima na plataforma de mergulho, mas então criei coragem. Eu pulei com tudo! Isso é, eu demorei duas vezes mais que os outros, mas consegui. E boiar na água foi a parte mais fácil. — Ela fica parada em frente ao espelho e solta o cabelo molhado do rabo de cavalo. — Reeve foi torcer por mim. Eu fiquei absolutamente surpresa. — Ela procura dentro da bolsa, tira um pente marfim e começa a pentear os cabelos. — Por falar nisso, acho que Reeve mencionou você outro dia, Mary.

Fico estupefata.

— Está falando sério? — Uau. Minha nossa... uau.

Kat, que está cutucando as solas de seu coturno com uma caneta, levanta a cabeça rapidamente.

— O que ele disse? — pergunta, cética.

O pente na mão de Lillia para momentaneamente.

— Foi um pouco antes do feriado. Ele descobriu que não vai poder jogar futebol no ano que vem. Sua perna não está sarando rápido o bastante. — Não consigo afastar os olhos dela, estou prestando atenção a todas as suas palavras. — Ele estava chorando, muito perturbado. E então ele disse que merecia isso. Sabia que merecia. Ele disse que há muito tempo ele magoou demais uma garota e que nunca esqueceu isso. Contou que foi quase um alívio sentir que finalmente estava pagando pelo que fez. — Ela se vira e nos encara. — Ele devia estar falando de você, certo, Mary?

Ele nunca me esqueceu? Tem pensado muito em mim? Sinto um formigamento por todo o corpo.

— Você não sabe se ele estava falando sobre Mary — contesta Kat. — Ele por acaso disse o nome dela? Disse o que fez com ela? O que ela fez consigo mesma?

Lillia hesita.

— Bom... não, acho que não. Por isso eu não disse nada. Não tinha certeza.

— Ele enganou cerca de 99 por cento das meninas dessa escola — diz Kat, com os braços cruzados. — Ele poderia estar falando sobre qualquer uma.

— Kat — digo-lhe, suplicante. — Deixe Lillia terminar. — Isso é, talvez Kat esteja certa. Mas não quero que ela esteja.

Lillia está sacudindo a cabeça.

— Meninas, se vocês estivessem lá, se tivessem visto o olhar no rosto dele, vocês também teriam acreditado. — Ela se vira para mim. — Não importa de quem estava falando, ele estava sendo sincero. Ele demonstrou um remorso verdadeiro. Eu realmente penso que ele está arrependido.

Kat dá um pulo no chão.

— Que nada! Mesmo que estivesse falando de Mary, de que importa estar arrependido agora? É tarde demais. Estar arrependido não significa merda nenhuma. E também não se esqueça de que, há umas três semanas, ele teve a oportunidade de dizer que estava arrependido na frente dela, mas, em vez disso, mandou-a se ferrar! Ele quer ficar bem com você, Lil. Ele não se importa com Mary. Ele é um mentiroso.

Meus olhos se enchem de lágrimas. Lá vou eu novamente, caindo na mesma armadilha. Como se eu não soubesse.

— Tem uma coisa que eu preciso contar. — Digo, e minha voz sai fraca e chorosa. — Lil, sei que você disse que as coisas estão indo bem entre vocês dois, mas, na noite do Dia de Ação de Graças, vi Reeve e Rennie saindo juntos do cinema. Parece que eles estavam num encontro.

— Sério? — pergunta ela, e eu confirmo com a cabeça.

Lillia franze a testa.

— Ah. Bem. Aposto que ele só saiu com ela porque eu não pude sair de casa. — Ela morde o lábio e acrescenta. — Ele me mandou uma mensagem naquele dia mais cedo.

Kat estala os dedos.

— Mesmo que Rennie esteja ficando para trás, ela ainda é uma ameaça. Ela é como um pit bull quando quer alguma coisa. Nós deveríamos resolver esse assunto o quanto antes.

— Resolver esse assunto? — diz Lillia. — O que você quer dizer com isso?

— Vocês têm saído juntos há quase um mês, nadando, estudando, essa droga toda, mas você ainda não fez nada. Por exemplo, ele não lhe deu nenhuma cantada ainda, certo?

— Certo... — diz Lillia, e franze o cenho novamente. — Mas nós também não decidimos direito o que eu tenho de fazer. "Partir o coração dele" é muito vago, garotas. — Ela cruza os braços. — Eu quero um plano, algo com uma estratégia concreta para eu poder executar. Não quero que isso se arraste por mais três meses.

Kat está balançando a cabeça.

— Tudo bem, tudo bem. Então acho que deve ser um plano de três passos. Você definitivamente já jogou o anzol, mas não tenho certeza de que ele vá morder a isca. Então o primeiro passo é vocês dois trocarem um beijo quente, ardente.

— O quê? — pergunto. — Nós nunca falamos sobre Lillia *beijar* Reeve.

Lillia parece apavorada.

— Beijo ardente? Beijo de língua?

Kat dá risadas.

— Deixa disso. Você nunca deu um beijo de língua em alguém que você não gostasse? Feche os olhos e finja que ele é outra pessoa.

Lillia morde os lábios.

— Talvez...

— Kat, não deveríamos forçar a Lillia a fazer uma coisa que ela não queira — acrescento depressa. Kat e Lillia se entreolham, e percebo que pareço enciumada. Então eu volto atrás. — Isto é, se vocês concordarem, talvez você possa fazer isso na cerimônia de iluminação da árvore de Natal. Eu vou estar lá cantando com o coral. Alex Lind também. Ele cantará um solo. É na próxima terça-feira à noite.

— Ele vai? — Kat parece surpresa. É legal ter uma notícia para compartilhar com o grupo, pelo menos uma vez, saber algo que elas ainda não saibam. — Ele vai cantar "Baby, Its Cold Outside" — anuncio. — Ele tem uma voz incrível, e também vai tocar seu violão.

Kat sorri para si mesma.

— Legal.

— Lind deve estar muito feliz. Mas por que ele não disse nada? — Lillia faz biquinho e coloca um pouco de protetor labial. — Sabe o que mais, vou juntar o grupo todo para assisti-lo cantar. Além do mais, também quero ver você cantar, Mary.

— Eu não tenho um solo, nem nada especial — digo. — Mas vai ser legal ter alguém na plateia para me assistir. — Tia Bette não vai de jeito nenhum. Nem que eu quisesse que ela fosse.

Kat diz:

— Lil, isso é perfeito. Faça sua jogada para cima do Reeve nessa noite. Buuum.

— Talvez — responde Lilli. — Se Rennie não estiver lá.

— Pensei que você tinha dito que isso não era problema.

— Não é. Eu... eu só não quero fazer isso na cara dela.

Gostaria que ela não tivesse de fazer isso na minha cara.

Lillia tira o celular da bolsa.

— Deixa eu mandar uma mensagem para Reeve, para ter certeza de que ele pode ir.

Nós nos juntamos à sua volta, enquanto ela escreve. *Obrigada novamente por hoje, treinador. Você quer ir ver a iluminação da árvore de Natal na terça-feira? Lind vai cantar um solo, e nós poderíamos fazer uma surpresa para ele!*

Reeve escreve de volta imediatamente. *Sim. Vamos fazer isso. Ei, ainda está de pé a gente estudar junto no sábado?*

Enquanto lê a mensagem, Kat ergue as sobrancelhas para mim.

— Bum. Você está no passo dois.

— Que é...

— Até o Natal, faça Reeve acreditar que você será a namorada dele. Fique toda carinhosa, faça chamego e essa merda toda, até ele lhe comprar um presente. Aí vamos saber com certeza se ele encara você como uma namorada em potencial.

— Você acha que ele fará isso?

Lembro-me do dia em que Reeve me deu o colar de margaridas. Como eu fiquei feliz.

— Sim — digo. — Aposto que ele lhe comprará alguma coisa.

Lillia rói a unha.

— Bem, e quanto ao passo três?

— Na véspera do ano-novo. Você vai deixá-lo falando sozinho à meia-noite.

Kat abana a mão.

— Ah! Melhor ainda! Você poderia beijar outro cara à meia--noite!

Furiosa, Lillia sacode a cabeça ao olhar para ela.

— Eu não sou uma vagabunda.

Kat recua.

— Ok. Ok. Então apenas o deixe falando sozinho.

Lillia reflete bem, e depois começa a acenar com a cabeça, lentamente.

— Ok. Ótimo. Então, em primeiro de janeiro eu termino tudo. Ano novo, recomeço para todos nós.

— Sim. Está feito. — Kat levanta a mão para tocar na minha, para dar ênfase, e está prestes a tocar a minha mão quando uma garota que eu não reconheço entra no banheiro. Kat abaixa o braço e eu me apresso a sair do banheiro. Quando estou saindo, Kat entra numa das baias para fazer xixi, e Lillia se debruça na pia para retocar a maquiagem.

Estou a meio caminho do corredor, simplesmente tentando entender o que está acontecendo. Lillia beijar Reeve. Quando algo me diz para voltar. Não sei por quê. Só uma sensação.

Volto para a porta do banheiro e pressiono meus ouvidos à porta.

— Você sabia que os pais dela não vieram para o Dia de Ação de Graças? Eles iriam vir, mas depois mudaram de ideia.

É Kat sussurrando sobre mim.

Lillia arqueja.

— Isso é horrível. Coitadinha, não é de admirar que ela esteja tão deprimida agora.

— Aquela besteira com a tia dela também parece loucura. Se ela não está trancada no sótão, ela está atenazando Mary. E você já passou pela casa dela ultimamente? O lugar está praticamente caindo aos pedaços. Eu nem sei se ela deveria estar morando ali mais.

— Será que nós deveríamos tentar chamar os pais dela ou algo assim? E contar o que está acontecendo?

— Mas é esse o ponto. Nós nem sabemos o que está acontecendo. — Kat solta um longo suspiro. — Eu duvido que Mary esteja nos contando tudo. Como as coisas realmente estão. Provavelmente porque ela não quer nos preocupar. Mas algo definitivamente está acontecendo com ela.

— Talvez nós pudéssemos tentar convencê-la a conversar com alguém. Como um conselheiro.

— Sim. Acho que nós deveríamos. Nós devemos cuidar dela. Ninguém mais está fazendo isso.

Eu corro para longe do banheiro. Sei que elas estão conversando porque são minhas boas amigas, mas eu detesto a ideia de que alguém esteja falando de mim pelas costas. E não quero que a escola, Kat, Lillia, ou qualquer outra pessoa converse com tia Bette.

Capítulo 41

LILLIA

Não consigo parar de pensar no que Kat disse — que Reeve não está arrependido, que ele contou essa história apenas para me impressionar. Ela acertou num ponto. Por que ele não se desculpou com Mary quando teve a oportunidade? Mas me recordo do modo como ele me olhou, como ele chorou como uma criança, e tenho certeza de que ele estava dizendo a verdade. E a quem mais ele poderia ter magoado mais que a Mary?

De um jeito ou outro, isso não importa. Porque não é minha responsabilidade fazer Reeve se desculpar pelo que fez. Minha lealdade é com minha amiga. Tenho de me vingar pelo que Reeve fez a Mary. Isso é tudo. Olho por olho, dente por dente.

Um coração partido por outro coração partido.

Nós deveríamos nos encontrar no Java Jones ao meio-dia. Estou planejando terminar meu trabalho de inglês avançado sobre figuras maternas nas obras de Shakespeare, e a data limite de entrega é segunda-feira. Juntei alguns CD-ROM's com simulados do SAT para Reeve. Ele já completou dois livros de exercícios que eu lhe emprestei.

Decido ir para o Java Jones uma hora mais cedo, porque esse trabalho não se fará sozinho, e para garantir que consigamos uma boa mesa perto de uma tomada, caso a bateria acabe. Felizmente, quando chego lá, a mesa que quero está livre.

Coloco meu casaco acinturado nas costas de uma cadeira, e a capa do meu notebook em outra. Então peço um chocolate quente com chantilly e um pirulito listrado no balcão. Enquanto procuro uns trocados na carteira, meu telefone começa a tocar.

É uma mensagem. De Reeve.

Minha perna está doendo muito esta manhã. Acho que não vou conseguir. Sinto muito ☹.

Franzo a testa como a carinha da mensagem. Sempre digo a ele para não se exercitar demais na sala de musculação. Não dá para apressar a fisioterapia. É preciso ser paciente. Há dois anos, meu tio quebrou o tornozelo enquanto corria e terminou a fisioterapia mais ou menos uma semana antes do prazo estipulado, e ele reclama que seu tornozelo dói quando chove.

Abro uma caixa de texto para responder a ele, quando então o vejo passar diante da loja em sua caminhonete.

O quê...?

Então percebo. Reeve deve estar a caminho da casa de Rennie.

Pego minhas coisas da mesa e deixo para trás meu chocolate quente para guardar meu lugar.

— Eu volto logo — digo ao barista, e saio apressada da loja. O sol está brilhante e preciso proteger meus olhos com a mão. Por um segundo penso que o perdi de vista, mas então vejo sua caminhonete virando à esquerda para entrar no estacionamento da balsa.

Tudo bem. Talvez não seja isso.

Apresso-me pela calçada. Estou pirada, mas tentando permanecer calma. Talvez ele esteja indo pegar um de seus irmãos? Mando uma mensagem inocente de volta para ele. *Será que eu deveria ir até sua casa? Podemos estudar aí.* Assim que aperto o botão de enviar, meu coração chega à boca e tenho a terrível sensação de que ele vai mentir para mim.

Ele não responde imediatamente, o que me dá uma chance de me aproximar mais dele.

Quando entro no estacionamento, tomo o cuidado de me esconder atrás das árvores e da cabine do parquímetro. Reeve estacionou sua caminhonete junto da fila de carros que estão esperando para entrar na próxima balsa. Estou tão perto dele que consigo vê-lo mexendo no celular, ele provavelmente está lendo minha mensagem. Ele me escreve de volta. *Acho que eu deveria ir com calma, e esperar um pouco agora. Escrevo para você mais tarde se estiver me sentindo melhor.*

Meu corpo fica gelado. Kat e Mary estavam cem por cento corretas. Reeve não é um cara confiável, afinal de contas. Estou brava comigo mesma por ter acreditado nele. Eu deveria ter suspeitado.

Reeve não percebe que estou me aproximando. Ele está mexendo no rádio. Posso ouvir a música à medida que me aproximo. É um hip hop, e o volume está bem alto. E ele está tamborilando os dedos na direção. Quem quer que seja que ele está indo encontrar com certeza o está deixando empolgado.

Bato com tanta força no vidro que os nós da minha mão doem. Reeve leva um susto, e quando me vê fica de queixo caído. Ele mexe no rádio para desligá-lo e tenta abaixar o vidro da janela.

— Olá — digo, com um sorriso falso. — Que legal ver que sua perna está melhor. — Deixo o fingimento de lado e apago o sorriso do meu rosto. — Nem se incomode em me mandar uma mensagem mais tarde. Ou outro dia qualquer. — E me afasto.

Escuto a porta do seu carro abrir, e depois fechar com força. Seus passos ressoam com força no pavimento. Estou caminhando o mais rápido que posso, mas Reeve deve estar correndo, mesmo com sua perna machucada. Deixo a bolsa do meu computador cair no chão, mas nem me importo. Não quero olhar para ele.

Antes mesma que eu perceba Reeve me abraça por trás.

— Solte-me! — digo e tento me livrar do seu abraço de urso, mas as mãos dele me entrelaçam.

— Lillia, espere um segundo!

Eu não espero. Eu luto e tento me desvencilhar dele até não ter mais forças.

— Me solta! — Dou um grito penetrante.

Algumas das pessoas que estão no estacionamento param para olhar para nós.

— Você está fazendo escândalo! — diz ele.

Ele está certo. Não quero que alguém chame a polícia. Só quero que ele me solte. O único jeito de fazer isso é se eu ficar quieta.

— Por favor, Lillia. — Relaxo o corpo, e ele abaixa os braços.

Estou ofegante quando me viro para encará-lo.

— Você se importa de me explicar por que mentiu para mim?

Reeve fecha a boca com força.

— Não. Particularmente, não. — Ele dá uns passos para trás e pega a capa do meu computador.

Sinto uma coisa ruim subir pela minha garganta. A necessidade premente de lhe contar tudo. Porque estou saindo com ele só para machucá-lo, assim como ele fez com Mary. Como isso tudo é uma mentira. Que eu tenho fingido gostar dele, e que ele, no fundo, me faz sentir nojo.

Mas não consigo, porque essas palavras não vão significar nada. Essas palavras não irão feri-lo. Porque se ele realmente se importasse, não teria mentido para mim, só para poder escapar e provavelmente sair com outra garota.

— Me diga onde está indo. — Sei que pareço ciumenta. E detesto isso.

Ele me entrega a capa do computador de volta.

— É melhor você não saber.

Arranco a capa com força das mãos dele, e escuto uns pedaços de plástico quebrado balançarem lá dentro. Está quebrada.

Sinto as lágrimas brotarem, e minha visão ficar borrada.

— Espero que essa outra garota saiba algumas coisinhas sobre o SAT. Ou talvez ela não se importe se você não entrar na faculdade! — Penso no tempo enorme que desperdicei tentando ajudá-lo. Eu deveria ter me mantido fiel à droga do plano. Aposto que eu já o teria beijado há várias semanas.

O rosto de Reeve fica branco.

— Você acha que estou indo me encontrar com outra garota?

Eu me afasto dele.

Ele está me seguindo novamente. Ele anda tão rápido que logo está ao meu lado.

— Muito bem, quer saber onde estou indo? — Ele tira uma coisa do bolso. Um pedaço de papel. Ele o entrega a mim. Limpo meus olhos para tentar ler o que está escrito. Tem dois nomes escritos e nenhum deles é de garota. É o endereço de uma fraternidade da Universidade de Massachusetts.

Ergo os olhos para ele, porque isso não faz sentido.

Sua boca está fechada com um sorriso triste.

— Estou indo dar uma surra naqueles idiotas. — Então ele começa a caminhar de volta para a caminhonete.

Eu levo um segundo para entender.

— Ah meu Deus! — exclamo, olhando para o papel e para os nomes. Ian Rosenberg e Michael Fenelli. — Ah meu Deus.

E então sou eu quem está correndo atrás dele.

— Você está maluco? — grito.

Reeve não diminui o passo.

— Fui um idiota por não pensar nisso mais cedo. A casa que esses idiotas alugaram é uma daquelas que meu pai administra. A única coisa que tive de fazer foi procurar o endereço e *bum*. Encontrei seus endereços, telefone e data de aniversário. Estou indo até lá. Vou fazer com que eles desejem nunca, jamais, terem posto os olhos em você e em Rennie.

— Não quero que você faça isso.

A buzina da balsa soa, e os carros que estão esperando para embarcar dão partida nos motores.

— Não quero que você se aproxime deles!

Reeve abre a porta do motorista.

— Por quê? — Ele quer saber. — Você não acha que eles merecem?

Luto para encontrar uma resposta. Que por mais que tenha sido culpa deles, foi minha culpa também. Eu sou aquela que foi para a casa de um estranho. Que ficou embriagada. Fui eu quem criou uma situação de risco que possibilitou que algo terrível acontecesse. E eu fui infeliz o bastante para que isso de fato acontecesse.

— Isso não vai mudar nada! — Estendo o braço e seguro com força seu blusão. Segurei com força com as minhas duas mãos.

— Estou dizendo para você não ir lá. Se isso é por minha causa, eu não quero.

Reeve já está sacudindo a cabeça. Ele não está me ouvindo.

— Esses caras precisam pagar pelo que fizeram. Eles têm de sofrer as consequências. Eles não podem simplesmente se livrar disso.

É difícil respirar agora.

— Sei que você quer ajudar. Eu sei disso. Mas nada que você possa fazer vai mudar o que aconteceu. — Estou tentando parecer forte para que ele me escute, mas sinto que estou começando a tremer. — Indo até lá, você só conseguirá fazer tudo isso voltar para mim. Tudo o que eu quero é esquecer.

Vejo que ele relaxa um pouco.

— Você não pode enterrar isso, Lil. Precisa lidar com os fatos.

— Eu sei. Mas me deixe fazer isso do meu jeito. — Olho para ele com olhos suplicantes. — Não desse modo.

Estamos nos encarando, e nenhum de nós pisca. Reeve finalmente curva a cabeça e acena que sim.

— Eu só... eu só queria acertar as coisas para você. — Ele estende os braços, pega a minha mão e entrelaça seus dedos nos meus. Permito que ele faça isso, muito embora eu sinta que não deveria.

Mais tarde, quando penso no olhar dele, me lembro do que ele me disse sobre haver consequências para as coisas ruins que fazemos. Eu senti medo, porque sei que ele está certo. Haverá consequências para todos nós. Talvez mais para mim do que para qualquer outro.

Capítulo 42

KAT

Durante o período livre da segunda-feira, vou até a sala de computadores para checar meus e-mails. Eu preciso esperar até chegar na escola para fazer isso, pois nosso computador de casa está muito lento. Ele é muito antigo, para começo de conversa, e Pat fez download de um monte de jogos, isto é, de pornografia, e agora a máquina tem mais vírus que uma prostituta.

Assim que faço o login, surge um pop-up dizendo que estou ficando sem espaço disponível na minha caixa de entrada. Sem surpresas. Há cerca de um mês, minha tia Jackie descobriu o "correio eletrônico" e pediu meu endereço. Agora, ela me manda pelo menos dez mensagens por dia. Poemas sobre anjos, correntes com preces contra o câncer e artigos sobre novas pesquisas e tratamentos. Ela está obcecada pela morte da minha mãe, é doentio. Ela deveria passar uma hora com a Sra. Chirazo.

O que eu não vejo, infelizmente, é qualquer e-mail sobre minha inscrição antecipada para a Oberlin. Sei que eles têm até o final de janeiro para dar um retorno, mas estou esperando com os dedos cruzados para ter notícias antes disso. A Sra. Chirazo adorou minha nova redação, e disse que isso lhe trouxe lágrimas aos olhos. Provavelmente ela está tendo ondas de calor ou algo parecido, mas isso era tudo que eu precisava ouvir.

Depois, temos uma palestra sobre dirigir sob efeito de álcool, que é um jeito adorável de fechar o feriado. Uma mulher aparentemente mais velha, com uniforme da polícia, está no alto do pódio falando num tom monótono e tedioso, enquanto mostra uns slides de acidentes de carro dos anos 1970, que nem mesmo mostram algo interessante, como sangue ou corpos. Apenas um monte de metal destruído e amassado. Ela poderia muito bem ter tirado essas fotos da garagem lá de casa.

De qualquer modo, em certa altura da palestra eu caí no sono, e os aplausos educados me acordaram. Abro os olhos exatamente quando a policial tropeça no cordão do microfone e quase cai de bunda no chão.

Não consigo evitar, mas caio na risada. Olho para o lado para ver se meus colegas de classe também gostaram desse presente de Natal antecipado. Ninguém mais está rindo. Meus olhos se encontram com os de Rennie, que tem um sorriso enorme estampado no rosto. Tão grande quanto o meu.

Imediatamente desvio o olhar. O senso de humor doentio era uma das coisas que Rennie e eu tínhamos em comum.

Droga. Acho que ainda temos.

Capítulo 43

LILLIA

O AR TEM PERFUME DE PINHEIRO E DE NATAL, VINDO DOS ENFEITES DE canela que as senhoras da igreja estão vendendo. Pelo cheiro, parece que nevará a qualquer momento. Espero que isso aconteça. Um dia de neve seria o paraíso.

O comparecimento das pessoas é bem grande este ano. Apesar de ser dia de semana, parece que metade da Ilha Jar está aqui na Avenida Central para ver a iluminação da árvore de Natal.

O coro da nossa escola está na frente da árvore cantando *Winter wonderland*, e eles estão cantando superbem. Todos estão usando gorros de Papai Noel e cachecóis listrados de verde e vermelho, e o grupo de sopranos tem sininhos. Mary está lá atrás, e ela está tão linda com seu cabelo trançado e seu gorro de Papai Noel na cabeça. Alex está lá em cima também. Bem no alto. Seu solo deve acontecer em breve. Chamo a atenção dele e aceno, e ele me dá uma piscadinha e acena com seu gorro de Papai Noel.

A canção termina, e eu bato palmas e dou alguns pulinhos.

— Eba, Lind! — grito. E em minha cabeça eu acrescento um *Eba, Mary!*

Estou bem juntinho de Ash. Derek e Reeve saíram para comprar chocolate quente para nós. Rennie está trabalhando, o que é perfeito. Não tenho de me preocupar com ela esta noite.

— Lind está tão lindo lá no alto — diz Ash, cutucando-me. — Como um duende alto.

Eu procuro na bolsa uma bala de menta.

— Ele realmente *parece* um gnomo. — E ele está lindo no seu casaco caramelo, seu gorro de Papai Noel, e um cachecol xadrez que provavelmente sua mãe lhe comprou. Suas bochechas estão rosadas pelo frio, e ele está com um enorme sorriso no rosto. Não posso deixar de sorrir também.

Eu digo a Ash:

— Ele tem uma voz linda também. Mal posso esperar para ouvi-lo cantar.

— Totalmente — concorda Ash. E então ela se aproxima de mim e sussurra: — Então, o que está acontecendo ente você e Reeve? Vocês estão aqui, tipo, juntos?

Eu pisco. E, antes que eu possa pensar, dou um gritinho:

— Eca. Não. — Ash parece cética e então eu acrescento: — Não tem como acontecer nada entre mim e Reeve. Nem em 1 milhão, 1 trilhão de anos.

Ash está prestes a retrucar, mas seus olhos se iluminam, ela abre os braços e dá um gritinho:

— Dá para mim! Dá para mim!

Eu me viro, e Derek e Reeve estão parados ali com os copos de chocolate quente. Por um segundo receio que Reeve tenha me escutado, mas ele entrega meu copo de isopor e seu rosto não revela nada.

Então eu a vejo, Kat, do outro lado da praça. Olhando para a gente. Está na hora do passo 1.

Ah Deus.

Troco de lugar com Ash, e então fico parada ao lado de Reeve, e ela ao lado de Derek.

— Está tão frio — digo, envolvendo o copinho com os dedos. Estou usando um blusão de lã cinza, uma calça jeans justa, uma bota e meus protetores auriculares de pele de coelho. Eu deveria ter trazido luvas também.

Quando Reeve não diz nada, cutuco a manga de seu casaco.

— Estou com muito frio — repito.

Reeve revira os olhos para mim.

— Por que você não está usando um casaco?

Eu vou para mais perto dele, procurando esquentar-me. É por isso, Reeve.

— Bom, geralmente meu blusão de lã me mantém bem aquecida, mas a noite está gelada. — Tento entrelaçar meu braço no dele, mas ele recua como se eu o estivesse queimado.

Então ele se afasta de mim e tira sua jaqueta acolchoada. Ele a empurra na minha direção.

— Pronto. Agora pare de reclamar. Não vamos nos esquecer de que foi você que nos obrigou a vir a essa festa brega.

Por que ele está sendo tão idiota? Nós tivemos um momento tão íntimo no sábado, e agora, três dias depois, parece que está tentando me afastar dele. Será que ele escutou alguma coisa do que falei a Ash? Ou é alguma outra coisa.

Talvez eu devesse ficar aliviada, porque, fingimento ou não, eu não vou beijá-lo quando ele está agindo desse modo cretino. Não vou. Estou irritada.

— Nós estamos aqui para apoiar Alex — relembro a ele. — Ele é seu amigo também.

Reeve emite um som sarcástico e se volta para assistir ao coral com os braços cruzados. Eles estão cantando "Let It Snow". Derek e Ash migraram para perto de uma árvore e estão se agarrando em público. Tão cafona. E um desperdício completo de chocolate quente. Os copinhos estão no chão.

Somos apenas Reeve e eu agora. Olho de relance em volta procurando por Kat, mas não a vejo. Tem muita gente por perto.

Dou uma olhada de soslaio para Reeve, e vejo que ele está parado com os braços cruzados e um olhar sarcástico no rosto. Bebo um gole do meu chocolate quente. Talvez tenha imaginado essa coisa toda, e ele já superou tudo isso.

— O que está acontecendo com você esta noite? — Pergunto a ele, tomando mais um gole. — Você está sendo tão imbecil.

Ele mal olha para mim.

— Não tem nada de errado comigo.

— Sua perna está doendo por ter de ficar muito tempo em pé? Nós poderíamos achar um banco ou algo... — Minha voz some. Ele nem está ouvindo. Mordo o lábio. Se ele não está mais a fim, quero ser a primeira a não querer mais nada. Não importa.

Dou um cutucão no ombro de Reeve.

— Aqui — digo, empurrando o casaco dele de volta. — Estou indo embora. Diga a Alex que tive de ir. — Começo a me afastar rapidamente em direção ao estacionamento da igreja. Jogo meu copo numa lata de lixo no caminho.

— Espere! — grita ele.

Eu não diminuo a marcha. Apresso-me, mas Reeve me alcança. Com a respiração ofegante ele me vira, para eu ficar de frente para ele. Seus olhos verdes estão brilhando, ele olha diretamente para mim. Não pisca nenhuma vez. Numa voz baixa e urgente ele diz:

— Eu gosto de você. Eu tenho segurado isso por causa de Lind. Mas eu gosto de você. Não consigo evitar. — Ele me observa e espera que eu diga alguma coisa. Faça alguma coisa. — Chega de joguinhos, Cho. Você e eu... isso é de verdade?

Meu rosto está queimando. Sei que devo dizer sim e beijá-lo. Esse é o plano. Exceto que, lá no fundo, eu realmente quero dizer sim. Quero muito dizer sim. Mas tenho medo. De repente tudo parece tão verdadeiro que me apavora.

Alguns segundos se passam e Reeve finalmente abaixa o olhar. Ele não está me encarando mais. Está olhando para baixo. Ele começa a se afastar, está indo embora, e tudo estará terminado.

— Sim. É de verdade.

Reeve levanta a cabeça subitamente.

— Então... por que você disse a Ash que a gente não estava aqui junto?

Não sei mais o que dizer, exceto uma resposta honesta. — Porque eu estou com medo. — Minha voz falha. — Não quero magoar ninguém.

Fico parada ali tremendo. Reeve coloca seu casaco nos meus ombros, e eu deixo que ele me ajude a vesti-lo. Ele me puxa para perto de si e então envolve seus braços no meu pescoço.

— Tudo bem? — murmura. Ele está tremendo também.

Aceno que sim, meu coração está batendo rápido e tão forte que mal posso escutar. Acho que até ele pode ouvir também.

Então ele me beija, e eu paro de pensar por completo.

Capítulo 44

MARY

Vejo os dois irem embora. E apesar de eu ter dito a mim mesma para não fazer isso, saio de fininho do coral, desço as escadas e os sigo.

Reeve a está beijando, suave e gentilmente, como se ela fosse uma boneca de porcelana que se quebrará nos seus braços se ele não for cuidadoso. Ela nunca esteve tão linda. Parece um anjo. Suas bochechas estão rosadas, seu cabelo brilhante está balançando em volta deles. Como a cena de um filme. Dois adolescentes se beijando no estacionamento. Músicas de Natal ao fundo, e as luzes das árvores atrás deles, iluminadas.

E então lá estou eu. No fundo. Nas sombras. Observando.

Funcionou. Ele a ama agora, com certeza. O modo como ele a está olhando, como se ela fosse a garota dos seus sonhos. Ele nem acredita na sua própria sorte. As coisas estão se desenrolando exatamente como deveriam ser.

Estou cerrando os punhos com tanta força que minhas unhas deixam uma marca vermelha na pele. Sinto uma urgência, um calor irromper dentro de mim. Por mais que isso esteja me magoando agora, ele vai ficar mil vezes mais magoado. Essa é a única coisa que me faz seguir em frente.

Capítulo 45

KAT

Estou sentada no chão, o frio está penetrando pela barra da minha calça jeans, no meio dessa droga de multidão que veio ver a árvore se acender. Tiro minhas luvas com os dentes, tiro meus coturnos e verifico meu tornozelo para ver se está machucado.

Você sabe, existe uma coisa chamada regras de etiqueta para um show. Regras de senso comum estipuladas para que todo mundo na plateia possa se divertir. Isso funciona até nos shows de punk, em que as pessoas na plateia esmurram umas às outras. Então isso definitivamente deveria ser verdadeiro para essa droga de concerto.

Aprendi essas regras no meu primeiro show na Paul's Boutique. Kim e eu estávamos lá em cima, na cabine de som. Ela segurou a lanterna de um dos seguranças, e a ficava apontando na direção de vários transgressores, para que pudéssemos observar suas transgressões ao vivo.

As regras basicamente se resumem a isso:

Número 1: Nunca finja que tem um amigo perto do palco só para você poder se aproximar. Muitas pessoas começam a gritar nomes falsos como "Oi, Jimmy! Estou chegando!". Então dão um jeito de se esgueirar até a frente. Isso talvez engane uma ou duas pessoas lá atrás, mas por fim você chegará perto do palco obviamente sozinho, e as pessoas vão ficar bravas.

Número 2: Por mais que o show esteja lotado, você sempre deve respeitar o espaço pessoal de cada um. Por exemplo, tudo bem se você esbarrar uma vez numa pessoa, mas isso é tudo. E se você estiver carregando uma bolsa ou mochila, você tem de levá-la contra o peito, para não trombar nas pessoas com ela.

Número 3: Se você for superalto, não seja cretino e fique parado na frente de uma pessoa baixinha.

Agora, muito embora isso nunca tenha acontecido em nenhum dos shows a que assisti, deve haver uma regra que determina como andar no meio de uma multidão empurrando um carrinho de bebê duplo, com dois bebês aos berros, como se fosse um limpador de neves.

Olho furiosa para essa Mãe do Ano, enquanto ela olha timidamente para trás e me lança o sorriso mais patético do mundo dizendo na minha cara *Me desculpe !* Enquanto isso seus bebês se esgoelam de tanto chorar e praticamente encobrem o som do coral.

Volto a ficar de pé e procuro Lillia e Reeve no meio da multidão, mas os dois desapareceram. Aquela idiota da Ashlin e seu namorado bobão Derek também.

Dou uma volta e me levanto na ponta dos pés, tentando ver onde todo mundo foi parar, porém a multidão é muito grande, e a família parada atrás de mim está me olhando de um jeito estranho, então me forço a olhar novamente para o concerto.

Sei que Lillia nos contará todos os detalhes sórdidos depois. Ela dará um jeito para que tudo dê certo.

De qualquer modo, estou interessada em ver Alex cantar. Estou tentando fazer com que ele toque uma de suas canções para mim, mas ele nunca o faz. Disse a ele que hoje à noite seria como um treino para a sua audição na USC. Até onde eu sei, ele ainda não mandou sua inscrição.

Depois de duas canções chatas, a banda começa a tocar *Baby, it's cold outside*. Alex dá um passo à frente, com uma garota que eu reconheço das aulas de teatro. Ele está com seu violão e começa a tocar para acompanhá-la.

Vejo-me sorrindo. Esqueço a garota do teatro. Ela está se apresentando muito no estilo Broadway, já que essa música *Baby It's Cold Outside* é uma canção sexy. Alex está fazendo tudo certinho. Como um garoto que pudesse convencê-la de qualquer coisa. Meigo, mas com um toque faminto por baixo. E ele realmente tem uma voz incrível. Simples e brilhante, e muito seguro. Se pudesse ser tão confiante assim no dia a dia, como quando está cantando, esse cara iria longe.

Depois que termina, ele volta para a bancada e enrubesce ao ouvir os aplausos. E as pessoas estão realmente aplaudindo. Não aplausos educados. Mas como se tivessem ouvido algo muito... especial.

Enquanto isso, Alex está vasculhando a multidão, acho que ele está procurando por seus amigos. Mas todos o abandonaram.

Pobre coitado. Não entendo por que ninguém da turma dele veio ver quanto ele é bom.

Os olhos de Alex me encontram. Eu dou um assovio bem alto e então levanto a minha mão fazendo um sinal de roqueiro. Como se ele fosse um rock star, ou pelo menos a caminho de se tornar um.

Ele abre um sorriso e, apesar do frio, meu corpo todo se aquece.

Eu me viro para fazer o mesmo sinal de roqueiro para Mary, porque estou muito orgulhosa por ela estar ali na frente de todo mundo. Mas também não consigo encontrá-la. Que diabos, para onde foi todo mundo?

O prefeito sobe ao pódio e faz um sinal para que a árvore de Natal se ilumine. E é isso o que acontece, por um segundo apenas, antes que as luzes se apaguem novamente. E todas as outras luzes se apagam também — as luzes da rua, as vitrines das lojas, os semáforos —, até tudo ficar na mais profunda escuridão. Então tudo começa a piscar, acendendo e apagando, como se houvesse algum problema com a energia.

Droga, será que a ilha toda precisa ter a fiação trocada?

Estou prestes a correr para me salvar pela segunda vez neste ano, mas então tudo se ilumina, linda e fortemente. Todos na multidão aplaudem como se fosse um verdadeiro milagre de Natal.

O que, talvez seja, mas eu estou dando o fora daqui, só para me garantir.

Capítulo 46

LILLIA

Estou almoçando com todo mundo na quarta-feira, quando duas garotas do segundo ano se aproximam nervosas da nossa mesa. Elas parecem tão jovens, as duas, com calças jeans azuis demais, largas demais, roupas de ginástica de lã e tênis Converse.

— Ah, Rennie? Será que a gente pode lhe fazer uma pergunta? — indaga a garota com rabo de cavalo cor de palha.

— Se você não estiver ocupada demais — fala a garota apagadinha.

Nas últimas semanas me acostumei a fingir que Rennie não existe. Quase tão bem quanto ela finge que eu não existo. Então volto para as páginas do meu livro de História e finjo estar completamente concentrada no perfil do Eli Whitney.

Além do mais, já sei do que se trata.

As duas garotas mostram um recorte e o colocam sobre a mesa para Rennie ver. Pelo que posso ver, sem olhar obviamente, parece que é um recorte de uma revista teen. Ou será que é de um catálogo de alguma loja de departamentos?

— Nós estávamos pensando se este vestido ficaria bem na sua festa.

A festa de ano-novo de Rennie é o assunto principal de todas as conversas. Será na galeria da mãe dela. O último grande acontecimento antes de a Sra. Holtz vender o lugar. Será a *pièce de résistance* de Rennie, sua obra-prima. O tema será os anos 1920, e ela está cuidando de todos os detalhes. Está armazenando garrafas de gim e champanhe do Bow Tie desde o mês passado. Foi bem fácil por causa de todas as festas de final de ano de empresas que eles têm oferecido. De acordo com Rennie, há garrafas suficientes para durar a noite toda. E todo mundo vai usar uma fantasia também. As garotas estão procurando Rennie e mostrando-lhe seus vestidos e recebendo a aprovação dela para os cabelos no estilo 1920. Na verdade, eu a vi outro dia com a testa franzida, toda concentrada lendo *O grande Gatsby*, durante uma aula vaga. O que é hilário, porque nós tivemos de ler esse livro no primeiro ano do Ensino Médio.

Fui a primeira pessoa a quem Rennie falou sobre essa ideia, no primeiro dia de aula. Rennie praticamente convidou a escola toda para a festa, menos eu. Ela não me baniu declaradamente, mas também não me convidou oficialmente. Eu não quero ir, mas não terei escolha. É o estágio final do nosso plano.

Rennie ataca furiosamente as duas garotas.

— Vocês estão falando sério agora? Primeira questão, isso aqui é um vestido de formatura, não um vestido de festa de fim de ano. E ele não é estilo melindrosa. Está vendo a cintura marcada? E essa horrível saia rodada? Isso é uma fantasia de dona de casa dos anos 50. — Ela praticamente amassa o papel e o joga no chão da cantina.

•••

Desde que a conheço, Rennie insiste para eu dar uma festa na minha casa. Sempre digo não, porque o tipo de festa que meus pais permitiriam que eu desse não é o mesmo em que nossos amigos estariam interessados em ir — isto é, sem álcool, sem música alta, sem nadar pelado, sem ficar namorando nos quartos. Seria mais no estilo karaokê e tábua de queijos.

E a verdade é que nunca gostei muito da ideia de dar uma festa para muitas pessoas. Parece muito estressante garantir que todo mundo se divirta e, ao mesmo tempo, ter certeza de que eles não estão destruindo a casa. Minha casa, no entanto, é perfeita para uma festa. Minha mãe a projetou desse jeito, com uma área aberta e um pé-direito alto e abobadado, e muito espaço para as pessoas se movimentarem. E a noite de cinema que eu dei há algumas semanas foi ótima.

Passo o resto do dia imaginando por que Rennie é a única a dar festas. Por que ela, e só ela, pode ser a guardiã de todas as atividades sociais da Ilha Jar.

Naquela noite surge uma oportunidade. Estamos preparando o jantar quando minha mãe sugere que nós três façamos uma surpresa para o papai neste final de semana em Nova York, onde ele vai dar uma palestra numa conferência médica. Lembro a ela de que tenho de trabalhar nas minhas inscrições para a faculdade, e ela diz:

— Lillia, você nunca consegue ficar com seu pai. Vai ser um tempo em família muito gostoso. Nós vamos assistir a um show, tomar um brunch e visitar aquela nova instalação de arte no Met.[13] Talvez fazer uma massagem. Podíamos fazer algumas compras de Natal também! Você não disse que estava precisando de botas novas para cavalgar?

Sei que ela pensa que me convencerá com a ideia de fazer compras, mas eu fico firme.

— O papai vai trabalhar o tempo todo. Ele não estará indo para um spa com a gente.

— Ele vai poder nos encontrar nos jantares — argumenta minha mãe.

— Mamãe, preciso trabalhar nas minhas inscrições. As coisas estão tão malucas com os trabalhos da escola, que eu ainda não consegui me concentrar nelas do modo como preciso. — E isso é verdade.

Minha mãe dá um suspiro.

— Tudo bem, podemos ir outra época.

— Você e Nadi deveriam ir — digo a ela. — Eu vou ficar bem sozinha. Prometo.

Posso ver a indecisão no rosto da minha mãe. Ela realmente quer sair da ilha, ela se agarrará a qualquer desculpa para poder sair daqui. O inverno aqui a deixa nervosa. Faz com que ela se sinta claustrofóbica, sem poder sair de casa por causa do tempo tão frio, chuvoso e cinzento.

Além do mais, ela adora Nova York. Ela morou em Nova York quando tinha 20 e poucos anos, e fica toda nostálgica quando fala em passear pela cidade com suas amigas. Nadia está ouvindo a conversa no sofá e se intromete.

[13] Metropolitan Museum of Art, em Nova York.

— Por favor, por favor, podemos ir? Eu quero fazer compras! — E rapidamente acrescenta: — Eu também quero ver o papai.

— Não sei, não. Um final de semana inteiro sozinha?

Numa voz firme e forte eu afirmo.

— Mamãe, vou ficar bem. Fiquei sozinha no mês passado e foi tudo bem.

— Bem… eu adoro Nova York na época do Natal — diz ela, olhando para Nadia, que dá um gritinho. — A cidade toda parece que foi embrulhada para presente. — Ela olha novamente para mim e diz: — Você pode pedir para Rennie ficar aqui e lhe fazer companhia.

— Talvez — digo, e Nadia ergue as sobrancelhas. Eu me viro de costas e começo a encher os copos de água.

— O que está acontecendo com vocês duas? — pergunta minha mãe. — Ela não tem aparecido muito por aqui ultimamente.

— Nada. É que nós duas estamos muito ocupadas.

Posso perceber que minha mãe está se preparando para fazer outra pergunta. Está na hora de mudar de assunto.

— Mamãe, quando estiverem em Nova York, será que você poderia comprar aquele creme para o rosto de que eu gosto, daquele spa que você vai? Aquele que tem cheiro de bombom?

— Talvez Papai Noel o coloque na sua meia — diz minha mãe, com uma piscadinha.

Então é assim que começa a acontecer a minha primeira festa de todos os tempos.

Eu conto para todo mundo sobre minha festa na mesa do almoço na quinta-feira, e o olhar azedo de Rennie faz tudo isso valer a pena.

— Sexta-feira à noite. Só veteranos — afirmo. — Superexclusiva. Não quero nenhum aluno de segundo ano perdido por lá, ou qualquer outra pessoa mais. Somente as pessoas de que gostamos. — *O que significa que você está fora Rennie.*

— Sua mãe vai deixar você dar essa festa? — Rennie parece cética.

Estou prestes a responder agressivamente para ela, mas então percebo que essas são as primeiras palavras que ela trocou comigo em mais de um mês. Forço-me a engolir em seco, e digo

— Minha mãe não estará aqui. Nem Nadia.

O rosto de Rennie se contrai.

— E quanto às bebidas? Deixe-me adivinhar, essa será uma festa a seco, Coca-Cola Diet e refrescos, estou certa?

Eu a ignoro e toco no braço de Reeve.

— Reeve, você pode pedir para um dos seus irmãos conseguir alguns barris para amanhã? Eu pago você depois da aula.

— Sem problemas — diz ele, engolindo uma garrafa de leite e limpando a boca. — Tommy me deve uma por eu tê-lo ajudado com a mudança semana passada. Você quer alguma bebida destilada também? Alguma bebida doce para as meninas, como licor de pêssego, ou qualquer outra coisa?

Humm. Não quero que as coisas saiam do controle, mas Rennie está prestando atenção, então eu digo:

— Talvez uma garrafa de tequila. Algumas doses. — Para o resto da mesa, eu digo — Mas eu não quero que as coisas, hum, percam o controle, vocês podem me ajudar a controlar tudo? Minha mãe vai me matar se a casa for destruída.

Reeve dá um cutucão no meu pé por baixo da mesa. Seu tênis na minha bota.

— Eu serei o seu porteiro — promete, me olhando firme. — Somente Vips na festa da princesa Lillia.

Fico tentada a olhar de soslaio para Rennie e ver a expressão no rosto dela, mas não há necessidade. Sei que ela está fervendo por dentro. Garantido. Para colocar mais lenha na fogueira, eu digo:

— E não vai ter nenhum tema, festa temática já está muito fora de moda.

— Ótima ideia — diz Alex. — Me avise se precisar de ajuda. O que você precisar.

— Talvez você possa pegar as pizzas? — pergunto.

Alex acena que sim.

— Sem problemas — diz ele.

•••

Depois da aula, Reeve me manda uma mensagem perguntando se eu poderia ajudá-lo a comprar uma roupa para a festa de Rennie, e eu disse que sim somente porque espero que ela fique sabendo. Então aqui estamos no brechó Second Time Around, perto da casa de Reeve, que a mãe dele recomendou. Reeve está em frente a um espelho de corpo inteiro, experimentando um paletó risca de giz de abotoamento duplo.

— Hum, acho que esse é um paletó de mulher — digo, e me dobro de tanto rir.

— De jeito nenhum — afirma Reeve com segurança. — É definitivamente uma roupa masculina. Ela apenas tem um corte mais elegante.

Eu vou por trás dele e fico na ponta dos pés para checar a etiqueta. Ann Taylor.

— Você está certo — digo, tentando esconder um sorriso. — Roupa masculina.

Reeve me olha de um jeito estranho e tira o casaco. Quando lê a etiqueta, ele exclama:

— Ann Taylor! Minha mãe compra lá. — Ele joga o casaco de volta para mim, e eu o coloco novamente no cabide. — Se eu não conseguir achar mais nada, acho que isso vai funcionar. O homem é que faz a roupa. A roupa não faz o homem.

Sacudo minha cabeça e o olho admirada.

— Não consigo acreditar em quanto você é petulante. — Estou tornando as coisas difíceis para ele, mas, verdade seja dita, é tão bom vê-lo agindo como antigamente. Eu lhe entrego um colete xadrez cinza com botões na frente. — Você poderia usar isso com camisa e gravata.

Ele o desabotoa e experimenta por cima da sua própria camisa.

— Nada mal — diz Reeve, olhando-se no espelho.

Ele realmente está bonito. Muito bonito. Pego um chapéu cinza da prateleira e o coloco sobre sua cabeça.

— Agora você está perfeito — digo, inclinando um pouco a aba do chapéu. — Muito charmoso. Bem ao estilo Gatsby. — A pele do seu rosto está macia, ele fez a barba esta manhã. E ele tem um cheiro tão bom. Não como se tivesse se encharcado de colônia, mas um cheiro de limpeza, cheiro de sabonete Irish Spring.

— Legal, vou comprar — afirma Reeve. Percebo que está satisfeito. Ele se olha no espelho pela última vez, pega o chapéu e o coloca na minha cabeça. Ele está me olhando, então dá um puxão na minha trança, e eu fico com a sensação de que ele me beijará.

Mas logo atrás dele, do outro lado da loja, vejo duas garotas e um garoto da nossa escola escolhendo roupas nas prateleiras. Eles são alunos do clube de teatro, provavelmente procurando fantasias ou algo assim. Não sei o nome deles, mas certamente eles sabem quem somos. E se eles nos vissem nos beijando, essa fofoca suculenta se espalharia pela escola em um minuto.

De repente, me sinto meio tonta. Dou um passo para trás, afasto-me dele e vou até o caixa. Reeve me segue e eu digo para a garota no caixa:

— Nós vamos levar o chapéu e o colete.

Reeve paga a conta e voltamos para sua caminhonete.

O sol está brilhando apesar de estar muito frio. Eu aperto o cachecol em volta do pescoço. Estou prestes a pular para o banco do passageiro quando Reeve limpa a garganta e diz:

— Você gostaria de ir à *open house* da minha casa?

— O que é uma *open house*? — Será que ele está *mudando*?

— É uma coisa que meus pais fazem todo mês de dezembro — explica Reeve. — Minha mãe faz um monte de comida, e as pessoas passam por lá durante todo o dia. A maioria é gente da família e os vizinhos. Vão ser apenas meus irmãos, as namoradas deles, meus primos. Nós vamos assistir ao futebol, decorar a árvore de Natal, pendurar as luzes na garagem, nada de especial.

Eu umedeço meus lábios nervosamente.

— Quando vai ser? — pergunto.

— Neste domingo. Você pode vir quando quiser, estaremos lá o dia todo.

— Tudo bem — digo.

Eu conheço Reeve há anos e não me lembro de ele jamais ter mencionado uma festa assim em sua casa antes. Não acredito que ele está realmente me convidando. É realmente muito gentil. Mas também muito real. O que vai ser? Vou ficar com a mãe dele, o pai, os irmãos e as namoradas? Isso é uma coisa que só uma namorada costuma fazer.

Então, eu acho que isso é uma coisa boa.

O rosto de Reeve se abre num sorriso aliviado.

— Sim. Tudo bem. Legal. Você pode chegar quando quiser. Isto é, as pessoas costumam chegar pela manhã. Minha mãe faz uns pãezinhos doces que são demais, então talvez você devesse chegar por volta das dez horas, antes que meus irmãos comam tudo.

— Legal — repito.

Ele parece tão feliz que eu imagino que me beijará novamente.

Reeve abre a porta do lado do passageiro para mim e eu entro, minha echarpe se arrastando atrás de mim. Antes de fechar a porta ele pega a ponta da minha echarpe para que não fique presa na porta, e a enrola em volta do meu pescoço. Então corre para o outro lado, dá a partida no carro e liga o aquecimento.

— Vai aquecer bem rápido — diz ele, e eu aceno com a cabeça.

Tenho de ficar me lembrando o tempo todo de que nada disso é verdade. Que tudo terminará em breve. Não posso me deixar envolver nisso, porque sinto algo por ele. Eu não posso sentir nada por ele. Preciso controlar isso.

Reeve estaciona na frente da minha casa e antes de eu sair ele diz:

— Está tudo certo com os barris. Vou pegá-los amanhã depois da aula, e posso pegar as pizzas também.

Surpresa, eu digo:

— Ah, obrigada, mas Alex disse que as pegaria.

— Pode deixar que eu faço isso. Fica no meu caminho.

— Tudo bem, obrigada. Amanhã quando eu fizer o pedido vou dar o número do meu cartão de crédito.

Reeve me olha de um jeito estranho e diz:

— Eu posso bancar algumas pizzas, Cho.

Ótimo, agora o ofendi. Estou pensando no que dizer para deixar a situação menos constrangedora, então ele acrescenta:

— Posso chegar mais cedo com as coisas e ajudá-la a arrumar tudo se você quiser.

Eu o olho com o canto dos olhos.

— As pessoas vão notar, você sabe.

Reeve dá de ombros.

— O quê?

— Deixa disso, Reeve. Estou apenas dizendo que se a gente quiser que as coisas fiquem do jeito que estão, entre nós, precisamos ser mais discretos.

Reeve estende o braço e coloca umas mechas do meu cabelo para trás da orelha.

— Nós não vamos conseguir esconder isso para sempre.

— Eu sei. Mas não podemos esfregar isso na cara de todo mundo também. As pessoas vão ficar chateadas. — Com pessoas, estou me referindo a Rennie e a Alex.

Ele esfrega os olhos.

— Só estou fazendo o que acho certo. Se as pessoas tiverem problemas com isso... bem, então podem ir para o inferno.

Aceno com a cabeça. O que mais posso fazer? Então faço o que acho certo naquele instante. Inclino-me sobre o console central e dou-lhe um beijinho no rosto. Faço isso com tanta rapidez que não vejo o olhar de surpresa no rosto dele, então dou um pulo e corro até a porta de casa.

Estou sem fôlego e corada quando subo as escadas e entro no meu quarto. Estou escovando o cabelo na frente da penteadeira quando Nadia entra vestindo um dos blusões de moletom de Harvard do nosso pai e suas pantufas felpudas.

— Oi — digo. — Pensei que você fosse ao haras.

— Eu vou, mais tarde. — Ela se aproxima, senta na minha cama e me observa. Seus braços estão abraçando os joelhos.

— Você parece feliz.

— É mesmo?

— Sim.

— Foi Reeve que a deixou aqui?

Noto algo na voz dela, certa rispidez.

— Sim. Nosso grupo ficou no centro da cidade e ele me deu uma carona de volta para casa porque estava indo para a casa de Alex.

Nadia não diz nada. Ela sabe que estou mentindo. Eu sei que estou mentindo. A mentira fica parada entre nós. Então ela diz:

— Eu vi você dar um beijo nele.

— No rosto!

Ela balança a cabeça me olhando como se eu fosse uma estranha.

— Mas você sabe que isso não está certo. Não importa o que você esteja fazendo com ele, isso não está certo.

— Por que isso não está certo? — Minha voz soa fraca, desesperada.

Eu odeio o modo como Nadia está me olhando, como se ela estivesse desapontada comigo. Como se eu a tivesse desapontado.

— Porque você sabe como Rennie se sente em relação a ele. Ele é dela.

— Não, ele não é. Ela pensa que sim. Mas ele não é. — Sinto as lágrimas em meus olhos enquanto digo: — Eu nem mesmo sei como você pode defendê-la, depois do modo como ela está me tratando. Você ainda não notou? Já faz quase dois meses que ela me ignora em público e fala mal de mim pelas minhas costas. E eu sei que você e todas as suas amigas estão ajudando com a decoração e outras coisinhas para a festa dela de ano-novo. Como você acha que me sinto? Você deveria estar do meu lado, Nadi. Você é minha irmã, não dela.

— Não tem nada a ver com o que ela está fazendo. É sobre o que você está fazendo. — Nadia parece estar prestes a chorar também.

— Nadia — começo. Não tenho certeza do que posso dizer para melhorar as coisas. Antes que eu descubra o que fazer, minha irmã se levanta e sai. Eu grito o nome dela novamente, mas ela não volta.

Capítulo 47

KAT

Minhas noites de sexta-feira estão ficando menos e menos animadas esses dias. Lillia vai dar uma grande festa, e eu estou sentada no chão da saleta tentando desembaraçar um nó no cordão de luzes de Natal. É um quebra-cabeça bonito e reluzente. Meu pai e Pat foram comprar uma árvore de Natal na YMCA com um cupom que a gente recortou do jornal. Pat não parava de dizer:

— Quero que tenha cheiro de pinheiro. Algumas não têm.

Coloquei minhas mãos no ombro dele e disse:

— Algo alto e barato, Pat. Essa é sua missão.

Ainda acho estranho gastar dinheiro comprando árvore de Natal. Na época em que a mamãe ainda estava viva, nós costumávamos sair para "caçar árvores". Era assim que ela dizia. Acho que outras pessoas usariam o termo "invadir propriedade alheia".

Depois do jantar, quando o sol se punha, nós quatro saíamos para uma caminhada no bosque atrás da nossa casa. Cada um de nós levava uma lanterna. Quando achávamos uma árvore de bom tamanho, meu pai e Pat pegavam uma antiga serra de mão, e os dois juntos, um de cada lado, ficavam serrando para frente e para trás. Minha mãe e eu ficávamos em silêncio, animando os dois com nossos aplausos abafados pelas luvas e bebendo sidra quente de uma garrafa térmica.

Essa era a única coisa ilegal que a minha mãe já fez. Nós arrastávamos a árvore de volta para casa e brincávamos o tempo todo com ela por causa disso. Pat ficava quieto e sussurrava para ela:

— Judy, acho que estou escutando o barulho de sirenes da polícia! — E então nós caíamos na gargalhada.

Minha mãe se recusava, ela simplesmente se recusava a gastar dinheiro comprando uma árvore, já que as florestas estavam cheias delas. Não importava que as florestas não fossem nossa propriedade particular. Elas pertenciam à Sociedade de Preservação, compradas com o propósito de manter preservada uma parte da Ilha Jar.

Meu telefone vibra na mesinha do café. Estendo o braço e abro a mensagem.

Podemos conversar? Por favor?

Sinto meus lábios se retesarem, como se tivesse experimentado uma coisa amarga. Esta é a segunda vez que Rennie tenta se aproximar de mim. A primeira vez foi com a margarida no meu armário da escola, o que foi uma manipulação emocional incomum, e agora isso. Nunca comentei nada sobre a margarida. Quando a encontrei na escola, olhei como se não a tivesse visto. E definitivamente não vou responder agora, qual é? Por que Rennie poderia supor que eu abriria a porta novamente para ela? Não faz nem um mês que ela tentou me provocar lá no Greasy Spoon.

Eu sei por que ela está fazendo isso. Ela está brigada com Lillia. Provavelmente não foi convidada para a festa de hoje à noite. Se as coisas estivessem bem entre as duas, ela certamente não se aproximaria de mim. Hum, sim. Obrigada, mas não. Muito obrigada, sua bruxa.

Outra mensagem de texto chega, antes mesmo que eu possa deletar a primeira.

Por favooooorrr?

Por que ela está se recusando a entender? O fato de ela ficar tentando se aproximar , mesmo quando não estou respondendo, bem, isso me faz sentir mal. O que é uma grande merda. Porque eu não lhe devo nada. Ela é a cretina. Não eu. Ela precisa entender isso.

Escrevo de volta. *Vá se ferrar.*

Acredito que isso vá colocar um ponto final na conversa. Mas ela me manda uma mensagem novamente, quase imediatamente.

Um café. Java Jones as dez?

Fico de queixo caído. A garota tem coragem.

De jeito nenhum. Não tem NADA que me faça encontrá-la no Java Jones!!!

Meus dedos teclam com tanta força que fico com medo de quebrar meu telefone.

Até onde sei, ela pode estar planejando para mim uma grande humilhação ao estilo *Carrie, a estranha*, de Stephen King, completa, com um balde de sangue de porco que cairá sobre a minha cabeça quando eu passar pela porta.

Tudo bem. Sem café. Posso passar na sua casa? Por cinco minutos.

Isso é clássico de Rennie, ela insiste até conseguir o que quer. Ela fazia isso quando nós éramos crianças. Uma vez Rennie pediu permissão para ir a uma sessão de cinema à meia-noite, para assistir a um filme de terror classificado para maiores de 18, por ser super, supersangrento. Paige disse que não, mas ela ficou insistindo até a resposta mudar, o que é claro aconteceu.

Escrevo de volta. *MORRA, SUA CRETINA!!!*

Então, enterro meu celular entre duas almofadas do sofá, porque já estou de saco cheio. Estou de saco cheio também de desembaraçar esses nós das luzinhas. A culpa é de Pat, é ele que todo ano guarda todos os fios misturados num saco, em vez de guardar tudo cuidadosamente. Procuro nas caixas um enfeite para o topo da árvore, mas acabo encontrando um anjo de porcelana branca embrulhado em jornais. Uso a manga do meu suéter preto para tirar a poeira do parapeito da janela, e o coloco lá. Tem um espaço nele para colocar uma vela, uma dessas velas perfumadas num copinho de metal, mas nós nunca nos lembramos de comprar uma. Vou tentar me lembrar de comprar uma dessas velas. Não tenho certeza de onde foi que compramos o anjo, se já era nosso antes ou se foi um presente, mas todas as vezes que olho para ele penso em Judy.

A campainha da porta toca. Shep desliza da cadeira e vai latindo em direção à porta da frente.

Ah, não. Não, não, não, não.

Espio pelas cortinas e vejo um jipe branco parado na entrada da minha casa.

Que droga. Não!

A campainha toca novamente. Então escuto uma batida na porta. Uma batida impaciente.

Estou a alguns passos da porta e grito através da porta:

— Saia da minha propriedade, Rennie! — Eu queria que Shep fosse um cão de guarda para atiçá-lo sobre ela.

— Kat, vamos lá. Por favor, converse comigo!

Pressiono minhas costas de encontro à porta. Ela continua a bater.

Isso é ridículo. De certo modo, Rennie descobriu um jeito de me fazer parecer idiota. A garota se escondendo do lado de dentro de casa, com medo de enfrentar seu torturador. Juro por Deus...

Escancaro a porta com força.

— Você tem 60 segundos. Vá.

Rennie sorri timidamente. Ela está usando um suéter verde-oliva, jeans escuro e uma bota Sherpa de camurça com franjas que parece completamente ridícula.

— Oi — diz ela com naturalidade.

Não digo nada. Fico ali parada esperando que ela comece.

No entanto, Rennie não faz nada, a não ser me olhar, como se fosse alguém com amnésia, tentando se lembrar de quem eu era.

— Diga o que você tem para dizer! — digo, explodindo, para terminar logo com tudo isso.

Ela morde os lábios e faz um movimento com a cabeça.

— Kat — diz ela, e então faz uma pausa para respirar fundo. — Sinto muito. — Ela ergue os braços para o alto como se estivesse me ofertando alguma coisa, não sei o quê. Então deixa os braços caírem ao lado do corpo.

Dou uma risada, não consigo evitar, e isso forma uma nuvem de vapor no ar gelado.

— É isso? Foi por isso que você veio aqui?

Ela solta um suspiro e parece irritada, como se eu não soubesse que isso está sendo muito difícil para ela.

— Sei que as pessoas com quem eu tenho amizade não têm facilitado muito as coisas para você. Lillia, Ashley...

— Não — digo, balançando a cabeça. Não vou escutar essa merda agora. — Não ouse colocar a culpa nos outros pelo que você fez comigo nesses últimos quatro anos. — Não pronuncio essas palavras. Eu as cuspo.

Ela pisca os olhos e fica olhando para o chão.

— Eu... eu...

— Ah, deixe disso. — Começo a fechar a porta, porque tudo isso é ridículo.

Rennie dá um passo à frente e usa o pé para impedir que a porta se feche.

— Espere. Tudo bem. Tudo bem. Gostaria de poder voltar atrás, ao primeiro dia de aula do Ensino Médio, e começar tudo de novo. Gostaria de poder desfazer tudo o que aconteceu, Kat.

— Bom, você não pode — digo. É tarde demais para isso.

— Eu sei que não posso. E é isso que é uma droga.

Eu me apoio na soleira da porta.

— Sabe o que é uma droga? Seu *timing*. Adoro que essa desculpa esteja chegando agora. Agora que seu círculo de amigos está se desintegrando completamente e você não tem mais ninguém. — Estou gritando essas palavras.

Seus olhos tremem.

— Todo mundo na escola sabe, Rennie. Você e sua preciosa pequena Lillia estão brigadas. — Não sei por que digo essas coisas sobre Lillia. Eu já fiz as pazes com ela. Já a perdoei. Estamos bem agora. Mas é como se a raiva ainda estivesse dentro de mim, guardada em algum lugar, por ter sido deixada de lado. — Você a escolheu, me trocou por ela. Então por que eu deveria me preocupar agora, que ela lhe abandonou? — Dou uma risada que soa vazia, mas não me importo. — Eu adoro tudo isso! É carma, meu bem! —Tento fechar a porta novamente.

— Espere! Por favor, Kat. Me ouça por um segundo. Lillia é uma cretina traidora. É quase insano o modo como ela é traíra. Eu nunca havia percebido isso antes! — Rennie parece tão convencida, tão segura. Em sua mente doentia, Lillia é claramente culpada por alguma coisa.

Olho para ela de boca aberta.

— Você não entende, sua idiotinha? Não há desculpas no mundo que possam compensar a merda que você fez. — Sinto minha temperatura subir, apesar de estar tentando manter a cabeça fria. — Todas as mentiras que você disse sobre mim, as provocações, as brincadeiras. Nunca mereci tudo aquilo. Eu era sua amiga. Nunca fiz nada a você.

Rennie começa a tremer. Ela passa os braços em volta do corpo com força, mas não consegue parar de tremer. Ela olha para baixo, para suas botas horrorosas.

— Tudo bem. Você está certa. Você está completa e absolutamente certa. Estou apenas recebendo tudo que mereço.

Eu não a consolo. Em vez disso, digo:

— Ei, não tenho certeza disso, Ren. Espero que você receba realmente o que merece. Eu espero que as coisas fiquem bem piores para você.

As palavras deixam um gosto amargo na minha boca. São mesquinhas, realmente mesquinhas. Talvez mesquinhas demais.

Acho que ela irá erguer os olhos e mandar eu me ferrar. Mas ela não diz nada. Levanta a cabeça e tem lágrimas nos olhos. Ela dá um passo para trás, para longe de mim.

— Deixe-me lhe dizer uma última coisa, Kat. Quero que você saiba que, pelo resto da minha vida, vou me envergonhar por não ter estado ao seu lado quando sua mãe ficou doente. Não quero que você vá embora para Oberlin, ou para qualquer outro lugar, e a gente nunca mais se encontre sem que você saiba disso.

É difícil fazer as palavras saírem da minha boca. Minha garganta repentinamente fica constrita.

— Bom. Você deveria mesmo sentir vergonha. — Sinto meu queixo começar a tremer.

Rennie percebe, e as lágrimas rolam depressa.

— Sinto muito — diz ela. Então começa a soluçar. Ela senta no degrau, se curva para a frente, coloca a cabeça no colo e desaba.

Isso me espanta. Então percebo que estou recebendo tudo o que sempre quis. Não vingança, mas uma desculpa. Uma desculpa verdadeira. Mas estou triste demais para apreciar isso. As coisas não tinham de acontecer desse modo. Eu me abaixo também, sento um degrau acima dela e vejo seus ombros sacudirem para cima e para baixo. É difícil não querer consolá-la. Acabo dando uns tapinhas nas suas costas. Duas vezes. Droga. Sou simplesmente humana.

Meu pai e Pat estacionam com uma árvore de Natal amarrada no teto do carro. Eles nos veem, e Pat arregala os olhos. Balanço a cabeça, dizendo que está tudo bem. Ele direciona meu pai para a garagem.

Rennie levanta a cabeça.

— Quero prometer uma coisa. Prometo do fundo do meu coração, que nunca mais vou fazer nenhum mal a você, Kat. Jamais. — Minha garganta está seca, então balanço a cabeça ligeiramente, aceitando. — E eu queria convidar você para a minha festa de final de ano.

Estou quase dizendo obrigada, não, muito obrigada, ao seu convite, mas então algo me vem à cabeça. Se eu estiver na festa, poderei ver em primeira mão toda a merda que acontecerá entre Reeve e Lillia.

— Posso levar alguém? — pergunto pensando em Mary. — Se eu não tiver nada melhor para fazer?

Rennie dá uma risada ao ouvir isso.

— Típico de Kat — diz ela. — Totalmente. Quem você quiser levar. — Ela se levanta e se estica toda. — Vai haver um porteiro para controlar a entrada. Se você disser "minha garrafa está vazia", ele a deixará entrar de graça. — O rosto dela se abre num sorriso desleal. — Eu tenho até uma surpresa especial planejada para a meia-noite, e quero que você esteja na frente e no centro de tudo para assistir ao show. Bum, bum, bum, meu bem.

Não posso evitar, mas reviro os olhos, porque, cara, ela ainda é Rennie.

— Ouça... eu realmente gostei de você ter vindo — digo bruscamente. — E de ter dito todas essas coisas para mim.

Ela sorri.

— É o mínimo que eu poderia fazer. — Ela faz um carinho atrás das orelhas de Shep e o beija no alto da cabeça. — Tchau, Kat.

— Tchau, Ren.

De um jeito estranho isso não soa como um adeus. Parece o início de algo.

Capítulo 48

LILLIA

ASSIM QUE CHEGUEI EM CASA DA ESCOLA, TRANQUEI O ARMÁRIO DE bebidas e a porta da adega, depois escrevi um aviso com minha própria letra dizendo *Proibida a Entrada* e o coloquei na porta do quarto dos meus pais. Fiquei em dúvida se deveria ou não colocar um aviso na porta da frente dizendo *Por favor, Tirem os Sapatos*, mas pensei que seria um exagero. Se eu perceber que as pessoas estão colocando os pés em cima do sofá, pedirei educadamente que não façam isso.

Estou usando o corselete de renda preto que Kat comprou para mim. Eu ainda não tinha tido coragem de usá-lo, mas acho que, como anfitriã, devo estar com uma aparência ultraespecial. Vou usá-lo com uma minissaia cinza pregueada e com meu pingente de ouro em formato de ferradura. Encaracolei o cabelo e levantei um pouco em cima, para ficar com balanço e volume. O toque final é um batom rosa-pálido e uma gota de perfume.

Vejo a caminhonete de Reeve estacionar na entrada de casa e ele subir a alameda com quatro caixas de pizzas empilhadas. Corro até a porta da frente, e a escancaro antes mesmo que ele toque a campainha.

Ele fica de queixo caído quando me vê.

— Caramba, Cho!

É exatamente a reação que eu estava esperando, mas mesmo assim meu rosto se incendeia.

— Obrigada por pegar as pizzas — digo, enquanto ele dá um passo para dentro. Ele me entrega as caixas, tira os sapatos e os coloca ao lado da parede. Ele está usando meias esportivas brancas com o dedão cinza. Da mesma marca que o meu pai. Isso me faz sorrir.

Posso sentir seus olhos sobre mim enquanto me encaminho para a cozinha. Coloco as pizzas no balcão.

— Obrigada de novo — digo, na falta de outro assunto.

— Sem problemas.

— Você conseguiu os barris? — pergunto.

— Sim, eles estão na traseira da caminhonete.

— Vou ajudá-lo a trazer — digo.

Reeve solta uma gargalhada.

— Eles são pesados demais para você e eu. Vou fazer isso com PJ quando ele chegar. — Olhando-me de cima a baixo ele acrescenta: — Além do mais, essa saia é curta demais para esse trabalho.

Faço um biquinho.

— Não é curta demais.

Ele sorri. Então apoia as mãos no meu quadril e me puxa na direção dele, simples e fácil. Ele não tira os olhos de cima de mim, observando-me cuidadosamente, dando-me uma chance de impedi-lo, se quiser.

Mas eu não o faço. Eu não quero. Isto é, eu quero. Quero.

Então ele começa a me beijar, sua boca suave e segura de encontro à minha. Ele realmente sabe beijar.

•••

Eu não me lembro de ter convidado tanta gente assim. E disse explicitamente que não queria nenhum calouro, então por que vejo algumas garotas do primeiro ano da equipe de animadoras? Essa festa não tem nada de VIP. E pelo amor de Deus, ser anfitriã é provavelmente a coisa menos divertida de todas. Fico constantemente correndo para cima e para baixo, limpando alguma coisa que caiu, diminuindo o volume da música. Eu não tomei um gole sequer de álcool!

Ainda bem que Reeve está aqui.

Ele está parado na porta dizendo para as pessoas tirarem os sapatos.

— Morrissey, você foi criado num celeiro? — rosna ele. Reeve dá uma piscadinha quando me vê observando.

Estou dando uma volta pelo andar de baixo quando a vejo. Rennie. Não consigo acreditar, mas lá está ela. Bebendo cerveja, espalhada no meu sofá com suas botas de salto alto, apesar de conhecer as regras aqui de casa melhor que ninguém, conversando com Ash, que está encarapitada no braço do sofá.

Não tenho certeza do que fazer. Se tentar colocá-la para fora, vai ser um drama, e é exatamente o que ela quer. Que a gente brigue na frente de todas essas pessoas. Então faço exatamente o oposto.

Pego uma vasilha com salgadinhos na cozinha, e vou até o sofá com um sorriso brilhante:

— Oi, pessoal! — digo, me jogando no sofá ao lado deles.

Rennie me dá um sorriso falso, onde apenas os cantos da sua boca se levantam, e Ash se inclina para me dar um abraço.

— Lil, deu tudo errado — diz ela, num gemido.

— Qual o problema? — pergunto.

— Derek me disse hoje à noite que quer deixar as coisas entre nós mais casuais, ele não quer entrar num relacionamento sério no seu último ano. — Ash assoa o nariz num guardanapo de coquetel.

— Ah — digo. — Isso é típico de Derek.

— Ash, essa é a melhor coisa que poderia ter acontecido — afirma Rennie, tomando um gole de sua cerveja. — Derek não vale a pena como namorado.

Empurro a travessa de salgadinhos em direção a Ash. Ela enfia um punhado na boca e diz:

— Mas você e Reeve estão juntos, e Lil e Alex provavelmente ficarão juntos também. Com quem eu vou ficar? PJ? — Ela faz uma cara de nojo.

Não digo o que estou pensando, que é: *Hum, me desculpe, mas Reeve e Rennie não estão juntos, porque Reeve e eu estamos juntos*. Espero para ver se Rennie vai corrigi-la, mas ela continua bebendo a cerveja. A única coisa que diz é:

— Ah, PJ é tão engraçadinho. Não se preocupe, Ash. Você encontrará um cara perfeito, assim como eu encontrei.

Eu me levanto para me afastar dali, porque não consigo mais escutar esse lixo.

— Ash, volto num segundo, vou verificar se ninguém subiu ao andar de cima.

Rennie revira os olhos.

— Ninguém vai se divertir se você ficar correndo para cima e para baixo como uma carcereira. Alô-ô, isso aqui deve ser uma festa. Relaxa.

Estou quase surtando com ela quando Reeve irrompe na sala. Ele levanta Rennie do sofá, a coloca sobre seus ombros, como se ela não pesasse nada, mas ela pesa.

— Me coloca no chão, Reeve! — Ela dá gritinhos e balança os pés.

— Sem sapatos dentro de casa, Rennie — diz ele, arrancando as botas dos pés dela. E então a joga no sofá novamente, mas o copo de cerveja dela vira e derrama todo o líquido. Um pouco de cerveja cai no meu braço.

— Maravilhoso. Obrigada, pessoal — digo, enxugando o chão com guardanapos. Reeve se curva e começa a me ajudar.

— Desculpe, Cho.

— Relaxa, Lil — diz Rennie, com o rosto vermelho, depois de ter ficado pendurada de cabeça para baixo. — É só cerveja! As pessoas geralmente derramam cerveja numa festa.

— Rennie, eu juro, se você disser para eu relaxar mais uma vez... — exclamo, e realmente estou falando sério, não estou brincando.

Rennie estreita os olhos e nos encaramos de alto abaixo. Reeve tenta colocar o braço entre nós, mas eu o afasto. Então Alex entra com um prato de papel numa das mãos e uma cerveja na outra.

— Oi! — digo a Alex. — Não vi você a noite toda.

Alex engole seu pedaço de pizza.

— Estava por aí — diz e toma mais um gole de cerveja. — Ah, fui pegar as pizzas, e eles disseram que já tinham pegado mais cedo.

Levo uma mão à boca.

— Ah, meu Deus! Desculpe! Eu realmente esqueci de lhe mandar uma mensagem.

Alex enfia o restante da fatia na boca.

— Não se preocupe.

— Sinto muito, Lind — digo.

Rennie revira os olhos.

— Sim, sinto muito, Lind — fala Reeve, com a voz arrastada. — Mas eu cuidei disso.

Alex olha para mim e para Reeve, que ainda está parado ao meu lado.

— Elas estavam no caminho para pegar os barris — digo rapidamente. — Então pensei que seria mais fácil.

— Não precisa se preocupar — diz Alex novamente, apoiando seu prato na mesinha de centro. Então ele tira sua carteira do bolso e meu estômago dá um nó. Ele pega uma nota de 20 dólares da carteira e a entrega a Reeve.

— Aqui.

— Para que isso? — pergunta Reeve, seus olhos se estreitam ao ver o dinheiro.

Alex dá um passo à frente, para se aproximar ainda mais com o dinheiro.

— Eu disse a Lil que pagaria as pizzas.

— Eu disse a Lil que pagaria as pizzas — repete Reeve, imitando-o com voz de bebê. — Tarde demais, eu já paguei.

O rosto de Alex enrubesce. Estou quase lhe dizendo para deixar isso de lado, mas antes que eu possa dizer alguma coisa, ele joga o dinheiro na mesinha.

— Fique com o troco.

— Não sou o entregador de pizza, seu cretino.

Alex dá uma risada seca.

— Quem sabe... em alguns anos talvez você seja. — Levo as mãos ao rosto. Não posso acreditar que Alex tenha dito isso. Eu nunca o vi falar com Reeve desse jeito antes. No sofá, Rennie se levanta como se fosse atacar Alex.

Reeve está com os punhos cerrados ao lado do corpo, e sei que ele está prestes a esmurrar Alex. Tenho de fazer alguma coisa, depressa.

Com o coração disparado, pego o dinheiro e o entrego de volta a Alex. Num tom suave, mas firme, digo:

— Obrigada, Lind, mas Reeve já cuidou disso.

Então permito que meu corpo se encoste ao de Reeve, e deslizo minha mão para dentro da dele.

É uma exibição pequena, sutil e silenciosa, e mal é notada. Mas demora apenas um segundo para que se perceba a tensão no maxilar de Alex. Viro a cabeça e olho para Rennie no sofá. Sua boca está tão aberta que posso ver seus molares. Meu corpo todo está tenso, mas não me mexo.

Eles estão vendo isso. Nós dois.

Então Reeve olha de relance para mim, chocado. E definitivamente não satisfeito. Ele arranca sua mão da minha e diz:

— O que você está fazendo, Cho? — Como se eu estivesse maluca, como se nós não tivéssemos conversado na caminhonete dele e nós nunca tivéssemos nos beijado. Então, com uma risada e um chacoalhar de cabeça, ele se afasta de mim, pega o prato de papel de Alex e desaparece na cozinha. Fico parada ali, na frente de todo mundo, com minha boca aberta.

O que acabou de acontecer?

Não aguento ver a expressão no rosto de Rennie ou de qualquer outra pessoa. Me viro e sigo rapidamente para o andar de cima. Que conversa foi aquela sobre fazer apenas o que a gente acha que é certo, e os outros que se danem se não gostarem? Fui eu quem disse que deveríamos ser discretos!

Vou direto para o meu quarto, fecho a porta e me jogo na frente da penteadeira. Meu cabelo está um horror, liso escorrido, não mais brilhante e elegante. Provavelmente é porque estive correndo para cima e para baixo nas últimas duas horas limpando a sujeira das pessoas. Passo uma escova bruscamente pelos fios, passo uma leve camada de batom, porque o que estava usando já não existe mais. Posso ouvir a música no andar de baixo reverberando pelas paredes, e eu gostaria apenas de deitar na minha cama. Fico pensando em quanto tempo levará até que eu possa colocar todo mundo para fora.

Tenho certeza de que ele agiu assim porque se sentiu envergonhado. Por causa do que Alex lhe disse sobre tornar-se um entregador de pizza. Talvez eu tenha errado com tudo. Talvez eu devesse ter dado espaço a ele, deixado que ele agisse do jeito dele e esperado um momento melhor.

Meu Deus, estou parecendo Mary.

Suspirando, volto para o andar de baixo para ver como estão as coisas. Do hall, escuto o barulho de um carro arrancando em alta velocidade perto da minha entrada. Dou uma espiada pelas cortinas. É a SUV de Alex.

Ótimo. Simplesmente ótimo.

Na sala, noto uma marca de água na mesinha de centro, e tento limpá-la. Vou até a cozinha, pego um pouco de um produto de limpeza e então noto Rennie sentada no chão com as costas apoiadas no forno. Reeve está parado ao seu lado.

— Reeve... estou bêbada. — Sua cabeça balança de um lado para o outro, seu cabelo está cobrindo o rosto. — Você pode, por favor, me levar para casa?

Dou uma espiada nela. Ela deve ter tomado umas duas cervejas até agora. Eu já a vi tomar seis latinhas em menos de uma hora e não ficar nem zonza.

— Nossa, nem percebi que você estava bebendo tanto — exclamei.

De repente, os olhos dela se focam em mim:

— Talvez alguém tenha colocado algo na minha bebida.

Dou um passo para trás.

Reeve se levanta.

— Ren, quanto você bebeu?

— Não sei... — Rennie geme e volta a bancar a bêbada. — Perdi a conta. — Ela está fingindo. Está na festa há apenas uns 30 minutos, e há um segundo ela estava ótima. — Eu mesma vou dirigindo para casa. Não quero que você saia da festa agora.

— De jeito nenhum vou deixar você dirigir assim — diz ele, balançando a cabeça.

Ele a ajuda a levantar-se, e Rennie passa os braços em volta do pescoço dele.

— Você é o máximo, Reeve. — Ela dá um suspiro, fechando os olhos e se aconchegando a ele.

— Vá pegar seu casaco. Eu vou esperá-la na porta da frente.

— OK. Depreeeesssa. — Rennie arrasta as palavras.

Quando Rennie se afasta, Reeve se vira para mim e diz:

— Vou levá-la para casa.

Olho firme e cruzo meus braços.

— Eu nem sei o que ela estava fazendo aqui, para começo de conversa!

Reeve se empertiga e diz:

— Lil, ela está aqui porque todos nós estamos aqui. Todos os seus amigos. O que ela deveria fazer? Ficar em casa sozinha?

Sinto meus lábios se curvarem. Quantas vezes Rennie fez exatamente isso comigo!

— Você pode, por favor, não defendê-la na minha frente?

— Eu sei que ela pode ser uma cretina às vezes, mas no fundo é uma boa garota.

Reeve passa a mão pelo cabelo e olha de relance para a porta de saída.

— Olhe, vou deixá-la em casa e depois eu volto.

Fecho os lábios com força.

— Não se incomode. Eu vou fazer todo mundo ir embora daqui a pouco, de qualquer modo. — Jogo o cabelo por sobre os ombros. — Só para você saber, Alex foi embora.

Reeve dá uma risada sarcástica.

— Ótimo. Droga de garotinho rico.

— Reeve! — Olho furiosa para ele.

Da porta da frente, escuto Rennie chamar o nome dele.

— Reeve! Estou pronta!

Ele olha de relance para trás.

— Olhe, me deixe cuidar disso, depois volto para ajudá-la a limpar tudo.

— Posso fazer isso sozinha.

Ele solta um suspiro exasperado.

— Você está brava comigo?

Friamente respondo

— Por que eu deveria estar brava com você?

Reeve agarra minha mão e diz:

— Juro que volto logo. Me dê 20 minutos.

Tenho vontade de dizer a Reeve para não voltar mais hoje à noite, mas não reúno coragem para isso. Porque quero que ele volte. Sei que não deveria, mas quero. Não consigo evitar.

Ajeito as pregas da minha saia.

— Tudo bem. Se é o que você quer.

Depois de olhar por cima dos ombros para certificar-se de que não tem ninguém por perto, Reeve dá um beijo rápido na minha testa. Então procura suas chaves no bolso, pede para eu guardar um pedaço de pizza e vai embora.

Quando todo mundo vai embora uma hora mais tarde, recuso a oferta de Ash para me ajudar a limpar. Levo-a apressadamente porta afora e então subo correndo para o meu quarto e troco de roupa. Coloco um pijaminha lindo de camiseta rosa com estampa de coelhinho e shorts combinando. Sinto meu estômago flutuar enquanto coloco uma loção e algumas gotinhas do perfume Lillia na curva do meu pescoço. Prendo o cabelo e depois o solto.

Nunca fiquei sozinha com um garoto na minha casa antes. Tudo pode acontecer.

Não quero ir muito além dos beijos. Tudo bem, eu quero, mas ao mesmo tempo não quero. Acho que ainda não estou pronta. E, de qualquer modo, ainda estou zangada. E vou brigar com ele, com certeza. Então acho melhor ficarmos no sofá do andar de baixo, e isso será o suficiente.

Enquanto espero, arrumo a sala jogando fora os copos plásticos, limpando as mesas, afofando as almofadas do sofá. Está demorando muito para Reeve voltar, eu até pego o aspirador de pó. Mais uma hora se passa e a cozinha também fica limpa. A casa volta ao normal. Coloco dois pedaços de pizza num belo prato, não num prato de papel, e cubro com um plástico para poder esquentar quando ele chegar.

É aí que recebo a mensagem: *Preso na casa de Rennie. Não vou conseguir voltar hoje à noite.* Li e reli duas vezes para ter certeza do que estava lendo. Ele está me dando o fora. Por ela.

• • •

Rennie e eu nunca nos apaixonamos pelos mesmos garotos. Ela tinha uma série de garotos dos quais gostava. Garotos que eram barulhentos, agressivos, e nunca se podia saber se eles estavam se divertindo à custa dela ou se estavam falando sério. Ela gostava daqueles que a deixavam insegura. Porque ela sempre, sempre foi segura.

Enquanto eu, o único garoto da Ilha Jar por quem já me apaixonei foi Patrick DeBrassio. E mesmo assim era o tipo de paixonite que se tem pelo irmão mais velho de sua amiga, quando você tem certeza de que nada acontecerá. Afinal de contas, eu era a amiga da sua irmãzinha, um bebê.

Então Rennie e eu nunca nos interessamos pelos mesmos caras, mas houve uma vez em que isso quase aconteceu. Foi no verão antes do nono ano. Isso aconteceu quando Kat e Rennie ainda eram amigas. Mas foi num dia em que estávamos apenas Rennie e eu.

Havia um garoto bonitinho servindo sorvete. Ele estava trabalhando na sorveteria durante o verão, mas parecia tão jovem quanto nós, ele não deveria ter mais que 15 anos. Tinha o cabelo loiro meio escuro e uma boca pequena, e era robusto, mas dava para perceber que ficaria alto e forte algum dia. Eu já o vira anteriormente umas duas vezes, e em ambas as ocasiões convenci Nadia a ir na minha frente, para ter certeza de que eu seria atendida por ele. Eu gostava das suas covinhas e de como ele era preciso e cuidadoso com a casquinha de sorvete. Todas as suas casquinhas saíam perfeitas.

Naquela tarde, o movimento estava fraco. Eu estava tentando decidir se queria um sorvete de morango e manjericão ou um *sorbet* de mirtilo, e estava criando coragem para perguntar se eu podia experimentar um pouquinho de cada um, quando Rennie se curvou sobre o freezer e perguntou para ele:

— Quantos anos você tem?

Rennie fizera muito isso naquele verão, conversando com garotos que a gente não conhecia, garotos que estavam na ilha para passar uma semana, um mês; na maioria das vezes, o verão. Kat vinha junto às vezes, mas isso sempre me deixava meio tímida.

Ele levantou a cabeça bruscamente, estava limpando o balcão.

— Por quê?

— Porque tenho certeza de que você precisa ter 16 anos para poder trabalhar aqui, e você não parece ter 16. — Ela disse isso com um ar beligerante mas com olhos sedutores. Jogada típica da Rennie. Ela era tão segura que mesmo assim ele quis conversar com ela, e ficou intrigado por sua coragem e postura:

— Quantos anos você acha que eu tenho?

— Quinze no máximo — disse ela. — Quantos anos você tem?

— Quinze — admitiu ele. — Eu consegui esse trabalho porque meu tio é o dono da sorveteria. Vou passar o verão trabalhando aqui. Quantos anos você tem?

— Catorze — disse Rennie.

Ele finalmente me olhou. Eu estava olhando firme para os freezers de vidro, meus braços em volta do corpo, fingindo não escutar a conversa deles.

— Eu já a vi aqui antes — me disse ele. — Você pediu um de mirtilo da última vez, certo? Com cobertura?

Concordei com a cabeça.

A caminho de casa, eu disse a Rennie:

— Não acredito que ele se lembrou de mim.

Ela disse:

— É claro que ele se lembrou de você. Não há muitos asiáticos aqui na ilha.

Olhei para ela para ver se estava brincando, mas Rennie já estava voltada para outra coisa. É verdade que não havia muito mais famílias asiáticas aqui na Ilha Jar. Mas ela nunca tocara nesse assunto antes. De eu ser diferente dela.

Ela saiu com ele mais tarde naquela semana. Foi num dia que eu estava no haras. Ela ficou brava por eu lhe ter dito que não poderia ir à praia com ela porque teria aula de equitação. Nem me lembro mais do nome do garoto. Eu nem sequer fiquei brava com aquilo, porque o que eu teria feito com ele? Não sou do tipo de garota que ficaria dando uns amassos nele lá no cais, como ela fez. Eu não tinha permissão para sair com garotos.

O que mais me lembro desse evento é de como me senti quando ela garantiu que a única razão pela qual ele se lembrara de mim era o fato de eu ser asiática. Como se não houvesse nada em mim que valesse a pena ser lembrado. Esse pensamento ficou comigo durante um longo tempo.

Capítulo 49

KAT

LIL MENCIONOU ALGUMA COISA SOBRE A GENTE FICAR JUNTO ESTE FINAL de semana, mas fiquei surpresa quando ela me mandou uma mensagem hoje, perguntando se eu e Mary gostaríamos de ir dormir com ela esta noite. Isso foi algo totalmente novo. Mandei uma mensagem de volta dizendo "claro, por que não?" e peguei meu saco de dormir na garagem. Acho que a última vez que fui dormir na casa de alguém foi quando ainda era amiga de Rennie.

Pat não podia me levar. Nosso carro estava quebrado outra vez. Havia alguns garotos na nossa garagem. A maioria deles estava bebendo, o único sóbrio era Ricky.

— Tudo bem, eu acho que vou caminhar.

Eu estava a meio caminho da entrada quando Ricky veio atrás de mim.

— Na verdade, eu já estava indo embora, posso lhe dar uma carona se você quiser.

Eu o encaro.

— Obrigada, mas não precisa. — Eu não preciso de caridade.

— Kat, espere.

— O que Ricky? — Esforcei-me para parecer desinteressada, entediada.

— Você está me ignorando. Por quê? Por que eu não quis beijar você?

Droga, ele não enrola mesmo. Bom, nem eu.

— O que o faz pensar que eu queria beijar você? Não se ache tão irresistível assim.

Ricky dá uma risada.

— Hum, você me encostou na parede, e parecia que ia me devorar.

Olho para ele, sarcástica. Quem este idiota pensa que é?

— Você devia estar sonhando.

— Olhe. Você quer que eu seja claro?

Paro de andar e olho para trás.

— Fale.

— Eu realmente gosto de você. Eu gosto de você há bastante tempo.

— Então qual é o problema?

Ricky faz meia-volta para a garagem.

— É Pat, certo? Eu tentei abrir o jogo com ele, dizer como me sinto em relação a você, mas ele disse para eu me afastar.

— Não deveria ser eu a tomar essas decisões?

— Ele não estava dizendo isso para ser chato. Mas, sabe, você está entrando numa faculdade importante, e acho que ele não quer que nada a distraia. Além do mais, ele é meu amigo.

Se ele faz essa restrição, não vou contrariá-lo. — Ele balança a cabeça. — De qualquer modo, o que nós poderíamos ter juntos? Alguns meses, no máximo? E então você iria embora. Eu não quero, você sabe, me apaixonar por você ainda mais do que já estou.

Ok, de verdade. Isso foi meigo da parte de Pat, mas que diabos ele está fazendo, metendo seu nariz nos meus problemas? Ele nem se dá ao trabalho de arrumar sua própria bagunça em casa, e quer dar palpite em com quem devo ficar?

De certo modo, isso é uma benção disfarçada. Porque eu gosto de Ricky, mas não tenho certeza de que estou apaixonada por ele. Não do modo como ele falou.

Dou um beijinho no rosto dele.

— Amigos?

Ele parece triste, e oferece um sorrisinho fraco.

— Sim. Amigos.

Mary está esperando nos degraus quando Ricky me deixa na casa de Lillia.

— Oi — digo. — Por que está aqui fora?

— Oi para você também — diz Mary, erguendo as sobrancelhas. — Eu acho que Lil não está em casa. Eu estou batendo há um tempão, mas ela ainda não atendeu.

— Ahn?!

Toco a campainha, e alguns segundos depois Lillia abre a porta e dá um sorriso cansado.

— Oi, pessoal. — Ela está usando um moletom enorme de Harvard, calça legging e meias grossas. Sem maquiagem. Seu cabelo está envolto numa toalha. Acho que ela estava no chuveiro.

Entramos na casa, e eu demoro um tempão para desamarrar meus coturnos. Descalçar e calçar sapatos é uma amolação. As pessoas lá em casa desmaiam na cama com os sapatos.

Quando finalmente os tiro, Lillia nos leva até a cozinha. Eu me ergo e sento no balcão de mármore da cozinha, e Mary se senta à mesa.

— Então, como foi a noite passada? — pergunta Mary.

Lillia estica as mangas do blusão de maneira que suas mãos desaparecem lá dentro.

— Não foi nada bem. Pessoal, não sei como vou arrastar isso até a noite de ano-novo. Eu... eu acho que está tudo acabado.

Reviro os olhos e digo:

— Você já disse isso umas dez vezes, Lil.

Lillia sacode a cabeça, insolente.

— Dessa vez é diferente. Eu acho que Reeve sempre esteve brincando comigo, desde o começo.

Mary cruza os braços.

— Não acredito. Ele está apaixonado por você, Lil. Eu vi isso nos olhos dele.

— Mary, ele está brincando comigo, do mesmo modo que brincou com você. E você está certa em ficar preocupada ao vê-lo com Rennie no cinema. — Ela dá um puxão no próprio cabelo. — Meu Deus, como eu fui burra.

— Tudo bem, tudo bem — digo. — O que aconteceu? Ele não apareceu na festa?

— Não, não. Ele veio e as coisas estavam indo bem...

— E? — Mary se inclina para a frente, tensa como o diabo.

O rosto de Lillia enrubesce.

— Vejam, conversamos sobre nós dois outro dia. Sobre tornar as coisas públicas. Contar para nossos amigos que estamos juntos.

Foi ele quem insistiu em fazer isso! — Ela morde o lábio. — Então, quando vi uma oportunidade surgir noite passada, eu fui com tudo. Na frente de todo mundo. De Alex, de Rennie, de todo mundo.

Nossa. Tenho de dizer isso sobre Lil, ela é realmente corajosa. A garota foi longe.

— Mas então o louco nega tudo. Ele me deixa sozinha na frente de todo mundo! — Lillia se vira para Mary com os olhos arregalados. — Eu pensei em você a noite toda, Mary. Naquele dia na balsa. Em como você deve ter se sentido humilhada. — Ela balança a cabeça. Mal consegue terminar seu pensamento.

— E ele fez exatamente a mesma droga com você — digo.

— Exatamente. — Lillia morde o lábio. — E, para piorar ainda mais as coisas, Rennie inventou que alguém tinha colocado alguma coisa na bebida dela, só para fazer Reeve levá-la em casa. Ele disse que voltaria, mas não voltou.

Isso com certeza parece uma jogada de Rennie. E então eu penso: Será que Lillia achará estranho Rennie ter ido à minha casa ontem e tentado se desculpar? Estou quase contando a ela o que aconteceu, uma versão minimizada, sem as lágrimas, quando a Mary acrescenta:

— Rennie é uma bruxa.

Lillia parece ainda não acreditar.

— Eu nem ligo para Rennie. Reeve é um grande manipulador. Tudo que sai da boca dele é mentira. — Ela engole em seco. — Não que eu não tenha mentido também, obviamente. Mas, se essa coisa tivesse sido de verdade, eu poderia ter me machucado, vocês entendem?

Então ela solta um longo suspiro.

— O modo como tentei defendê-lo aquele dia no banheiro. Deus do Céu, ele realmente me enganou!

— O manipulador foi manipulado — digo, concordando com a cabeça. — Droga.

À Mary, Lilia diz:

— Sinto muito não poder fazer isso por você. Mas eu tentei. Eu realmente tentei.

É estranho, mas eu estou certa de que Mary parece aliviada.

— Lillia, não fale assim — protesta Mary. — Estou muito grata por tudo o que vocês fizeram. Não deve ter sido fácil fingir por tanto tempo.

Os olhos de Lillia estremecem.

— Não importa. Não tirou nenhum pedaço de mim. — E então ela engole o restante da bebida.

Mary mexe num cacho do seu cabelo.

— Não posso acreditar. As coisas estavam indo tão bem, o beijo no estacionamento...

— Eu sei — comenta Lillia. — Ele até me convidou para um evento na casa dele amanhã.

— Espere, Reeve convidou você para a *open house* na casa dele? — É primeira vez que ouço falar isso. — Eu costumava ir a essa droga antigamente.

— Bem, sim. Mas isso com certeza não vai acontecer. — Apoiando os cotovelos no balcão, Lillia pergunta: — O que é uma *open house*, afinal de contas?

— As pessoas do bairro passam por lá o dia todo, entram e saem. — Eu roo as unhas. — Minha mãe e meu pai me levaram lá algumas vezes. A gente assiste ao futebol, arruma a árvore e come muito. — Então ergo o olhar e digo — Sim, mas se Reeve a convidou para ir lá, então é algo sério. Quantas garotas você acha que ele já apresentou para a mãe dele?

— Eu já encontrei a mãe dele — diz Lillia. — Nós já fomos à casa dele várias vezes.

Eu faço um sinal desconsiderando isso.

— Sim, mas isso é um contexto diferente, "Mamãe, papai, vovó, tio Cris, tia Linda, essa é a garota que eu estou namorando", eu duvido que ele já tenha feito isso alguma vez. — Lillia abre a boca para argumentar, mas eu acrescento num tom onírico: — A mãe de Reeve é uma cozinheira fantástica, todos os anos ela prepara esse ensopado com vieira e todo tipo de fruto do mar. Como camarão, marisco... e, por falar nisso, você tem alguma coisa para comer? Estou morrendo de fome.

Lillia vasculha o refrigerador. Tem pizza que sobrou, queijo brie, homus.

— Eu vou querer um pouco de brie. — digo. Eu nunca recuso queijo.

— E quanto a você, Mary? — pergunta Lillia, colocando uma porção do queijo numa tábua. Ela vai até o armário e traz torradas e um pote de Nuttela.

— Não estou com fome — diz Mary, cabisbaixa. — Eu simplesmente não acredito que está tudo acabado.

Nem eu. Eu podia apostar que Reeve gostava dela. Mas, em todo caso, eu não estava aqui na noite passada.

Lillia revira os olhos:

— As coisas são assim. E estou feliz que tenha acabado. Agora não precisarei mais ser agradável com Reeve Tabatsky pelo resto da minha vida. — Ela pega o controle remoto. — Vamos assistir a um filme, alguma coisa de garotas.

Eu solto um gemido, e Lillia joga uma almofada na minha cara.

Estamos no quarto de Lillia ouvindo música e conversando. Está ficando tarde, já são quase duas da manhã.

Mary está deitada no chão com seu cabelo loiro espalhado ao redor, e abruptamente ela diz:

— Vocês acham que Rennie e Reeve ficaram juntos na noite passada?

Lillia dá de ombros.

— Provavelmente.

— Por quê? — quer saber Mary.

— Xi, Reeve é um mulherengo — digo. — Então, sim. Com certeza, eles ficaram juntos.

Delicadamente Lillia mergulha um dos dedos no pote de Nutella.

— Você tem de tomar muito cuidado, Mary, me prometa que não ficará com qualquer menino que aparecer a menos que possa confiar nele.

Reviro os olhos e tomo um gole da minha cerveja:

— Relaxa, Mary ainda faz parte do clube V, como você, então não se preocupe.

Lillia fica paralisada de repente. Seu rosto fica branco.

— O que há de errado? — pergunto a ela. — O que foi que eu disse?

Lillia balança a cabeça. Parece que ela vai chorar.

— Tudo bem — sussurra Mary —, não precisa dizer nada.

A voz de Lillia sai engasgada. Ela mal consegue nos olhar.

— Eu... eu perdi a virgindade com um cara que eu mal conhecia.

Eu fico em choque. Lil? Ficando com um menino ao acaso?

— De verdade? Você? Nunca poderia imaginá-la ficando com um cara que não conhece. Achei que você estivesse se guardando para depois do casamento!

As lágrimas rolam pelo rosto dela, e eu me sinto um lixo. Mary me lança um olhar de advertência, e eu dou de ombros, sem saber o que fazer. O que há de errado comigo? Por que eu sempre tenho de dizer a primeira bobagem que me vem à cabeça?

— Eu estava me guardando — diz Lillia, engasgando. — Talvez não até depois do casamento, mas pelo menos para alguém que eu amasse. Alguém que me amasse.

Eu estendo a mão e dou um aperto em sua perna, para apoiá-la.

— Minha primeira vez também foi uma droga, foi no porão da casa de um cara, e a mãe dele ficava batendo na porta porque ela queria que ele fosse aparar a grama. — Lillia cai num choro convulso. Seus ombros se chacoalham, e seu cabelo cobre o rosto.

Eu não sei o que dizer para fazê-la sentir-se melhor. Então acrescento depressa:

— E sabe o que mais? Mesmo se for com alguém que você ama, a primeira vez é sempre uma droga.

— Mas... eu nem sequer me lembro de como foi. — Lillia chora. — Eu estava muito bêbada, eu nem queria fazer aquilo. Eu fiquei gritando o nome de Rennie para ela me ajudar, mas ela não respondeu.

Mary e eu nos entreolhamos horrorizadas. Ah meu Deus.

— Lil, isso foi estupro — exclamo. — Isso não foi só uma primeira vez ruim, isso foi exatamente um estupro.

Ela está balançando a cabeça.

— Não foi bem assim, eu não o empurrei.

— Você não empurrou esse cretino porque estava bêbada demais! — grito.

Quanto mais ergo minha voz, mais quieta Lillia fica. Sua voz soa fraquinha quando ela diz:

— Ele estava bêbado também. Nem sei se ele me escutou dizendo que não queria, essa é a questão. — Ela se encolhe, apertando os joelhos contra o peito, com o cabelo cobrindo seu rosto. — Duvido que esse cara ache que aquilo foi estupro, nem eu mesma sei se acho que foi estupro. Eu fui para o andar de cima com ele, eu correspondi aos beijos dele e o deixei fazer todas aquelas coisas.

— Lil, você não estava consciente para dizer sim, e isso significa que foi estupro. Estou lhe dizendo. Essa é a definição exata de estupro.

Meu sangue está literalmente fervendo. Fico pulando para cima e para baixo e dando voltas sem parar. Vou pegar esse cara.

— Qual o nome dele? Me diga o nome dele, e vou lá agora com meus amigos. — Pat iria, e Ricky também. Posso juntar uma gangue. Vou pegar meu velho taco de beisebol e vou destroçar a casa desse cara até ficar em frangalhos.

— Kat, sente-se — diz Mary, fixando seus olhos azuis nos meus.

Estou assustada com a firmeza da voz dela, por isso, me sento.

— Nós não podemos deixar que ele se livre disso!

— Isso não é uma decisão sua — diz Mary. — Nós faremos o que Lillia quiser.

Abro a boca para argumentar com ela, mas Lillia diz num tom agradecido.

— Obrigada, Mary... Eu... eu lhe agradeço. E, Kat, eu agradeço a você também, mas quero esquecer tudo isso. Foi um erro, e está acabado. Não quero deixar que isso me afete mais do que já afetou.

Aceno que sim, porque entendo, e então digo:

— Espere um minuto. Você chamou Rennie? Ela estava lá também?

— Sim. Foi no verão passado. Nós encontramos esses dois caras da Universidade de Massachusetts na praia, eles estavam dando uma festa. — Lillia engole em seco. — Nós bebemos muito, e eu não me lembro bem do que aconteceu depois que subimos com eles. Mas Rennie estava no quarto comigo, e ela fez sexo com o cara que estava com ela também. Nós saímos antes que eles acordassem.

— Então Rennie foi estuprada também? — pergunto a ela.

— Não sei. Não sei se o que aconteceu foi um estupro, ou se as coisas foram longe demais, ou sei lá o quê. Rennie e eu nunca conversamos de fato sobre o que aconteceu naquela noite. — Ela limpa os olhos com a manga do suéter. — Eu nem acredito que estou contando isso a vocês.

— Nós somos suas amigas — diz Mary, arrastando-se para perto dela. — Você pode nos contar qualquer coisa.

— Mas nós não deveríamos... — digo, hesitante. — Chamar a polícia ou coisa assim? Delatar esse cara?

— Não há provas — diz Lillia. — Eu não fiz um exame de corpo de delito para saber se houve estupro ou não. E não fiquei com nenhuma marca no corpo. Será a palavra dele contra a minha. Não quero que meus pais tenham de passar por isso. Eu não quero que meus pais saibam o que aconteceu comigo. — Ela levanta a cabeça, e olha nos olhos de Mary. — Eu quero que eles continuem a me ver do mesmo modo, vocês entendem o que eu quero dizer?

Mary concorda.

— Sei exatamente o que você quer dizer.

— Lil, talvez você devesse conversar com alguém — digo, sentindo-me a pessoa mais hipócrita do mundo, porque não sou o tipo de pessoa que acredita em falar sobre seus sentimentos. Mas isso é sério. — Por exemplo, eu não sei, uma conselheira, uma terapeuta. Não a Sra. Chirazo, mas uma terapeuta de verdade.

Com diploma. Alguém que saiba sobre essa coisa toda, talvez possa ajudá-la.

— Talvez — diz Lil, mas posso perceber que ela não está falando sério, e, então, subitamente ela declara: — Eu vou se você for, Mary.

Sim! Lillia! Perfeito, momento perfeito! A garota não perde uma!

Mary se vira como se Lillia tivesse lhe dado um tapa:

— Eu não preciso falar com ninguém.

Umedecendo os lábios, Lillia diz:

— Você sofreu um bocado.

Eu rapidamente entro na conversa.

— E eu sei que as coisas não andam muito bem com a sua tia também, talvez fosse bom ter outra pessoa ao seu lado.

Balançando a cabeça, Mary cerra os punhos dentro das mangas.

— Podemos falar de outra coisa? Por favor? — Ela fecha os olhos como se não pudesse suportar olhar para nós.

Dessa vez consigo ficar de boca fechada.

Capítulo 50

LILLIA

Acordo com o som do meu telefone tocando. Estou enfiada debaixo do edredom, e está escuro no meu quarto porque as cortinas estão fechadas. Eu me levanto às cegas e começo a tatear à minha volta à procura do celular. A campainha para, e eu me deito novamente. Então a campainha começa a soar novamente. Kat está esparramada no chão, no seu saco de dormir, enrolada no meu cobertor de bebê. Ela grunhe em voz alta:

— Será que alguém pode desligar essa merda.

Da poltrona, Mary levanta a cabeça e pergunta:

— Que horas são?

— Cedo demais — grunhe Kat.

Eu finalmente encontro o telefone ao pé da minha cama. É Reeve. Eu sento rápido.

— É o Reeve, meninas! — grito.

Kat pula na minha cama e Mary se ajoelha no chão ao nosso lado. Todo mundo está acordado agora.

— O que eu faço? — pergunto a elas. O pânico se instalou em meu coração. — Será que devo atender?

Ontem eu estava completamente convicta de que nunca mais falaria com Reeve, mas não pensei nem por um segundo que ele me ligaria.

— Coloque-o no viva-voz! — ordena Kat. — Seja cruel, Lil!

Minha mão está tremendo quando atendo. Eu aperto o botão do viva voz.

— Alô?

— Oi. O que está fazendo?

— Quem é? — digo, numa voz falsamente sonolenta, e Kat se dobra de tanto rir em silêncio. Mary está agachada ao meu lado, com os olhos arregalados, eu não percebo nem a sua respiração.

— É Reeve! — Percebo que ele está irritado. — Por que você ainda não veio?

— Eu acabei de acordar. Acho que perdi a hora. Desculpe. — Mantenho uma voz indiferente e nem um pouco arrependida.

Ele bufa.

— Bom, você pode vir para cá agora?

Meu coração dá um salto. Respiro fundo e tento me lembrar da raiva que senti quando ele não voltou na outra noite. Mas ela desapareceu. Uma prova de que essa coisa toda já foi longe demais.

Meio envergonhada, eu digo:

— Acho que não estou muito a fim.

Ao ouvir isso, Mary cobre a boca com as mãos, e Kat está literalmente rolando no chão e balançando os pés no ar. Faz-se um longo silêncio, e Reeve não diz nada. Acho que talvez ele tenha desligado o telefone.

Mas então ele diz:

— Estou indo até aí. — E meu coração para.

— Espere! — digo, mas dessa vez ele desligou de verdade. Deixo meu telefone cair e olho para as meninas, apavoradas. — Ah meu Deu. Ah meu Deus. O que eu faço agora? Ele está vindo para cá!

Kat está fazendo uma dancinha, correndo sem sair do lugar.

— Droga, sim! Deixe ele! Nada está terminado até o último minuto! — Kat vai dançando até a janela e espia do lado de fora. — Ele ainda está ligado em você. Isto é, o que mais ele poderia querer?

— Eu não sei o que ele quer! — De que importa isso? Ele está vindo. Ele chegará aqui em cinco minutos, e eu não vou atender à porta com essa aparência horrorosa. Arranco minha calça de moletom e visto o pijama de camiseta e shortinho novamente. No meu quarto, posso escutar Kat e Mary discutindo sobre como eu devo lidar com isso.

Kat diz:

— Acho que ela deveria ser grosseira quando atender à porta, depois parecer que está chateada e ficar triste. Você entende? Fazer com que ele se sinta supermal. — Então ela me dá um grito: — Lil, você acha que consegue simular algumas lágrimas?

E então Mary diz:

— Não acho que ela deveria chorar, acho que deveria ficar brava. Talvez ela pudesse dar um tapa nele.

Kat começa a dar risada.

Baixinho, eu digo, mais para mim mesma do que para qualquer outra pessoa:

— Acho que só quero que tudo isso termine.

Quando eu saio do banheiro, Kat e Mary já estão no andar de baixo se escondendo no saguão. Elas estão escondidas atrás de uma espreguiçadeira.

— Meninas, e se ele quiser entrar em casa? — digo enquanto visto um blusão com capuz. — Ele verá vocês.

— Mas nós queremos escutar tudo — resmunga Kat. — Não deixe ele passar da porta da frente, que tudo vai dar certo.

— Estou nervosa — digo, colocando as mãos no rosto. Minhas mãos estão frias, mas minhas bochechas estão queimando.

— Não fique assim — diz Mary. — Até agora você foi perfeita.

A campainha toca, e meu estômago dá um pulo.

— Droga, será que ele veio voando até aqui? — resmunga Kat.

Olho para Mary, para me sentir mais segura, e ela faz um sinal me encorajando.

— Derrube ele, Lil.

Atendo à porta.

Reeve está parado lá fora com uma calça jeans, camisa e um colete acolchoado.

— Por que você não está vestida ainda? — pergunta, enfiando as mãos no bolso da calça.

— Eu já disse, perdi a hora — digo, deixando meu cabelo cair no rosto.

— Sim, eu sei. Eu ouvi você ao telefone. O que você quer dizer quando diz que não está a fim de ir? — Ele parece genuinamente desapontado. O que me desestabiliza por um momento.

— Eu nem sabia se ainda estava convidada — confesso.

Ele franze as sobrancelhas.

— Por quê?

Será que ele está se fazendo de burro de propósito?

— Você não voltou na outra noite.

Reeve solta a respiração.

— Mas eu lhe disse que tive de ajudar Rennie a ir para casa! Você viu como ela estava bêbada.

— Ah! Por favor. Rennie o estava enganando, e você deixou.

— Eu não podia simplesmente ir embora, Cho. Ela acordou a mãe dela para dizer "oi" para mim, então elas ficaram mexendo em uns álbuns velhos de fotografias, de quando a gente era pequeno.

Ele está dizendo a verdade, tenho certeza. E isso é típico de Rennie, especialmente sabendo que eu estava em casa esperando por ele. Tento afastar esse pensamento e, numa voz indiferente, digo:

— Tanto faz.

— Ren é muito importante para mim. Ela tem ficado do meu lado todas as vezes que precisei. Não quero que ela se machuque, e você mais que todas as pessoas deveria saber disso — diz ele, numa voz tensa.

Cruzo os braços.

— O que você quer dizer com isso?

— Lind. Você está sempre tão preocupada com os sentimentos de Alex.

Como ele ousa jogar Alex na minha cara?

— Sim, eu fico preocupada com os sentimentos de Alex. Eu me importo com ele, porque ele é meu amigo. Ele tem estado do meu lado todas as vezes que precisei dele. Este é o tipo de pessoa que ele é. Ele é bom.

Reeve se enrijece e sinto uma onda de satisfação. Fique com ciúmes. Espero que você se engasgue com isso.

Eu continuo a falar.

— E, ainda assim, eu estava disposta a deixar que Alex soubesse que estávamos juntos na minha festa. Mesmo sabendo que isso iria machucá-lo, eu faria isso. Ao contrário de você. Você fala muito, Reeve, mas na hora de fazer alguma coisa, você dá o fora.

— Eu não dei o fora! Mas não quis jogar isso na cara deles.

— Você quer dizer que não queria jogar isso na cara de Rennie. Já que ela é sua garota e tudo mais.

Reeve balança a cabeça e solta o ar ruidosamente.

— Não é isso que estou querendo dizer, e você sabe! — Ele afasta o olhar. — Será que você pode apenas... se vestir e vir comigo, e conversamos sobre isso mais tarde? Minha mãe está lhe esperando.

Meu coração despenca. Ah Deus. A mãe dele?

Tudo o que eu quero é correr para o andar de cima, colocar uma roupa bem bonita e ir com ele. Se Kat e Mary não estivessem paradas do outro lado desta porta, talvez eu fosse.

Mas eu não posso. Elas estão aqui. E isso tudo é falso. E eu simplesmente não posso fazer isso.

— Acho que não — digo, levantando o queixo bem alto. — Honestamente, não estou a fim de ir e participar dessa coisa de família hoje, nós não somos namorados, afinal de contas.

Ele empalidece.

— Está falando sério? Vamos lá, Cho. Se você quiser, eu ligo para Rennie agora e digo a ela como me sinto em relação a você.

— Isso não é necessário. — Começo a fechar a porta na cara dele, mas ele estende a mão e a bloqueia com seu braço.

— Espere! Você está certa. Sou um covarde mesmo. Eu já deveria ter contado a ela há semanas. Fiquei com medo, Lillia. Por favor, me dê outra chance. Deixe-me provar a você. — Ele tenta agarrar minha mão, mas a afasto e balanço a cabeça.

Não consigo sequer olhar para ele.

Porque isso é verdade. Ele não está me enganando. Basta olhar para o rosto dele para ver a mágoa e o desespero em seus olhos, e eu sei que é verdadeiro.

Também sei que não aguento mais fazer isso. Tenho de terminar tudo agora. Se eu não terminar agora, neste segundo, nunca mais terei coragem de fazer isso. Será melhor assim, realmente será. Quanto mais tempo isso se arrastar, mais difícil será. Para todo mundo. Isso já foi longe demais.

Eu me apaixonei pela única pessoa por quem não deveria. Pelo garoto que destroçou o coração de Mary. Pelo verdadeiro amor de Rennie. Pelo melhor amigo de Alex.

Isso tem de terminar aqui. Agora.

Respiro fundo.

— Você já provou quem é várias e várias vezes. E a coisa mais maluca é que eu sempre soube disso. Mas nessas últimas semanas eu me enganei acreditando que havia algo mais em você, algo além desse cretino que eu conheço há anos. Talvez... talvez porque tenha sentido pena de você. — Balanço a cabeça. — Mas você é quem você é, Reeve. E a verdade é: você nunca irá me tratar da maneira como mereço ser tratada. Isso não faz parte de quem você é. Então, vamos simplesmente parar por aqui. Você já deve estar cansado de fingir que é um rapaz bonzinho, e eu de fingir que acredito.

As palavras escapam da minha boca, e elas não se parecem comigo. Eu não me pareço comigo. Porque sei que é tudo mentira.

Mas percebo que são mentiras em que Reeve acredita. Ele engole em seco o tempo todo. Seus olhos ficam vagos. Vazios. Ele se fecha completamente.

Isso é o que mais me magoa. A facilidade com que ele acredita, e sei que, lá no fundo, é isso o que ele pensa de si mesmo.

Toquei nos seus medos mais profundos e os usei contra ele. E isso é a maior traição de todas.

Ainda assim, uma parte de mim está esperando que ele lute e me diga que estou errada, porque o Reeve Tabatsky que eu conheço nunca desiste. Mas espero que dessa vez ele o faça.

Vá embora, simplesmente vá embora.

E é exatamente isso o que ele faz. Sem outra palavra, ele vira as costas em direção à sua caminhonete e vai embora.

Fecho a porta, e Kat está pulando para cima e para baixo, e Mary está olhando para a porta, espantada.

— Sinto muito — digo. — Eu não aguentaria esperar até a noite de ano-novo.

— Que se dane o ano-novo! A bomba caiu aqui e agora, meu bem!

Estou quase receosa de olhar para Mary. Se isso não foi o bastante para ela, não sei o que mais posso fazer. Sinto como se tivesse morrido um pouco por dentro.

— Ah meu Deus — diz ela, e as palavras fluem de sua boca como o mel. — Eu senti tudo acontecer. — Mary foca seu olhar em mim, e então leva a mão ao peito. Seus olhos tremulam quando ela diz, iluminada: — Eu realmente senti o coração dele se partir.

Forço um sorriso.

As garotas vão embora da minha casa mais tarde naquele dia. Quando elas saem, aquela sensação de enjoo que estou sentindo desde que Reeve foi embora já se tornou uma náusea forte.

Meu estômago fica revirado só de relembrar as coisas que eu disse. Como fui cruel. Como fui fria.

Mary e Kat ficaram repetindo a coisa toda, várias e várias vezes uma para a outra, imitando a voz grave dos garotos: "Minha mãe está esperando você". Juro que repetiram isso mais de mil vezes, dando altas gargalhadas.

Juro que elas não teriam rido se tivessem podido olhar para ele, do cantinho onde estavam escondidas. Elas não tiveram de ver a mágoa nos olhos dele. Não como eu vi.

Logo que Reeve partiu, Kat pegou meu celular e o colocou no balcão da cozinha, onde nós três podíamos ficar olhando. Disse que elas não iriam embora ainda, porque Reeve com certeza ligaria assim que chegasse em casa. Na verdade, disse ela, nós deveríamos manter as vozes baixas, para o caso de ele estar por perto, dando voltas no quarteirão.

É claro que ele não estava. Ele não voltou. E não ligou. Eu sabia que ele não o faria.

Uma hora mais tarde, Kat ficou descrevendo a imagem de Reeve pensando, retorcendo-se, e segurando o celular como um homem torturado. Com certeza, ele me ligaria depois do almoço. Quando a hora do almoço passou, Kat mudou de ideia e disse que eu certamente teria notícias dele antes de elas irem embora. Enquanto Kat enrolava seu saco de dormir, ela jurou por tudo o que é mais sagrado que Reeve me mandaria uma mensagem antes de dormir, ou no mais tardar amanhã.

Kat calçou suas botas e segurou suas coisas nos braços. Antes que ela e Mary saíssem pela porta da frente, ela gritou do andar de baixo:

— Se ele ligar hoje à noite, memorize todas as palavras que ele disser, para que possamos dar risadas depois!

Enquanto Mary colocava os sapatos, segurei a porta da entrada para ela.

— Não posso lhe agradecer o suficiente pelo que você fez — me disse, e lágrimas brilhavam em seus olhos.

Engoli com dificuldade e disse:

— Por nada, só estou feliz por tudo estar acabado.

• • •

Estou deitada no sofá com uma almofada debaixo da cabeça. Sei que a escolha de terminar tudo foi minha, mas agora fico desejando que as coisas tivessem sido diferentes.

Por exemplo, eu poderia ter esperado até estar na casa dele. Sozinha, sem uma plateia. Eu poderia ter feito as coisas com mais tranquilidade. Poderia ter dito: *Eu me importo muito com você. Mas é melhor que sejamos apenas amigos*. Kat e Mary nunca precisariam saber os detalhes, apenas que eu cumprira o combinado.

Claro que ele ainda estaria furioso, mas não teria uma razão para me odiar. Só de pensar em Reeve me odiando... neste exato momento. Não posso imaginar nada pior.

São apenas três horas. Reeve dissera que as pessoas passavam na casa dele o dia todo nesse dia de festa. Se me apressar poderia ir até lá e conversar com ele. Fazê-lo compreender. Nós não podemos ficar juntos, no entanto, apesar de tudo, ainda posso retratar-me das coisas horríveis que disse.

Corro para o andar de cima e ligo o chuveiro, pulando de um pé para o outro até que a água esquente. Mas nada disso, não tenho tempo para tomar banho! Meu cabelo demora a vida toda para secar!

Desligo a água e, em vez de tomar banho, ligo a chapinha. Enquanto ela aquece, corro para o armário e pego um vestido de seda azul-royal, que eu comprei como roupa alternativa para usar nas entrevistas da faculdade. Coloco um par de sapatos nude e uma fileira de minipérolas que ganhei do meu pai quando fiz 16 anos. Encaracolo as pontas do cabelo, coloco um pouco de rímel, um toque de blush e um brilho labial simples.

Checo minha imagem no espelho do saguão antes de correr porta afora. Pareço alegre, feminina e madura. O que é ótimo. Quero causar uma boa impressão na mãe de Reeve. Quem sabe o que ela deve estar pensando de mim agora, aparecendo na festa horas atrasada.

Estou a meio caminho de T-Town quando me lembro de que não posso ir a casa dele com as mãos abanando. Faço uma conversão no meio da rua, e um monte de pessoas começa a buzinar, mas eu não ligo. O Milky Morning já está fechado, então vou à floricultura do lado e peço para eles embrulharem um enorme vaso de bico-de-papagaio vermelho com papel celofane. É mais um centro de mesa que uma planta, geralmente algo que se vê no saguão de um hotel. É muito grande, e se colocado num belo vaso, vai ficar parecendo um arranjo *vintage*. A coisa custou mais de cem dólares com os impostos, mas não importa. Peço ao homem para colocá-lo no banco do passageiro.

Chego à casa de Reeve por volta das quatro horas da tarde, e fico aliviada ao perceber que ainda tem muitos carros por lá, e fica difícil achar um lugar para estacionar. Paro do outro lado, em frente à garagem do vizinho dele, bloqueando completamente a entrada da sua minivan. Vou tirar meu carro daqui assim que tiver a oportunidade de me desculpar com Reeve.

A planta pesa uma tonelada, mas eu consigo carregar o vaso até a porta da frente. Escuto o barulho da festa acontecendo lá dentro. Pessoas gritando por alguma coisa que está acontecendo na televisão. Eu coloco a planta no chão, passo meus dedos rapidamente pelos meus cachos e toco a campainha.

Tudo bem, Lil. Hora do show. Estou nervosa, mas também empolgada. Para consertar as coisas, arrumar o que estraguei. Para me sentir eu mesma novamente.

A porta se abre, e eu levo um segundo para reconhecer a pessoa que abre a porta.

Rennie. Ela cruza os braços na altura do peito. Está vestida com uma malha de futebol e calça legging, os pés descalços, o cabelo preso num rabo de cavalo no alto da cabeça. Sinto-me completamente ridícula e errada nas minhas roupas elegantes.

— Não acredito que você teve coragem de aparecer por aqui. — Ela cospe as palavras.

— Preciso falar com Reeve — declaro.

Ela solta uma risada áspera.

— Você acha que ele quer conversar com você? Ele não quer nada com você. Ele finalmente enxergou quem *você* é. Uma cretina miserável.

Impotente, olho por cima dos ombros dela em direção à sala, esperando que ele me veja parada aqui e mude de ideia. Ou que pelo menos me dê uma chance para me explicar. Mas a sala está cheia de garotos, os irmãos de Reeve e alguns outros homens que eu não conheço. Todos estão usando praticamente a mesma camiseta que Rennie está usando. Os olhos deles estão grudados na televisão. Por trás está a árvore de Natal, cada galho está enfeitado. Na mesinha de centro, vejo o molho de taco de sete camadas de Rennie, aquele que ela sempre prepara nas festinhas, na tigela azul da mãe dela. E no fundo da casa vejo a mãe de Reeve num avental natalino e chinelos de flanela, mexendo uma panela enorme.

Chamo o nome de Reeve e tento passar por Rennie, mas ela me empurra com tanta força, que eu tropeço no salto e quase caio para trás. Ela diz:

— Você não é bem-vinda aqui. Reeve a odeia agora, exatamente como eu.

— Ele mesmo pode me dizer isso — digo, curvando minha cabeça para enxergar lá dentro.

— Ele não está aqui embaixo — me informa Rennie, enquanto se encosta à moldura da porta para impedir minha visão. — Nós estamos lá em cima no quarto dele. — Ela pronuncia lentamente a parte do "nós estamos" para ter certeza de que eu escute. É claro que eu escuto, e minha imaginação está dando voltas. Reeve e Rennie deitados na cama dele. Ele deitado no colo dela, ela passando as mãos no cabelo dele, e depois os dois começam a se beijar. Reeve sabe exatamente como me magoar, assim como Rennie. E aposto que nenhum deles hesitaria em fazer isso. — Você já deveria saber que não adianta competir comigo. Eu sempre venço.

Ergo o queixo. Não vou rastejar aos pés de Rennie, como se ela fosse a dona da casa, e eu uma mendiga.

— Diga a ele que eu dei uma passada por aqui. — Tento pegar o vaso e colocá-lo dentro de casa, mas Rennie balança a cabeça, e começa a fechar a porta.

— Eles têm um gato, e bico-de-papagaio é venenoso para eles.

Uma voz de mulher grita lá de dentro:

— Quem está à porta?

Rennie grita de volta.

— Ninguém. — E fecha a porta na minha cara.

No caminho de volta para o meu carro, digo a mim mesma que foi melhor assim. Reeve e eu não temos mais nada a ver um com outro. Estou finalmente liberada. E muito embora isso seja um enorme alívio, vou chorando o caminho todo de volta para casa.

Capítulo 51

MARY

KAT E EU ESTAMOS PARADAS DO COMEÇO DO QUARTEIRÃO DE LILLIA. KAT está ao telefone falando com Pat. Ela está tentando falar com ele há alguns minutos.

— Ei! Que inferno! Você deveria vir me buscar! Mary e eu estamos perto da casa de Lillia, está lembrado?

Posso ouvir a voz de Pat do outro lado. Ele não parece tão tranquilo como estava na noite do Halloween. Sua voz é mais aguda, mais estressada.

— Você está falando sério?

Kat dá um sorriso sarcástico e frustrado. E me diz apenas mexendo a boca, sem produzir som, que o carro não está funcionando de novo.

— Chame a droga de um mecânico, então! — berra ela ao telefone. Pat grita alguma coisa, mas Kat desliga o celular.

— Esse idiota precisa voltar para a escola de comércio. — Ela coloca o aparelho de volta no bolso da calça jeans. — Eu poderia procurar Ricky, mas acho que ele está trabalhando, e, de qualquer modo, só uma de nós cabe na moto dele. Podemos voltar para a casa de Lillia e pedir para ela nos dar uma carona.

— Ou podemos caminhar — sugiro sem muito entusiasmo. Imagino que Kat vá vetar esse plano, porque é bem longe para nós duas e está bem frio aqui fora. Eu não me importo, mas acho que ela não tem um casaco de frio apropriado. Para aguentar essas temperaturas cada vez mais baixas, Kat se veste em camadas, usando camisetas e mais camisetas, suéter sobre suéter, e o casaco do exército por cima. Ela está praticamente à prova de balas agora.

— Tudo bem — diz ela. — Podemos ir até a State Road e nos separar perto da escola. — Ela desenrola seu saco de dormir e o passa sobre os ombros, como uma enorme capa. — Afinal de contas, temos muito o que conversar.

Então começamos a caminhar. A princípio caminhamos rápido, mas depois diminuímos o passo e caminhamos agradavelmente, como se essa fosse uma tarde de verão. Está lindo aqui fora. O céu está carregado com a ameaça de neve e, de vez em quando, passamos por uma casa com as luzes de Natal acesas.

No caminho repassamos a conversa toda que Lillia teve com Reeve. Palavra por palavra. Kat tem uma excelente memória. Ela se lembra de mais detalhes do que eu. Eu fiquei tão nervosa, desejando que as coisas saíssem do modo como tínhamos planejado. Então fico atenta à sua fala, prestando atenção em todos os momentos.

— Eu só queria ter visto a cara de idiota de Reeve quando Lillia o colocou para fora. — Kat dá um giro. — Droga. Você acha que os pais de Lillia têm câmeras de vigilância?

Ela se vira e encara o vento, e ele sopra o cabelo do seu rosto.

— Tenho a impressão de que gente rica sempre tem câmeras de segurança. Além do mais, o pai dela é meio psicótico e protetor em relação a ela.

— Talvez tenham — digo, com uma risada. — Devíamos perguntar a ela!

Kat pega o telefone e manda uma mensagem para Lil.

— Sabe do que mais, Mary? Se eles tiverem câmeras, vou mandar fazer uma cópia daquela merda, só para você ficar assistindo o momento em que o coração de Reeve foi destroçado, várias e várias vezes, quantas vezes você quiser. Feliz Natal, garota. Você se comportou direitinho este ano.

— Ahn — digo, e dou uma risadinha. — Fui mesmo?

Kat ri.

— Talvez não pelos padrões típicos de Papai Noel, mas você definitivamente merece isso. — De repente ela fica séria. — Espero que isso a ajude. Que melhore as coisas.

— Sim. Vai melhorar, Kat. Mais do que você pode imaginar. — Assim que as palavras escapam da minha boca, elas soam verdadeiras.

Kat dá um soco no ar com os punhos fechados. Então começa a cantar *Heartbreaker, love taker, don't you mess around with me*,[14] e sua voz é levada pela brisa. Passamos por uma casa onde um homem está no alto de uma escada, pendurando luzinhas de Natal, e ele quase cai devido a um choque.

Tomara que Lillia responda à mensagem, porque eu adoraria ver a cara de Reeve também. Embora eu saiba que funcionou — meu plano funcionou. O coração de Reeve está partido. Não há duvidas quanto a isso.

[14] Destruidor de corações, ladrão de amor, não bagunce comigo.

A coisa toda me lembrou daquele dia no cais, quando Reeve disse para todos aqueles garotos que ele não era meu amigo. Meu coração com certeza se partiu naquele dia.

Agora estamos quites.

— Ah, ei, qual a idade da sua tia Bette? Será que ela tem algum vestido dos anos 1920?

— Kat, ela não é tão velha assim! Ela só tem 46.

Kat dá uma risada.

— Foi mal. Eu só achei que ela pudesse ter alguma coisa antiga para me emprestar para a noite de ano-novo.

Engulo em seco.

— Você quer dizer para a festa de Rennie?

— Humm. — Kat me olha de um jeito estranho por um segundo, e começa a balançar a cabeça. — O negócio é o seguinte. Ouvi o pessoal dizer qual a senha para o porteiro. Todo mundo na escola estará lá. Eu estava pensando que seria legal bancar a penetra. Ela nem vai notar a gente lá.

— E quanto à Lillia? Ela não vai querer ir lá.

— Vamos convencê-la. O que mais ela vai fazer?

Quando chegamos à altura da escola, Kat me dá adeus, e se vira em direção a T-Town. Eu pego a trilha das bicicletas e volto para casa.

Eu posso senti-la dentro de mim. A paz e a quietude ocupando o espaço onde a raiva costumava estar. É como o ponto mais baixo da maré baixa. Todas as coisas ruins foram para o mar. E então percebo. Posso ir para casa agora.

Não para Middlebury. *Casa,* casa. De volta para os meus pais.

Agora que Reeve recebeu o que merecia, agora que eu consegui colocar um ponto final nisso, o que mais me segura na Ilha Jar? Eu amo Lillia e Kat até a morte, obviamente, mas as duas não estarão mais aqui no ano que vem. E não é verdade que fiz outros amigos. É o momento perfeito para dizer adeus à Ilha Jar. Eu vim, vi, venci. Vou partir depois do ano-novo. Meu passado está realmente no passado. Estou finalmente pronta para deixá-lo para trás.

Sinto uma ponta de apreensão em deixar tia Bette para trás, especialmente pelo estado em que a casa está. E pelo estado em que anda nosso relacionamento. Mas talvez ela venha comigo. Por que não? Ela talvez queira escapar dessa ilha assim como eu. Meu pai e minha mãe poderiam contratar alguém para reformar a casa enquanto ela está vazia, fazer com que ela fique arrumada até o próximo verão.

Sim, este é o plano. Eu paro perto da água, observando a balsa balançar. Imagino estar lá dentro, como se fosse um sanduíche entre minha mãe e meu pai, todos nós felizes indo de volta para o lugar de onde eu vim. Com a minha família. Com a minha vida de volta nos trilhos.

Sinto uma necessidade de contar isso às garotas. Não quero desapontá-las, ou deixar que elas me convençam a ficar, nem mesmo para terminar o ano letivo. Sinto aquele tipo de paz que a gente tem quando toma uma boa decisão. Saber que é a coisa certa a fazer.

•••

Tia Bette recebe uma ligação depois do jantar, e percebo imediatamente que isso a deixa chateada.

— O que é? — pergunto.

Ela se afunda numa das cadeiras da cozinha. — Uma das galerias onde eu vendo minhas pinturas vai fechar, e eles querem que eu vá buscar meus quadros ainda hoje. — Ela olha de relance para o relógio, e esfrega a testa aborrecida. — Na verdade, eles querem que eu vá agora.

— Xi. Que legal que eles a avisaram com antecedência — digo sarcasticamente, com uma risada mesquinha. Mas tia Bette nem sequer esboça um sorriso. — Vou com você — digo a ela. — Você vai precisar de ajuda para carregar tudo.

Ela sacode a cabeça.

— Ah, Mary, eu não...

— Não tem problema, eu já terminei minha lição de casa. — Isso é uma mentira, mas não importa. Quanto tempo pode demorar? Por mais estranhas que as coisas estejam entre nós, eu me preocupo com ela. Ela não tem amigos, como eu tenho, para lhe dar apoio.

De qualquer modo, tem algo nisso que me parece ser o momento certo. Agora que essa galeria não vai mais expor as obras dela, bem, que motivo ela teria para ficar?

Encontro tia Bette ao lado de seu Volvo. Pensei que ela fosse trocar de roupa, vestir uma calça e um suéter bonito, mas ela continua com seu casaco de ficar em casa. E seu cabelo está todo desarrumado. Acho que ela não o penteou hoje. Acho que ontem também não.

Suas mãos estão trêmulas. Estamos indo muito rápido, fazendo as curvas bem fechadas.

— Você está nervosa.

Ela me olha de relance pelo canto dos olhos.

— Mary, por favor. Não diga nem uma palavra, certo? Nem para mim, nem para a proprietária. Quero entrar e sair o mais rápido que puder.

— Tudo bem. Claro. Você nem vai perceber que eu estou lá. Prometo. — Espero não ter de dizer nada. Mas, se precisar, não vou hesitar. Aprendi isso com Kat.

A galeria fica em T-Town, no final de uma rua pequena cheia de lojas. Aqui tem praticamente metade das lojas da Avenida Central de Middlebury, e nenhuma delas é tão bonita. De todas as partes da Ilha Jar, T-Town é o local que recebe menos turistas. É um lugar para os residentes locais, então não fico surpresa ao ver que a galeria vai fechar.

A galeria fica num prédio branco de esquina. Tem uma enorme vitrine na frente, e na parte de baixo do vidro está escrito em dourado *arte na jarra*, em letras minúsculas, porque, suponho, é a moda. Uma parede divisória foi erguida diretamente atrás da vitrine. Imagino que é onde eles penduram as melhores obras. Está vazia agora, marcada pelos buracos dos pregos.

A porta da frente está escancarada. Posso ver uma escada lá dentro, panos de chão e latas de tinta abertas. Há uma mulher sentada de pernas cruzadas no chão, bem no centro, seu cabelo está amarrado para trás com uma echarpe preta. Ela está folheando alguns papéis dentro de uma caixa de papelão.

Tia Bette desliga o carro e respira fundo várias vezes. Ela entra. Fico observando-a de dentro do carro. A mulher não sorri para ela, nem mesmo diz "oi" para tia Bette. Ela simplesmente aponta para o fundo da loja.

Não fico com boa impressão. Decido entrar.

— Estou aqui para ajudar minha tia — digo, enquanto atravesso a porta, mas a mulher parece não me ver. Passo ao lado dela e me encaminho para onde deve ser o espaço principal dessa galeria, à minha esquerda.

Só que essa galeria não tem apenas uma grande sala. São vários cômodos pequenos. Estou tentando descobrir para onde tia Bette foi e termino dando voltas. Estou prestes a atravessar outra soleira de porta quando percebo que estou de volta à entrada principal.

— Ela parece uma bruxa — sussurra uma garota. E então duas pessoas caem na risada.

Enfio meu pescoço para dentro da moldura da porta. Sentada com a mulher está Rennie Holtz.

Ah meu Deus. Essa é a galeria da mãe de Rennie.

— Parece uma bruxa sem-teto. Imagino se ela chegou aqui de vassoura.

A mãe dela solta uma risada, que mais parece o grasnar de um ganso.

— Fique quieta, Ren.

Então tia Bette entra na sala. Ela está com os braços carregados com suas pinturas. E está pronta para sair apressadamente quando a mãe de Rennie se levanta.

— Hum, Bette? Eu estava pensando se poderia lhe dar um conselho.

Tia Bette não responde imediatamente. Ela se encaminha para a porta e espia para fora, na direção do seu carro. Acho que está procurando por mim. E quando ela não me vê, seus olhos buscam em volta da galeria. Eu me escondo.

— Bette? — chama novamente a mãe de Rennie. Escuto Rennie soltar uma risada petulante.

— Sim. Sim. Desculpe.

Coloco minha cabeça perto do canto novamente.

— Eu tive muita dificuldade para vender seu novo trabalho. Para ser honesta, ele deixa algumas pessoas pouco à vontade. Não estou dizendo que não seja intrigante. É sim. Mas acho que essa coisa sombria não é o tipo de pintura que os compradores estão procurando. — Meus olhos se estreitam para olhar as telas nas mãos de tia Bette. Elas são todas lamacentas, escuras, assustadoras. São riscos pretos e cinza. Nada parecido com suas velhas pinturas. Parece coisa de louca. A pintura não a trouxe de volta para o mundo real, ao contrário, ela se afundou ainda mais na escuridão. — Você deveria voltar a pintar aqueles faróis e paisagens marítimas.

O rosto de tia Bette murcha.

— Eu não pinto para vender. Pinto o meu mundo, e é assim que ele é agora.

Ela se vira para ir embora.

A mãe de Rennie resmunga:

— Ela está no fundo do poço.

— Maluca — diz Rennie, e as duas caem na risada.

Estou a ponto de explodir.

Olho em volta da sala. Quero fazer alguma coisa para elas pararem. Estreito meus olhos e olho com força para as latas de tinta abertas no chão, e as forço a se virarem. *Vire, vire, vire*. Elas começam a chacoalhar.

— Mary!

Tia Bette grita da porta da frente. Rennie e a mãe dela olham com os olhos arregalados. Passo por trás dela e a sigo até o Volvo.

— Eu disse para você não entrar! — Tia Bette está furiosa. — Qual seu problema? — Suas mãos estão apertando com tanta força o volante que ficam lívidas.

Finalmente compreendo tia Bette. Eu posso fazer as coisas acontecerem.

— Você não devia fazer nada disso. Não importa o que você esteja fazendo. Você precisa parar.

— Elas estavam chamando você de maluca. Elas estavam dizendo que você é bruxa e que enlouqueceu. E de qualquer modo, estou praticando. Posso controlar isso.

Sento-me no meu assento e cruzo as mãos calmamente.

— Tia Bette, decidi que é a hora de eu ir embora. Vou logo depois do ano-novo.

Espero para ver se ela vai dizer alguma coisa. Se ela vai tentar fazer com que eu fique. Mas nada, ela parece aliviada.

— Sim, Mary. Acho que essa é a melhor decisão para todos nós. — Então ela sobe o vidro da sua janela, trancando-nos como numa tumba.

Capítulo 52

LILLIA

JÁ É MEIO-DIA E QUINZE DA SEGUNDA-FEIRA, E EU TEMO ESTE EXATO momento desde a hora em que acordei. A hora do almoço.

Adoraria passar direto e ir almoçar ao lado de Mary e de Kat, mas Mary não almoça no mesmo horário que eu, e Kat não almoça na cantina. E a razão principal pela qual tenho de sentar-me à nossa mesa de almoço é que, se eu não enfrentá-los hoje, nunca mais serei capaz de me sentar a essa mesa novamente. Essa é a minha mesa, e de Ash, de PJ e de Alex, e eles são meus amigos também. Vou entrar com a cabeça erguida e o nariz empinado. Intocável. Rennie e Reeve não poderão me magoar, porque não podem me tocar.

Isso é o que digo a mim mesma enquanto entro na cantina. Graças a Deus, Ash está ao meu lado. Ela e Derek voltaram a namorar durante o fim de semana, então ela está mais esfuziante que o normal. Estou usando a minha melhor roupa do tipo "não estou nem aí para nada" — aquela saia bandage de cintura alta que Kat me comprou, e uma blusa de seda preta com estampa de batom que eu coloquei por dentro da saia, meia preta transparente e bota de camurça de salto meia-pata.

Felizmente, Rennie e Reeve ainda não chegaram. Talvez eles nem apareçam. Eu como a salada Cobb que minha mãe embalou para mim, enquanto escuto Ash tagarelar sobre como Derek estava romântico quando pediu para eles voltarem.

— Ele apareceu na minha casa com flores e disse que não aceitaria um não como resposta, Lil — diz ela, suspirando alegremente.

— Que tipo de flores? — pergunto. Não estou prestando muita atenção, mas estou tentando.

— Cravos cor-de-rosa!

Que ele provavelmente comprou num posto de gasolina a caminho da casa dela.

— Que gentil — digo. Então Ash vê Derek na fila do almoço e corre na direção dele. Vejo Rennie e Reeve se aproximando da nossa mesa. Rennie está com um dos braços entrelaçado ao de Reeve. Mesmo de salto alto, ela mal chega ao cotovelo dele.

Continuo concentrada na minha salada e nem ergo o olhar quando eles se sentam. Simplesmente pego cada pedacinho da minha alface e o mergulho no molho de mostarda e mel com meu garfo. Se eu continuar fazendo assim, não vou precisar levantar o olhar durante o almoço todo.

Então Alex chega. Imagino se ele e Reeve ainda estão brigados um com o outro, ou se já fizeram as pazes, do modo como só os garotos costumam fazer. Ou se ele me odeia agora por causa do que aconteceu com as pizzas e por eu ter segurado a mão de Reeve na frente dele.

Seguro a respiração quando ele coloca sua bandeja na mesa e senta numa cadeira em frente à minha.

— Você está bonita — diz ele, tirando seu suéter de tricô.

Sorrio para ele, agradecida.

— Obrigada, Lindy. — Muito obrigada.

Na outra ponta da mesa, Rennie está praticamente sentada no colo de Reeve. Ela está sussurrando e falando coisas ao ouvido dele, e ele coloca o braço em volta dela.

Eu me concentro em cortar minha alface em pedaços pequenininhos e mergulhar cada um deles no molho.

Derek se joga em uma das cadeiras com a bandeja cheia de batata frita e diz:

— Oi! Vocês ficaram sabendo que o Sr. Dunlevy foi multado por dirigir embriagado no final de semana?

— Sim, eu ouvi — diz Rennie. — A treinadora Christy ficou furiosa. Isto é, ele recebe um extra para nos ensinar a dirigir.

Dou outra mordida na salada. Mastigo. Mastigo. Mastigo.

— Lil, você e Reeve não tiveram aula de direção com ele no ano passado? — pergunta Alex. — Alguma vez ele estava com cheiro de álcool?

Dou de ombros. Reeve sacode os ombros também. Nenhum de nós diz nada.

— Ahn — Alex diz, e sinto algo estranho na sua voz. Ele está olhando para mim, e então aponta com o dedo na direção de Reeve. — Vocês estavam tão amiguinhos na sua festa na sexta-feira. E agora mal conseguem se olhar? O que está acontecendo?

Quase engasgo com um pedaço de ovo cozido. Tem gosto de poeira.

Reeve diz preguiçosamente:

— Lillia e eu nos lembramos de que na verdade não gostamos um do outro.

E Rennie sorri, aquele sorriso de gato que engoliu o canário, que me faz ficar furiosa.

Do outro lado da mesa, Reeve e eu nos entreolhamos por um segundo, e é como se o restante da cantina ficasse em silêncio, somos apenas nós dois nos olhando. E então o momento passa. Reeve sacode a cabeça e dá uma risada, como se não se importasse.

Depois do almoço, estou caminhando para a minha próxima aula quando uma garota do segundo ano vem correndo atrás de mim, com um envelope grosso.

— Lillia, você não me conhece, mas... eu esperava que você pudesse entregar esse material a Rennie por mim. Ela disse que o queria por e-mail, mas meu computador quebrou e foi mais fácil imprimi-lo. Eu ainda não a vi hoje, e não quero que ela pense que estou atrasada.

— Tudo bem — digo lentamente e pego o envelope. É pesado.

— Obrigada.

Rapidamente entro no banheiro e abro o envelope. Está cheio de fotos do baile. Alunos do segundo ano, abraçados, fazendo poses. Alunos na pista de dança. Alunos do segundo ano atravessando o pátio em direção à quadra.

Sim, Rennie está no comitê do anuário, mas só para ter certeza de que não vai sair nenhuma foto ruim dela. Por que ela se importaria com a foto dessas outras pessoas? Dá para ver o vestido prateado brilhante de Rennie em algumas das fotos. Dá para ver todos nós ao fundo, mas na maioria é tudo um borrão. Enfio o envelope por uma das aberturas do armário dela, nem me importando se elas vão rasgar ou não.

Capítulo 53

MARY

É QUARTA-FEIRA À TARDE, ÚLTIMA AULA, E ESTOU PARADA NO estacionamento da escola em frente à caminhonete de Reeve, me concentrando com toda minha força.

Mas é difícil, porque estou tão feliz. Ver Reeve andando sem rumo pela escola nesses últimos dias, fingindo que não se importa, quando eu sei qual é a verdade, pois sei o que está acontecendo com ele. Ele está arrasado, e estou adorando cada segundo.

A porta não se move, e eu me concentro mais. Se ao menos eu soubesse como são as coisas por dentro de uma trava de porta de carro, talvez eu pudesse imaginá-la se abrindo.

Abreabreabre.

Preciso entrar no carro de Reeve antes que as aulas terminem, para deixar um presente para ele. É o meu colar de margaridas, aquele que ele me deu no meu aniversário de 13 anos. Houve uma época em que esse colar foi a minha coisa mais preciosa, eu nunca o tirava do pescoço, nem para tomar banho. Uma noite dessas, quando estava empacotando minhas coisas, eu o encontrei. Eu não o via desde a noite do homecoming. O presente perfeito de despedida.

Quero que ele o veja pendurado no seu espelho retrovisor, e pense em mim. Sei que ele não vai ligar uma coisa à outra. Que eu sou a razão pelos seus sofrimentos agora, que eu sou aquela que está por trás disso tudo. Mas espero que ele se lembre, que tenha uma vaga ideia, uma lembrança que crescerá e permanecerá bem depois que eu for embora. *Você está sofrendo agora por todos os seus pecados do passado.* Isso é o que você merece.

De um jeito ou de outro está tudo acabado. Não quero isso mais.

Deslizo minha mão pelo bolso do casaco, pego o pingente de margarida em minhas mãos e o aperto com força. Com tanta força quanto é preciso para transformar carvão em diamante.

Clique.

Ambas as portas da caminhonete, do lado do motorista e do passageiro, se abrem rapidamente, com força. Como se fossem impulsionadas por molas. Isso faz o chassi inteiro chacoalhar. O alarme do carro dispara. Não tenho muito tempo.

Eu subo no banco da frente e enrolo a corrente no espelho retrovisor. Dou uma sacudida na corrente para que o pingente fique balançando para frente e para trás, como um pêndulo, bem no meio do para-brisa.

Então eu deslizo para fora e saio, sem me importar de fechar as portas, enquanto a escola começa a se esvaziar.

Capítulo 54

KAT

Falta mais um dia para as férias de Natal, e a escola já é praticamente uma piada. Eu assisti a filmes em três das minhas aulas hoje. Não que eu esteja reclamando.

Levo meu almoço para a biblioteca, onde vou checar meus e-mails, que é a minha nova rotina desde que decidi mandar minha inscrição antecipada para a faculdade. Tecnicamente, não temos permissão para comer ou beber na biblioteca, mas eu resisto firmemente. Estou com meu sanduíche de frango enfiado numa das mangas do meu casaco de flanela e uma lata de refrigerante dentro da mochila, que mantenho virada para cima presa entre os meus pés.

Tenho dois e-mails. Um, alertando sobre a violência contra filhotes de animais da e um de Oberlin.

Mal consigo respirar quando clico, e meus olhos se arregalam em frente à tela.

— Ah meu Deus! Ah, droga. Droga, droga, droga.

A bibliotecária imediatamente corre até onde eu estou. Acho que ela está esperando há semanas para me flagrar em alguma falta, para poder me expulsar e daqui. Juro que essa mulher quer a droga da biblioteca só para ela.

— Você não pode usar esse tipo de linguagem aqui, senhorita DeBrassio. Vou escrever uma...

Eu nem espero que ela termine a frase, não importa a merda que ela esteja dizendo. Empurro minha cadeira para trás, levanto minha mochila, penduro-a no ombro e vou direto para o escritório da Sra. Chirazo. Entro sem bater na porta.

Ela está com outro aluno. Um calouro gordinho com uma camisa polo listrada. Os dois se voltam para trás e me olham espantados. A princípio, eu nem noto, mas tem um rastro de refrigerante pingando da minha mochila.

— Droga! — grito bem alto, porque essa é a única palavra que consigo lembrar.

Começo a chorar como uma criança.

A Sra. Chirazo não se perturba. Afinal de contas, ela é uma máquina de dar conselhos.

— Kat, pegue uma cadeira e sente-se um pouco — diz ela, num tom de voz de um sargento do exército. Deixo-me cair na cadeira vazia ao lado do garoto gordinho, passo os braços pela minha cabeça e solto um gemido. A Sra. Chirazo se vira para o garoto e diz:

— Billy, eu o chamo mais tarde.

Eu olho para Billy com os olhos furiosos.

— Você ainda não viu nada — rosno.

A Sra. Chirazo o leva até a porta, e a fecha com tanta força que seus papéis voam. Então ela corre para o meu lado. Ela não volta para trás da mesa. Ela pega uma cadeira ao meu lado, aquela onde Billy estava sentado. Limpo a sujeira do nariz com a manga do blusão, mas ele continua escorrendo.

— O que aconteceu?

Quero olhar para ela, mas não consigo.

— Eu não entrei em Oberlin, foi isso que aconteceu. — Dizer isso em voz alta é como levar um tapa na cara.

— Você recebeu uma carta deles?

Balanço a cabeça.

— Não, foi um e-mail. De algum robô. Não foi nem uma coisa personalizada e individualizada. Cretinos cruéis. — Mal consigo pronunciar as palavras. — Eu disse para eles naquela droga de redação que esse era o meu sonho. Disse que minha mãe tinha morrido, e eu iria realizar o sonho dela para ela. E eles não tiveram nem a decência de me mandar uma resposta pessoal?

— O que eles disseram exatamente?

Olho para ela, furiosa, com fogo nos olhos.

— Você está surda, droga? Dizia que eu não entrei! — Imediatamente tenho vontade de retirar minhas palavras, não quero ser uma cretina com a Sra. Chirazo. Não deveria falar assim com ela. Ela tem sido boa comigo.

A Sra. Chirazo não grita, nem me coloca para fora de sua sala. Em vez disso, ela me levanta e me conduz até a sua mesa. Ela se inclina e acessa a internet no seu computador.

— Me mostre, me mostre exatamente o que eles lhe enviaram.

Eu o faço. Eu abro a droga de e-mail para que ela possa ver. Ela lê a mensagem com muito mais cuidado do que eu. E demora alguns segundos para falar.

— Kat, isso aqui está simplesmente dizendo que você não conseguiu uma inscrição antecipada. A sua inscrição foi colocada com a de todos os outros. Isso quer dizer que você ainda tem uma chance.

Talvez eu devesse me sentir melhor ao ouvir isso, mas não é assim.

— Se eles não me querem antecipadamente, eles não me querem, e ponto final.

— Isso não é verdade. De modo algum. Na verdade aqui no e-mail diz que você pode atualizar sua inscrição. Podemos incrementar suas atividades extracurriculares, tentar encontrar algumas oportunidades adicionais para aumentar suas chances. Eu mesma já olhei sua inscrição. E só tem um ponto fraco.

— O que vou fazer? Mandar matar o presidente do conselho de estudantes?

— Isso não é engraçado, Kat.

— Só estou dizendo. É tarde demais.

Ela vai até seu arquivo e mexe em alguns papéis.

— Nós recebemos um pedido no começo desta semana da Sociedade de Preservação da Ilha Jar. Eles estão procurando voluntários para trabalhar depois da aulas e nos finais de semana. Não quero alimentar esperanças, mas isso é melhor que nada.

— Tudo bem.

— Excelente, vou ligar para eles hoje e perguntar quando você pode começar.

— Desculpe, desculpe por tê-la xingado.

— Você estava chateada. Eu entendo. Fico feliz por você estar expressando seus sentimentos. — Ela faz um carinho na minha perna. — Enquanto isso, vá em frente e faça a sua inscrição para a sua segunda escola, só para garantir. Kat, você é uma garota forte. Não perca a cabeça agora.

Nunca pensei que diria isso, mas graças a Deus existe a Sra. Chirazo.

Então, eu penso.

— Ei, senhora Chirazo. Você tem, por exemplo, alguns alunos de que você trata? Ou você pode falar com qualquer um que precise de ajuda? Eu tenho uma amiga....

•••

Mais tarde, naquele mesmo dia, recebo um recado da Sra. Chirazo na minha oitava aula. Parece que a Sociedade de Preservação quer que eu comece hoje. Então vou até lá depois da aula. Por que não? Não tenho nada a perder. E em todo o caso, sinto como se lhe devesse algo, por ela trabalhar tanto para me ajudar.

É um prédio bonito numa galeria de lojas sofisticadas em White Haven. Madeira branca com acabamento preto e muitas janelas antigas de vidro escuro, com curvas e reentrâncias. Feixes com centenas de galhos de bálsamo estão pendurados no umbral da porta, entrelaçados nas grades de ferro, e isso deixa o ar com um perfume fresco fantástico. Vejo uma placa na entrada. De bronze. Diz que no passado este prédio alojou a prefeitura, por volta dos anos 1700.

Lá dentro o espaço é grande e aberto, com piso de madeira tão reluzente que posso ver meu reflexo nele. Todas as paredes estão cobertas por tijolinhos vermelhos e artefatos da ilha pendurados, como uma velha bandeira carcomida pelas traças e um antigo barco de madeira. A cada metro existe uma enorme mesa de carvalho. Lâmpadas antigas com filamentos laranja retorcidos estão penduradas no teto. O lugar todo cheira a dinheiro.

Eu não gosto disso imediatamente. Tem alguma coisa em relação a pessoas ricas que me causa urticária. Como se elas procurassem maneiras de usar o dinheiro para aliviar sua culpa.

Caminho até a primeira mesa que encontro. Há uma mulher sentada ali, falando ao telefone. Ela está usando um suéter creme felpudo, brincos de pérola e um enorme diamante no dedo.

Ela me olha de alto a baixo — cabelo desarrumado, jeans rasgados e coturnos — e me dá um sorriso apertado. E ao telefone ela diz:

— É claro que estamos preocupados com a casa. É absolutamente charmosa. E com todo seu histórico familiar ali... Agora, já fizemos várias tentativas de contatar sua irmã e... não sei como dizer isso, mas ela não está muito bem. E a casa está realmente sofrendo com isso.

A voz da mulher é muito aguda e lamuriosa. Ela faz uma série de *hum-hum* para a pessoa do outro lado da linha, ao mesmo tempo em que está clicando num e-mail ou mexendo no seu notebook, então duvido que ela esteja escutando.

— Sim, sim, estamos dispostos a ajudar no que for possível. Se a casa provar ser muito trabalhosa para sua irmã, então ficaremos felizes em lhe fazer uma proposta generosa. Sim, bem, é claro. Ficaremos ansiosos no aguardo de notícias suas e felizes em ajudar no que for possível.

A mulher desliga o telefone e solta um suspiro sofrido.

— Dia difícil? — pergunto.

Ela dá uma risada seca.

— Acho que se pode dizer que sim. Agora, como posso ajudá-la? Você esperou pacientemente, e eu agradeço.

Tenho vontade de dizer *Você não precisa ser tão condescendente, sua cretina.* Mas acabo sorrindo. Essa mulher deve pensar que sou algum gato selvagem de rua.

— A Sra. Chirazo, da escola, ligou sobre mim hoje.

A mulher me olha de alto a baixo. Não sei o que a Sra. Chirazo falou de mim, mas acho que não estou correspondendo à sua descrição.

— É claro. Sim. Nós vamos ficar felizes em ter você aqui, Katherine. — Ela se levanta da mesa. — Deixe-me levá-la até o porão, que é onde você vai trabalhar.

É claro.

Ela me faz descer por uma escadaria que range. O porão não recebeu o mesmo cuidado de design que o andar de cima. Não tem janelas, e o teto é tão baixo que temos de nos encolher se não quisermos bater a cabeça.

— Você precisará examinar todos esses documentos, escanear as páginas de rosto, e então salvá-los no disco rígido.

Ela me mostra uma coisa parecida com uma fragmentadora de papéis.

— Isso é rápido, você desliza os documentos por aqui e o escâner faz a foto. Tente colocar bem reto. E tome todo o cuidado com qualquer papel que esteja amarelado.

— O que é essa coisa toda?

A mulher ri fazendo um som nasalado.

— Um pouco de tudo na verdade. Mapas da cidade, jornais, pesquisas de terreno.

Ela já está a meio caminho da escada.

— Me chame se precisar de alguma coisa.

Eu tiro minha jaqueta. Gostaria de ir embora daqui imediatamente, mas não posso. Vou ficar trabalhando aqui até a primavera, provavelmente. Ai. As coisas que eu tenho de fazer por Oberlin. Que droga.

Capítulo 55

LILLIA

A Sra. Lind se excedeu este ano. Há garçons de gravata-borboleta vermelha deslizando por entre os convidados, servindo petiscos sofisticados como minibolinhos de caranguejo e bolo de pera com creme trufado fresco por cima — além do mais, há um balcão de carnes e um de frutos do mar, além de todo tipo de docinhos e chocolates.

A casa está lotada. Tem gente em todos os lugares. Meus pais estão perto da árvore de Natal, conversando com alguns amigos do Iate Clube. Minha mãe está tão linda esta noite. Ela está usando um vestido branco com um drapeado na lateral e o cabelo preso no alto com um penteado lindo. Ela tentou fazer com que eu e Nadia fôssemos com ela arrumar o cabelo também, mas Nadia odeia que qualquer pessoa mexa no cabelo dela, e eu, por mais que adore a ideia de fazer uma escova, não estava muito a fim.

Estou usando aquele vestido de seda azul de novo, aquele que usei no dia da festa na casa de Reeve. Prendi meu cabelo num rabo de cavalo, e estou usando minhas botas de salto meia-pata, porque são meus sapatos elegantes mais confortáveis. Não que eu esteja tentando impressionar alguém esta noite.

Estou sentada com Alex no confortável sofá de sua sala de estar, dividindo uma torta de chocolate com creme chantilly por cima. Ele conseguiu um pouco de sidra também, embora eu duvide que nossos pais se importem. Eu não sei onde Nadia está, provavelmente jogando Guitar Hero na casa da piscina com os primos de Alex. Nós somos as únicas crianças que ainda estão por aqui, só que eu acho que nós não somos mais crianças. Foi isso que a mãe de Alex disse, que nós deveríamos ficar e socializar com os adultos, porque somos praticamente adultos agora. Espero que meus pais não fiquem até muito tarde, porque viemos num carro só.

— Por que está tão triste, Lil? — me pergunta Alex. — Faltam só três dias para o Natal.

Estou com o garfo cheio de torta de chocolate perto da minha boca.

— Triste? Não estou triste. Desculpe se pareço triste... acho que estou apenas cansada. Fui para o haras muito cedo hoje de manhã.

— Como está Phantom?

— Ah, ele está bem. — Dou outra garfada na torta. — Não acredito que você se lembrou do nome dele.

Alex me lança um olhar magoado.

— Claro que me lembro. Eu já vi você competir. Lembra quando ainda estávamos no primeiro ano? Você costumava cavalgar quase todos os dias. Você só falava dele.

Dou risada.

— Acho que eu era uma garota bem ligada em cavalos naquela época. — Eu me aproximo e pego minha bolsa da mesinha de centro. — Comprei uma coisa para você, de Natal.

Alex mastiga rapidamente e engole.

— Não brinca.

Timidamente aceno com a cabeça.

— Eu queria lhe dizer obrigada. Você foi maravilhoso comigo este ano. — Eu tiro o presente da minha bolsa. Mal consegui guardar meu batom e meu pó compacto, porque o presente ocupou muito espaço.

Alex parece comovido. Ele gira o pacote na mão, e fico muito feliz por ter tomado um cuidado especial ao embrulhá-lo. Usei um papel dourado brilhante e o amarrei com uma fita de seda creme. Ele abre o pacote com muito cuidado para não rasgar o papel. Tira um pedaço de couro cor de uísque, comprido, e fica olhando sem dizer nada.

— É uma alça para o violão — digo, porque talvez ele pense que é um cinto. Eu a pego das mãos dele a viro do outro lado. — Mandei imprimir suas iniciais no couro. Eu mesma escolhi a fonte, enfim, a vendedora disse que é ajustável, então você pode usar bem alto e apertado como o Johnny Cash, ou bem baixo como os garotos punk fazem. — Eu a entrego para ele. — Não tenho certeza de qual é o seu estilo.

— Lil — diz baixinho e olha para mim. — Isso é muito legal.

Dou um sorriso radiante.

— É mesmo? Você gostou?

Alex acena que sim, mas subitamente se levanta do sofá e olha firme para o outro lado da sala. Ergo meus olhos e lá está Reeve, usando seu colete acolchoado, e parado em frente à mesa do bufê com uma cerveja na mão. Ele está cortando um pedaço de lombo de porco e comendo com os dedos.

Eu me levanto também, com o coração batendo forte.

— Você o convidou?

— Não — diz Alex.

Agora Reeve está tomando um gole de cerveja, terminando-a de uma golada só. Ele está olhando em volta da sala e ainda não nos viu. Mas ele vê o tio de Alex, Tim, e vai até ele e lhe dá um tapinha nas costas, com tanta força que um pouco de champanhe da sua taça se derrama.

— Merda, ele está bêbado — diz Alex, e atravessa a sala. Eu o sigo. Ele vai até Reeve e coloca a mão no ombro dele.

— O que está fazendo aqui, cara?

Reeve se volta instavelmente.

— Sua mãe me deixou entrar. — Então ele me vê parada atrás de Alex. — Tudo bem, Cho?

— Oi.

Alex começa a retirar apressadamente Reeve da sala, e a levá-lo para a porta dos fundos, em direção à casa da piscina, com Reeve protestando e tropeçando durante a maior parte do caminho.

Reeve empurra Alex para longe de si quando chegamos lá fora.

— Que inferno? Não sou mais bem-vindo em sua casa?

— Ei, Ei, Ei — diz Alex. — Acalme-se.

Envolvo o meu corpo com meus braços, tremendo. Deixei meu casaco lá dentro.

Reeve aponta o queixo para mim.

— Qual o seu problema com os casacos de inverno? — Ele começa a tirar o próprio colete.

— Estou bem — digo.

— Estou bem — imita ele. Então os lábios dele se curvam. — Tanto faz, morra de frio. Não estou nem ligando.

Meus olhos se enchem de lágrimas. Ele está sendo tão cruel. É assim que as coisas vão ser entre nós?

— Você deveria ir embora — afirma Alex dando um passo à minha frente.

Reeve levanta as mãos.

— E dizem que primeiro vêm os amigos e depois os inimigos. Estou fora. — Ele grita em direção à casa da piscina. — Feliz Natal, garotos. Papai Noel está sendo chutado para fora. — E depois segue cambaleando na direção do portão.

Nadia e alguns dos primos mais velhos de Alex vieram para fora e estão nos observando da casa da piscina com os olhos arregalados.

Pego o braço de Alex e digo:

— Ele não deveria dirigir. Está bêbado.

Alex não se move, ele apenas observa Reeve ir embora. Empurro Alex na direção de Reeve com o máximo de força que tenho.

— Rápido, Alex.

Alex o segue, relutante:

— Me dê as chaves. Vou levá-lo para casa.

Reeve joga as chaves no gramado.

— Não. Vou caminhar.

— Reeve! — grito. — Deixa ele te levar.

Mas ele já está a meio caminho da rua. Seu colete preto acolchoado se confundindo com o céu da noite. Procuro as chaves, mas está escuro demais. Alex volta para o meu lado e dá de ombros.

— Me dê seu telefone — digo. E ele o faz. Eu o uso como uma lanterna e vasculho a grama.

Atrás de mim, Alex diz:

— Nós deveríamos voltar lá para dentro. Está gelado aqui fora. Eu as encontro de manhã.

Eu o ignoro e continuo procurando. Meus dedos finalmente se fecham sobre o metal frio e duro, e eu as aperto na minha mão. Levanto as chaves e as coloco na frente de Alex.

— Você deve ir atrás dele. Ele está bêbado. Vai demorar horas para ele chegar em casa com aquela perna machucada. Ele pode ser atropelado por um carro.

O rosto de Alex fica impassível.

— Ele não vai escutar. É teimoso demais. Ele vai ficar bem.

— Por favor, tente.

Alex me olha firme por um segundo, e então diz:

— O que está acontecendo entre vocês dois? — Ele passa a mão pelo cabelo e contorce o rosto, como se tivesse medo de ouvir a resposta. — Por favor, não minta para mim.

Eu não digo nada. Não quero mentir para ele. Parece que estou mentindo para todo mundo ultimamente, e estou ficando cansada disso. Alex merece a verdade.

— Nós… ficamos juntos algumas vezes.

Alex me olha atentamente.

— Vocês dois ficaram juntos?

Eu respiro fundo.

— Nós nos beijamos, mas está tudo acabado. Foi um erro estúpido. — Alex fica olhando para o chão. Ele mal consegue me olhar. — Sinto muito.

— Você não tem nada de que se desculpar — diz Alex, levantando finalmente o olhar. Ainda bem que ele não parece bravo. Simplesmente chateado. Ele pega as chaves da minha mão. — Obrigada de novo pelo meu presente.

— De nada. — Eu o observo enquanto ele corre até a caminhonete de Reeve, estacionada em frente à casa do vizinho de Alex. Ele entra e vai embora.

Nadia vem correndo até onde estou e pergunta:

— O que está acontecendo?

— Nada — digo, colocando meu braço nos ombros dela. — Vamos voltar para dentro.

•••

No dia seguinte, estou deitada no sofá assistindo à TV e trocando mensagens com Ash quando meu pai entra na sala e se senta ao meu lado.

— O que você está assistindo? — pergunta.

Eu nem ergo o olhar para poder continuar escrevendo.

— Não sei. Algum especial de Natal.

O que aconteceu na casa de Alex? Ouvi dizer que Reeve apareceu bêbado e Lind o colocou para fora!

Na verdade, não foi assim. É isso o que estão dizendo?

Ren disse que teve de pegar Reeve na beira da estrada.

É claro que ele chamou Rennie para pedir uma carona. Claro que sim.

— Você já terminou seu suplemento para a Wellesley? — pergunta meu pai.

— Sim. Quase tudo — digo. E isso é quase verdade, porque está praticamente pronto.

— Você quer que eu dê uma olhada antes de você mandar? — pergunta ele num tom casual.

— Tudo bem — digo. — Eu já mostrei para o meu conselho pedagógico.

Por que ele estava chateado?

Não faço ideia. O que Ren disse?

Como sempre, ela arrumou desculpas para ele. Ela está ligada nele.

Verdade.

— Não seria nada mal se alguém mais olhasse.

Finalmente levanto os olhos do telefone.

— Papai, eu nem sei se quero mesmo ir para Wellesley.

Franzindo o cenho, ele diz:

— Pensei que nós havíamos concordado que você iria pelo menos se inscrever.

— Estou me inscrevendo, mas, mesmo que eu entre, não sei se quero ir para lá. — Eu rolo o texto da minha conversa com Ash e releio o que ela escreveu. — Só porque a mamãe gostou, e é uma escola só de meninas, não significa que eu também vou gostar.

— Quero que você se inscreva para poder ter mais opções — diz meu pai. — Compreendeu?

Concordo com um movimento de cabeça. Tudo bem. Eu nem sei se vou conseguir entrar, então tanto faz.

Ele limpa a garganta do modo que faz quando não está à vontade.

— Na outra noite, na casa de Lind… aquele seu amigo estava bêbado?

Continuo com meus olhos abaixados, mas meu coração dá um salto.

— Que amigo?

— Reeve. É esse o nome dele, certo?

Estou surpresa de meu pai saber o nome dele. Provavelmente, minha mãe contou a ele.

— Não. Ele não estava bêbado. — Meu pai parece cético, e então eu digo novamente, com mais ênfase dessa vez. — Ele não estava bêbado, papai! Ele não é assim. Ele é um atleta.

— Tudo bem, tudo bem. Confio em você. Eu só quero que você tome cuidado com as pessoas com quem você anda. Agora você deveria estar mais focada nas inscrições para a faculdade e em terminar bem seu último ano de escola. Não seja complacente.

Tenho vontade de responder, mas não o faço, porque não é assim que as coisas se resolvem na minha família. Fico irritada quando meu pai volta para casa e tenta bancar o pai envolvido, já que ele quase nunca está em casa. Ele não tem o direito de me dizer o que fazer.

— Estou bastante concentrada nas minhas inscrições, papai — respondo calmamente. — Na verdade, estou indo lá para cima para terminar a minha inscrição geral exatamente agora. — E me levanto.

— Essa é a minha garota — diz meu pai, aprovando-me com um aceno de cabeça.

Quando chego ao meu quarto, me jogo na cama e ligo para Ash. Eu posso escutá-la mastigando alguma coisa.

— Acho que Rennie merece coisa melhor. Ele a está enrolando desde que nós éramos crianças. Ela dá tudo o que ele quer, e ele pega, pega, pega. É como se ela fosse uma árvore dos desejos. — Eu não a chamaria de árvore dos desejos, mas não digo nada. Ash continua: — Ele só pensa em si mesmo. Ele não liga para mais ninguém.

Não sei se isso é verdade. Na verdade, tenho certeza de que não é.

•••

Eu me lembro da primeira vez que encontrei Reeve. Foi quando nossa casa estava sendo construída. Nadia era pequenininha naquela época. Eu tinha uns sete anos. Nunca vi de fato a casa que existia aqui antes. Só em fotos. Era uma casa de dois andares, com uma varanda enorme em toda à volta, com persianas decorativas e um grande cata-vento de ferro. Não era nada parecida com o estilo dos meus pais, mas minha mãe gostou dela na hora. Tinha um terreno enorme, de mais de meio hectare, com uma vista perfeita do mar. O homem que morava aqui não estava planejando vender, mas meu pai tinha um advogado que mandou uma carta ao proprietário oferecendo-lhe uma tonelada de dinheiro.

No dia seguinte à assinatura dos papéis, meus pais puseram a casa abaixo.

Isso foi na época em que White Haven ainda não era um bairro só de enormes mansões. Isto é, as casas eram realmente grandes, mas não me lembro de muitas delas terem piscinas, elevadores ou cinco carros na garagem. Era mais por causa do tamanho dos terrenos. Havia muito espaço entre as casas, privacidade, e elas realmente tinham a melhor vista da cidade. Acho que, de certo modo, o bairro estava destinado a ficar do jeito que ficou. Só com proprietários ricos.

De qualquer modo, como minha mãe era a única a interessar-se pelas obras da casa, ela gostava de visitar o terreno e ver como as coisas estavam progredindo.

Uma vez, ela nos levou, a Nadia e a mim, com ela.

Quando chegamos à construção, eles já haviam despejado o concreto e começado a enquadrar os cômodos com vigas de madeira de cinco por dez centímetros. Havia pelo menos dez caminhonetes estacionadas no gramado e um enorme caminhão amarelo de entulho.

— Ah Deus do Céu — resmungou minha mãe. — Vamos ter de refazer todo o gramado da frente.

Eu me lembro de ter ficado encantada ao ver como nossa casa seria grande. Até então só havíamos morado em apartamentos. É claro, eram apartamento luxuosos, mas, mesmo assim, havia gente morando do outro lado da parede. Essa casa era monstruosa.

Havia um punhado de trabalhadores andando em torno. Todos pareciam ter a barriga enorme e redonda. Eu segurei a mão de Nadia e fiquei perto da minha mãe, enquanto ela conversava com um dos empreiteiros. Embora estivesse calor lá fora, minha mãe estava usando terninho preto e salto alto. E permaneceu com os óculos de sol mesmo dentro da casa.

Ela ficou discutindo sobre a escadaria. Ficou mostrando seus planos, dizendo que queria que eles seguissem as instruções dela e que, se fizessem diferente, ela contrataria outra equipe. O homem respondeu sarcástico.

— Nós somos a única equipe da ilha.

Ao que minha mãe respondeu:

— Eu os mando vir de balsa e alugo uma casa para eles.

E isso praticamente os calou.

Enquanto minha mãe estava conversando muito séria com eles, o homem ficou olhando para mim e para Nadia. Acho que ele não gostou da ideia de uma mulher estar gritando com ele, especialmente na frente de crianças.

Então, de repente, senti um enorme tapa nas minhas costas.

— Peguei!

Eu dei a volta. Havia um garoto pouco mais alto que eu, com um sorriso que exibia quase todos os seus dentes, jogando seu peso de um pé ao outro.

— Reeve! — gritou o homem. — Eu disse para você ficar quieto na caminhonete.

— Você deixa *crianças* correndo por essa área de trabalho? — perguntou minha mãe, exasperada.

— Ele deveria estar no campo de futebol, mas aparentemente minha mulher errou o dia na agenda. E ela está fora visitando sua irmã então… eu fiz o que tinha de fazer.

Reeve piscou para mim duas vezes. Então ele bateu no meu braço.

— Peguei — disse novamente, e então acrescentou: — Você perdeu. — Ele pronunciou essas palavras lentamente, como se eu não entendesse inglês.

— Eu sei brincar de pega-pega — respondi, do jeito mais mesquinho que pude. Eu detestava quando as pessoas faziam isso, achando que só porque tenho ascendência asiática eu não sabia falar inglês. Isso me deixava maluca.

— Não parece — disse ele, e se afastou de mim.

Eu soltei a mão de Nadia e corri atrás dele.

Minha mãe e o homem ficaram gritando atrás de nós, mas eu não parei. Eu queria muito alcançá-lo.

Embora o homem tivesse dito que Reeve não costumava ir à construção, ele saiu correndo pela casa como se já tivesse estado ali antes. Ele conhecia todos os lugares e cantinhos onde virar e esconder-se. Ele pulou sobre uma pilha de madeiras, passou por debaixo de dois cavaletes. Ele era rápido, mas eu também. Eu teria sido mais rápida se não estivesse com meus sapatos finos.

Ele estava quase ao meu alcance quando chegamos à soleira de uma porta. No último segundo, ele pareceu ter mudado de ideia e decidiu não atravessá-la. Mas eu já estava perto demais dele. Caí por cima do garoto e o derrubei com força, e ele adentrou a sala, deslizando pelo chão, muito rápido.

O concreto era fresco. Ele deixou uma marca intensa de derrapagem.

Levei um susto.

— Que droga, Reeve!

Eu me virei, e lá estava o pai do garoto com o rosto vermelho. Ele entrou no cômodo deixando grandes marcas de bota no concreto úmido. Acho que ele não estava se importando muito, já que Reeve tinha estragado tudo. Ele pegou Reeve pela parte de trás da camisa, como os gatos fazem com os filhotes. Só que ele não fez isso gentilmente, parecia que ia matar o garoto. E Reeve estava apavorado. Seu rosto todo se transformou.

Minha voz saiu num gemido.

— É... a cul...

Era minha culpa, eu o empurrara, mas Reeve não me deixou dizer nada.

— Sinto muito, papai, a culpa foi minha.

Minha mãe e Nadia chegaram logo depois e elas também levaram um susto. O pai de Reeve olhou para elas e colocou Reeve no chão.

— Nós vamos consertar isso, sem cobrar nada a mais. — E olhando furioso para o filho, disse com os dentes cerrados: — Entre na caminhonete agora.

— Sim, senhor — disse Reeve. Senti-me muito mal. Minha mãe colocou a mim e a Nadia no carro. Quando fui embora, vi Reeve sentado na carroceria da caminhonete do seu pai, como lhe fora ordenado. O menino não parecia mais assustado. Ele sorriu para mim.

Capítulo 56

KAT

Manhã de Natal. Meu plano era acordar cedo e fazer panquecas para todo mundo. Mas fiquei acordada até tarde ontem à noite assistindo a *A Christmas Story* junto com Pat, então acabei perdendo a hora. Já passam das dez quando finalmente consigo sair da cama.

Coloco meu roupão atoalhado por cima da camisola e me arrasto até a cozinha para fazer uma xícara de café. Fico surpresa ao ver meu pai e Pat sentados à mesa da cozinha. Pat está com a cabeça curvada sobre uma tigela da sopa que sobrou de ontem, e papai está tomando café.

— Feliz Natal, DeBrassio — digo. — Eu ia levantar cedo para fazer panquecas, mas…

— Mas você é uma gatinha preguiçosa? — emenda Pat, engolindo ruidosamente a sopa.

Eu dou um sorriso e despejo café numa xícara para mim.

— Igualzinho ao meu irmão mais velho — respondo.

Levo meu café até a sala e acendo as luzinhas de Natal. Não tem nada debaixo da árvore de Natal. Nós já trocamos nossos presentes na noite passada, como é tradição da família DeBrassio. Comprei para meu pai uma nova vara de pescar, para o que eu economizei bastante, e para Pat comprei um decalque de motocross italiano de um cara na internet.

Meu pai me deu uma nota de cem dólares, e Pat disse que daria meu presente mais tarde. Que nada, Pat sempre fica enrolando para não dar presentes.

Eu ligo a TV e está passando *A Christmas Story* novamente. É o fim do filme, onde eles estão no restaurante chinês, e os garçons estão cantando "Deck the Halls". E eles não conseguem pronunciar os seus *l's* direito. O filme é racista pacas, mas, ainda sim, é um bom filme.

Então papai e Pat entram na sala, e meu pai diz:

— Kat, acho que ainda tem mais um presente debaixo da árvore para você.

— Vá checar seus olhos, meu velho! — Digo, apontando para o tapete vazio debaixo da árvore.

— Pat! — diz meu pai, zangado. — Você deveria tê-lo colocado debaixo da árvore hoje de manhã.

— Acalme-se, acalme-se — diz Pat. Então ele vai até seu quarto e volta com uma caixa embrulhada com papel de presente com estampa de Papai Noel e me entrega. — Aqui.

Eu olho para o meu pai e para Pat.

— O que é isso?

Meu pai está sorrindo.

— Abra.

Eu rasgo o papel. É um notebook novo. Meu queixo cai.

— Não acredito.

— É para a faculdade, Katherine.

Sinto um aperto enorme na garganta, e as lágrimas começam a encher meus olhos.

— Como… como vocês conseguiram pagar isso?

— Eu terminei aquela canoa a semana passada — diz o meu pai, olhando para mim, orgulhoso. — E Pat ajudou.

Olho para Pat, que está apoiado na soleira da porta com os braços cruzados.

— De verdade?

— Sim, cara. Eu trabalhei duro para isso, então é melhor você não ir mal em Oberlin. — Pat aponta o dedo para mim.

Limpo meus olhos com as costas da mão.

— Ainda nem fui aceita.

Eu deveria contar a eles sobre a recusa da minha inscrição antecipada, mas não tive coragem.

— Você vai entrar — afirma Pat.

— Mesmo que eu entre, fica tão longe… Talvez fosse melhor ir para alguma faculdade aqui perto, assim daria para ajudar aqui em casa.

— De jeito nenhum — rosna o meu pai. — Você vai sair daqui assim que se formar na escola. Sua mãe não gostaria que fosse diferente.

Mal posso vê-lo através das minhas lágrimas.

— Muito obrigada.

Pat se inclina para a frente e diz:

— Papai e eu podemos nos virar. Você vai para Oberlin, vai tirar só nota máxima, e então vai arrumar um ótimo emprego e ficar rica, e, quando isso acontecer, vai poder mandar bastante dinheiro aqui para casa.

Eu caio na gargalhada.

— Você pensa em ainda morar aqui em casa daqui a cinco anos? Seu fracassado.

Então me levanto com as pernas bambas, e dou um abraço nos dois.

Capítulo 57

LILLIA

O DIA DE NATAL PASSOU COMO UMA NUVEM. COMO DE COSTUME, FOMOS à igreja de manhã. Meu pai preparou uma sopa coreana com bolinhos de arroz, e minha mãe assou os pãezinhos de canela que ela comprara na Neiman Marcus. Nós comemos enquanto abrimos os presentes. Ganhei um novo notebook, um suéter de cashmere lavanda e menta, um novo par de botas para cavalgar e outras coisinhas, como meu perfume favorito e aquele creme facial com cheirinho de bombom de Nova York.

Eu deveria estar feliz, porque adoro ganhar presentes, e estou conseguindo praticamente tudo que pedi, e mais um pouco. Nadia está dando gritinhos toda vez que abre seus presentes, abraçando minha mãe e meu pai toda vez que descobre algo, demorando bastante para abrir sua pilha de presentes para fazer o momento durar mais. Mal consigo abrir um sorriso e parecer agradecida. Sou a pior filha de todos os tempos.

Meus pais certamente percebem. Eles ficam se olhando de um jeito preocupado. Em certa altura, minha mãe se senta ao meu lado numa espreguiçadeira, coloca as costas da mão na minha testa para ver se estou com febre.

Não achei que seria tão ruim assim. Não achei que ficaria tão machucada por uma coisa que deveria ser de mentirinha.

Quando todos os presentes foram abertos, minha mãe faz um sinal para meu pai, e ele sai da sala. Quando ele volta, está com duas caixas enormes nas mãos. Nadia dá um pulo e tenta pegar uma delas, mas papai diz:

— Essas duas são para Lillia.

Eu as abro. É um conjunto novinho de malas da Tumi, ambas de material rígido branco brilhante. Uma enorme mala de rodinhas e outra menor, também de rodinhas, que cabe na parte de cima da poltrona do avião.

— Para a faculdade — anuncia meu pai. — Wesllesley tem uns programas de estudos no exterior que são incríveis, você sabe.

Eu nem tenho energia para responder alguma coisa. Como, por exemplo, que eu ainda não estou convencida se quero ir mesmo para Wesllesley. Eu simplesmente aceno com a cabeça, abro e fecho a fechadura da mala algumas vezes.

— Seu pai mesmo que escolheu — diz minha mãe. — Ele imaginou que você gostaria da branca. — Ela apoia sua mão no meu joelho e me dá um aperto. Eu automaticamente olho para o meu pai e digo:

— Adorei.

— Feliz Natal, princesa — diz ele.

Capítulo 58

MARY

Finalmente chegou a véspera do ano-novo.

Vai nevar hoje à noite, alguns centímetros. E o vento está rugindo. A festa de Rennie acontecerá com certeza. Só espero que a balsa funcione amanhã. Não vejo a hora de encontrar minha mãe e meu pai.

Eu planejei usar uma roupa especial para voltar para casa. Uma saia justa, um sapato de salto alto, uma blusa creme. Quero estar linda e madura quando eles me virem novamente. Eu quero que eles vejam como eu cresci. Eles têm boas intenções, mas sempre me trataram como um bebê, e quando eu voltar para eles, quero que me tratem como uma adolescente, não mais como uma criança.

Mas tenho uma festa para ir hoje à noite e duas pessoas muito especiais a quem tenho de dizer adeus. Demoro bastante arrumando meu cabelo e fazendo a maquiagem. Passo um batom vermelho vivo nos lábios e prendo o cabelo num coque. Eu coloco um vestido que encontrei no meu armário — é branco, com argolas douradas, miçangas e cintura baixa. Olho em volta procurando minhas sandálias douradas.

A campainha da porta toca. Xi, aquelas mulheres da Sociedade de Preservação não descansam. Imagino que tia Bette não atenderá, como de costume, mas a campainha da porta continua a tocar, insistentemente.

Que estranho.

Finalmente escuto tia Bette abrir a porta.

— Erica?

Eu congelo.

— Ah meu Deus, Bette. Olhe só este lugar. — Aquela voz, eu não a escuto há muito tempo.

A minha mãe... minha mãe está aqui! Dou um salto e me apresso para descer as escadas e, quando a vejo, paro imediatamente.

Mamãe?

Lá está ela parada no saguão, com um casaco preto comprido. Seu cabelo está grisalho, quase tão grisalho como o de tia Bette. Como foi que ela envelheceu da noite para o dia? Eu não parti há tanto tempo assim.

— Que barulho é esse? — pergunta minha mãe.

— É Mary — responde tia Bette.

— Bette, por favor. Por favor, não me torture deste modo — diz minha mãe.

Paro meus passos bruscamente. Algo está errado. Muito errado.

Posso sentir o calor e o pânico se avolumarem dentro de mim. As molduras da parede da escadaria começam a tremer, e eu tenho de dizer a mim mesma para me acalmar, simplesmente me acalmar.

Acalme-seacalme-seacalme-se.

— Você precisa de ajuda, Bette — diz minha mãe, e parece que ela está chorando. — Eu vou levá-la embora daqui. Essa casa está deixando você doente. O pessoal da Sociedade de Preservação tem ligado, e eles têm motivo. Olhe só à sua volta!

— Não, não, eu estou bem, Erica — diz tia Bette, desesperadamente. — Mary quer ir embora! Vou ficar melhor quando ela partir.

— Essa casa está caindo aos pedaços, e você… você não está bem. — Minha mãe engasga ao falar. — Você não pode mais ficar aqui.

Tia Bette recua.

— Você deveria vê-la, Erica, conversar com ela. Contar a ela sobre Jim, acho que isso pode ajudá-la.

Jim é meu pai.

— Bette, por favor, pare com isso — diz minha mãe, e sua voz parece sofrida. — Pare de falar sobre ela.

O que está acontecendo? Será que eles brigaram? Será que eles se separaram na época que fui embora. Foi por isso que não vieram me visitar?

— Nós vamos embora. Agora. — Mamãe abre a porta. Olho para a porta e a forço a se fechar. Ela fica chocada quando a maçaneta voa da sua mão. A porta bate com força, e a fechadura se tranca.

Tia Bette grita:

— Mary, pare. Você vai assustá-la!

Ignorando-a, corro até minha cama, pego minha mala e começo a descer a escada e vou para a porta.

— Mamãe! Estou indo com você! Não vá embora sem mim!

Mas então escuto a porta dos fundos se abrir. Vou até a janela e vejo minha mãe com os braços em volta de tia Bette, tentando levá-la até o carro alugado. Elas estão indo embora? Sem mim?

Corro de volta para o andar de baixo, e vou até o carro.

Minha mãe está soluçando. Ela mal olha para mim.

— Bette, por favor, por favor, entre no carro.

Eu corro até ela.

— Mamãe! — grito. Estou vociferando agora, e as persianas da casa estão se abrindo e se fechando, cada vez mais e mais depressa. Não consigo parar. Não consigo me controlar.

— Ah meu Deus! — grita minha mãe. Ela abre a porta do passageiro com força e empurra tia Bette para dentro. Ela corre até o outro lado do carro, tropeça e cai no chão. Corro atrás dela soluçando.

— Mamãe, mamãe, mamãe! — Eu choro — Não vá. Não me deixe. Eu quero ir para casa!

Seus olhos se arregalam de susto.

— Mary, é você?

— Não me abandone — suplico. Ela luta para se levantar, e eu espero que ela me dê um abraço, que me abrace apertado. *Faz tanto tempo, mamãe.*

Mas ela não dá um passo na minha direção, ela corre para o outro lado do carro e entra. Bato na janela com tanta força que o vidro começa a rachar.

— Desculpe-me — diz ela, chorando. — Desculpe-me. Eu não posso ficar. — Suas mãos estão tremendo quando ela dá partida no carro, vira-o no sentido oposto e parte.

Capítulo 59

LILLIA

Eu não planejava ir à festa. Kat ficou me mandando mensagens, dizendo para eu ir, e que ela e Mary me protegeriam de Rennie hoje à noite. Mas então esta tarde recebi uma mensagem da própria Rennie. Dizia o seguinte. *Ano novo, recomeço? Venha hoje à noite.*

Ela me mandou uma foto da sua mão segurando um pirulito Blow Pop de cereja, daqueles com chiclete no centro. Suas unhas estavam fantásticas. Estavam cobertas por um glitter rosa-pálido, como um algodão-doce com brilho.

Então decido ir. Não quero ser a única na escola toda a faltar. Minha irmã estará lá. Até mesmo Kat e Mary irão. O que mais poderia fazer? Sair para jantar com meus pais?

Há alguns meses Rennie e eu estaríamos nos aprontando juntas para a festa. Estaríamos ouvindo Madonna no último volume e lutando para ficar na frente do espelho, experimentando batons, ora um vermelho forte, ora um vermelho brilhante. Em vez disso, estou aqui sozinha. Sem Nadia, porque ela foi se aprontar com as outras calouras na casa de Janelle. Estou só.

Encontrei meu vestido numa loja *vintage* on-line. Fiquei preocupada, com receio de que a roupa não me serviria, porque os tamanhos eram diferentes naquela época, mas, quando chegou, o vestido ficou perfeito. É de seda verde-esmeralda, bem fininho, com a cintura baixa e um decote V bem profundo. As costas têm um decote que vai até embaixo, coberto por uma treliça de tecido que parece uma teia de aranha delicada e fina.

Então coloquei os rolinhos de cabelo da minha mãe, e o arrumei com as pontas voltadas para dentro. O cabelo ficou se soltando, por isso prendi uma série de grampos nele. Um batom vermelho-escuro foi o toque final.

Quando desci as escadas, meu pai saiu do escritório para me dar um abraço e me dizer que eu estava linda. E também para lembrar-me de que meu horário de voltar para casa esta noite seria às duas da manhã, e nem um segundo mais tarde. Ele me disse para não voltar dirigindo para casa, para pegar um táxi ou ligar para ele ir me pegar.

— As ruas não são seguras na noite de ano-novo — disse ele. — Tem muita gente dirigindo embriagada.

Revirei os olhos e continuei dizendo:

— Sim, papai. Claro, papai.

Parada num semáforo, mando uma mensagem para Ash para saber se ela já está lá, para não ter de entrar sozinha. Ela responde dizendo que já está dentro.

Mandei uma mensagem para Alex também, mas ele não me responde de imediato. Nós não temos nos falado muito desde a festa na casa dele, desde que contei que beijara Reeve. As coisas já estavam um pouco estranhas entre eles, e eu não posso deixar de pensar que as deixei piores.

Não há estacionamento na frente da galeria, então estaciono o carro duas ruas abaixo e me arrependo de ter pegado emprestado as sandálias de tiras com pedraria da minha mãe. Elas são Manolo. E eu sempre achei que sapatos tão caros assim seriam mais confortáveis. Mas não são. Quando chego à festa, meus pés estão doendo tanto que tenho vontade de arrancar as sandálias.

O nome da galeria foi retirado da vitrine, e tem uma placa de ALUGA-SE no vidro. Do lado de fora, parece tão... abandonada. Não dá para ver muita coisa lá dentro. Todas as janelas estão esfumaçadas.

Há um porteiro de verdade na entrada. Eu o reconheço do Bow Tie. É um dos cozinheiros. Não posso acreditar que Rennie o fez abrir mão de sua própria festa de fim de ano só para ficar parado na porta da galeria da mãe dela para uma festa de ano-novo.

— Qual é a senha? – pergunta ele.

— Luar — digo, e por um segundo receio que Rennie tenha trocado a senha, para eu não entrar na festa.

Então ele balança a cabeça e diz:

— Dez paus.

Dez paus? Eu nunca, jamais paguei para entrar numa das festas de Rennie.

— Eu sou veterana — explico. — E sou amiga de Rennie. Nós já nos encontramos antes no Bow Tie.

— Todo mundo é amigo de Rennie esta noite — diz ele e olha por cima da minha cabeça para um grupo de garotos descendo ruidosamente o quarteirão. — É dez para os veteranos, 20 para os do primeiro ano e 30 para os do segundo ano.

Tenho cem por cento de certeza que Ash e os outros amigos não tiveram de pagar nada, mas não quero ficar aqui discutindo com ele. É humilhante.

— Tudo bem, tudo bem. Tanto faz. — Felizmente tenho o dinheiro que meu pai me deu para pagar o táxi. Pego uma nota de 20 na carteira de pedrarias e entrego para ele. Ele tira um punhado de notas do bolso da jaqueta, e me devolve o troco.

— Divirta-se.

Entro na galeria. Eu já a vi vazia antes, quando Paige estava substituindo uma exposição por outra, dando outra mão de tinta branca na parede para que as obras de arte sobressaíssem. Mas Rennie transformou tudo. Ela montou um bar onde costumava ficar a caixa registradora, e outro funcionário do restaurante está lá misturando as bebidas e usando uma camisa de smoking e uma gravata-borboleta preta.

Os drinques são servidos em copos de vidro. Provavelmente do restaurante também. Não há copos plásticos. Guirlandas metálicas maravilhosas cruzam o teto em todas as cores. Elas parecem antiguidades. Há também balões hélio. Cachos de balões brancos, dourados e prateados com laços combinando, flutuando pelo salão. Olho e percebo que Rennie pintou o chão alternando tiras pretas e brancas em zigue-zague. Ela preparou vários centros de mesa para todas as mesas: buquês de penas na cor creme, algumas mergulhadas em glitter dourado e prateado.

Eu tenho de admitir, essa é a melhor das festas que ela já fez.

O lugar está lotado, está tão escuro que meus olhos levam um segundo para se ajustarem. Ainda não vi Kat, nem Mary. Vejo Nadia e outras garotas da equipe juntas, sentadas num sofá num canto. Nadia faz um sinal, e eu retorno o cumprimento. Então fico sozinha, parada ali. Sinto uma dor no estômago. Será que vai ser assim a noite toda?

Respiro fundo e abro minha bolsa para pegar meu batom e meu pó compacto. Este é o problema com um batom vermelho-escuro. Você precisa ter certeza de que ele esteja bem aplicado, numa camada grossa e firme. Do contrário, vai parecer que você estava tomando um picolé ou algo assim. Retoco os cantos da boca e, quando coloco tudo de volta na bolsa, sinto o telefone vibrar.

É uma mensagem de Alex.

Você está estonteante.

Dou um sorriso e fecho meu telefone. Procuro por Alex e o vejo perto do bar, apoiando-se no balcão e bebendo um líquido marrom num copo. Ele ergue seu copo em minha direção, e eu dou uma risada. Não posso evitar. Ele está usando camisa, suspensórios e o chapéu que sua mãe comprou para ele. Ele está adorável.

Ele cruza no meio da multidão e vem a meu encontro. À medida que caminha, vejo que ele procura alguma coisa dentro do bolso da calça.

— Você foi embora da nossa festa antes que eu pudesse lhe dar o meu presente de Natal. — Ele se aproxima de mim e estende a mão. Na palma está uma caixinha laranja pequena, com um laço marrom estreito amarrado em volta. A tira diz *Hermès*.

Não acredito.

Alex coloca a caixa na minha mão.

— Abra, Lil.

Eu desamarro o laço e abro a caixa. É a pulseira que eu queria, aquela que eu vi em Boston. Preta, esmaltada, perfeita.

— Alex, isso é caro demais. Não posso aceitá-la.

— Você disse que queria, certo?

— Eu sei, mas…

Ele sorri satisfeito.

— Então, se você quer, você tem.

Ele tira a pulseira da caixa e a coloca no meu pulso

— Não posso.

— Por que não?

— Porque… é demais.

— Não se preocupe com isso. Usei o dinheiro que minha avó me deu para comprar um violão novo. — Alex enfia as mãos nos bolsos. — Na verdade, tem uma coisa que eu quero perguntar a você. É sobre aquele final de semana em Boston.

Faço um aceno rápido e nervoso com a cabeça.

— Se… — Ele olha para baixo, e então me encara novamente. — Lembra quando nós saímos para dar aquela caminhada na neve? Se eu tivesse tentado beijá-la naquela noite, você teria permitido?

Minha mente volta para aquela noite. Como tudo foi lindo, na paisagem nevada de Boston. Como eu me senti segura com Alex. Como era fácil estar ao lado dele, ainda mais se comparado a Reeve.

Acho que sim. Talvez.

Estou quase lhe dizendo isso, mas então tudo desaparece e eu fico estática, porque por cima dos ombros de Alex, do outro lado do salão, eu o vejo.

Reeve. No sofá, ao lado de uma garota que a princípio pensei ser Rennie. Mas não é. É uma menina provavelmente do segundo ano. Acho que o nome dela é Kendall. Ele está usando a roupa que compramos juntos. Está tão bonito que me sinto mal. Ela está usando um boá de penas no pescoço, e fica brincando com isso.

Nossos olhos se encontram, e ele deliberadamente desvia o olhar. Ele diz alguma coisa no ouvido de Kendall, e coloca seu chapéu na cabeça dela, e então a senta no seu colo. Sinto o sangue subir para o meu rosto.

Eu me separo de Alex.

— Tenho de ir.

O rosto de Alex baqueia.

— Você não vai responder minha pergunta?

— Eu... eu não posso agora.

Olho novamente para Reeve. Não posso evitar. Ele me olha novamente, e dessa vez toma um longo gole de sua bebida, e coloca a mão na perna de Kendall.

Tenho de sair daqui. Começo a me afastar, empurrando as pessoas do meu caminho.

Eu vou tropeçando pelo corredor. Então Reeve surge à minha frente, bloqueando o caminho com seus braços.

— Com licença — digo friamente.

— Ah, então ainda não estamos conversando? — Reeve muito casualmente cruza os braços, e se apoia na parede do corredor.

Olho furiosa para ele.

— Por que nós precisaríamos conversar? Nós nem mesmo gostamos um do outro, lembra?

Reeve me dá um sorriso condescendente, como se eu fosse apenas uma garota tola, e ele fosse muito maduro e estivesse acima disso tudo. Tento empurrá-lo e tirá-lo do meu caminho com força, e seu sorriso desaparece.

Ele diz:

— Olhe, eu fiquei furioso porque você me deu o fora, mas agora tudo já passou, então você não precisa mais fugir de mim toda vez que me encontra. Eu não vou incomodá-la mais. Tudo bem.

— Ótimo.

Reeve estende o braço e toca a pulseira no meu pulso.

— Linda pulseira — diz ele.

Sei que ele não está sendo sincero, mas mesmo assim respondo:

— Obrigada.

Com um sorriso sarcástico ele comenta:

— Lind deve ter trabalhado muito para economizar e comprar isso pra você.

— Ele trabalhou. — Eu deveria sorrir e deixar as coisas como estão, mas não posso resistir. — Muito elegante da sua parte estar paquerando com outra garota na festa de Rennie. — Lanço um olhar na direção de Kendall. — Ou você e Rennie já terminaram tudo? Por que não estou nem um pouco surpresa? Como isso é a cara de Reeve, já está em outra. — Eu acreditei que o motivo de Rennie me convidar para a festa de hoje era para ela poder ficar exibindo seu relacionamento com Reeve na minha frente, mas talvez não. Talvez eles já tivessem terminado tudo.

Reeve não está sorrindo mais, e sei que o estou irritando.

— Como eu já disse 1 milhão de vezes, eu e Rennie somos apenas amigos.

— Ah — digo secamente. — Você deve estar querendo dizer amigos com vantagens.

Reeve levanta as mãos. — Acredite no que quiser. Eu não me importo.

— Eu estou acreditando no que ela me contou, seu idiota. Eu a vi na sua casa! Ela ficou mais do que feliz de jogar isso na minha cara.

— Quando? — pergunta ele.

— Naquele dia. No dia da festa em sua casa.

Reeve ergue a cabeça surpreso.

— Você foi?

Olho em volta e vejo Rennie na multidão, cercada pelos garotos do time de futebol. Então ela não contou a ele que eu estive lá. Grande surpresa. Como se isso fosse fazer alguma diferença agora.

Dou de ombros.

— Sim. Eu passei por lá. Rennie me disse que você não queria me ver, e por isso fui embora.

Reeve está me encarando.

— Você está falando sério? Você foi à minha casa?

— Não foi nada demais — digo, e tento passar por debaixo do braço dele para poder ir embora. Mas ele retrocede e bloqueia meu caminho novamente.

— Espere! Eu não sei o que Rennie lhe disse, mas eu passei o dia todo sozinho no quarto, furioso com você pelo fora que me deu. Eu queria que você estivesse lá, Lil. Só você.

Fecho meus olhos por um segundo, e então os abro novamente.

— Isso não interessa mais.

É então que Kendall se aproxima da gente e diz:

— Oi, Lillia, tudo bem? — Ela apoia a cabeça no ombro de Reeve, que imediatamente tenta afastá-la.

— Oi — digo. Estou com meus olhos fixos na porta da frente. Tem um monte de gente entrando na festa agora, então não posso sair pela porta dianteira. Terei de sair pelos fundos. Dou um sorriso rápido para Kendall e digo: — Divirtam-se vocês dois. — E me aperto para passar entre eles.

Estou na metade do caminho pelo corredor, quando escuto Reeve vindo atrás de mim, chamando meu nome.

— Você ainda gosta de mim! — grita. — Eu sei que gosta. Então eu me recuso a aceitar o nosso rompimento, porque foi por causa de um grande mal-entendido.

Paro e me viro para olhá-lo.

— Nós não estamos rompidos porque nunca estivemos juntos.

— E nós nunca poderemos *estar* juntos.

— Você gosta de mim! Admita isso, Cho.

Ah meu Deus, espero que Kat e Mary não estejam aqui. Se elas nos virem assim, com certeza quererão que eu faça aquela encenação toda novamente. Não posso mais fazer isso.

Então digo com muita calma.

— Reeve, eu não gosto de você.

— Sim. Você. Gosta. — Reeve pega minha mão, e eu tento arrancá-la, mas dessa vez ele não permite. — Você gosta de mim, e eu de você. Então não podemos apenas... não podemos parar com esses joguinhos e ficar juntos agora?

— E quanto à sua garota, Kendall? — pergunto, desafiadora.

Ele faz um sinal de pouco caso.

— Eu estava apenas conversando com ela para provocar ciúme em você. E deu certo.

Ele me puxa para perto de si, cada vez mais perto, até estarmos bem próximos, a ponto de nos beijarmos.

— As coisas não precisam ser tão difíceis assim, você sabe.

Estou prestes a negar, quando, de repente, ele segura meu rosto com as duas mãos e me beija. Por um segundo tento resistir, mas então retribuo o beijo, porque é com isso que tenho sonhado há dias. Minha mão envolve o pescoço dele para puxá-lo para mais perto, e o toque do seu cabelo contra os meus dedos é macio.

Então escuto um som ofegante. Separo-me de Reeve, mas seus braços continuam me prendendo contra a parede.

— Que *merda* é essa? — É Rennie parada na outra ponta do corredor, olhando firme para nós. Chocada, ela aponta para mim, seus braços tremendo.

Reeve se volta, a vê e diz:

— Espere, Ren.

Ela se afasta de nós e entra na cozinha. Eu a sigo, com Reeve no meu encalço.

— Rennie… — Começo a dizer.

Ela me empurra para o lado e bate no peito de Reeve com os punhos. — Você preferiu *ela a mim*? — Rennie solta um soluço raivoso e se afasta dele. — Ela não é quem você pensa, Reeve. A meiga e inocente Lillia? Que piada ridícula. Ela é uma vagabunda.

— Não fale dela desse jeito — adverte Reeve.

Rennie o ignora e avança na minha direção.

— Eu deixei você ser minha sombra, coloquei você sob minhas asas. Eu basicamente fiz você! — O corpo todo de Rennie está tremendo de raiva. — Você não seria *ninguém* se não fosse por mim.

Reeve tenta colocar-se entre nós.

— Pare com isso, Ren. Lillia não me roubou, então não coloque a culpa nela. Você sabe que gosto de você, você sabe que sim. Mas nunca será assim entre nós.

— Não ouse defendê-la! — Rennie dá um grito, girando em volta dele. — Você não a enxerga do modo como ela é de verdade!

Respiro entrecortadamente e dou um passo na direção dela.

— Rennie, você entendeu tudo errado. Você é que sempre quis tudo o que eu tenho. Não o contrário. Durante a nossa vida toda, você teve ciúme, e tudo que eu tenho é o que você quer.

Sua boca se revira num sorriso de zombaria.

— Não posso acreditar nisso. Não posso acreditar que você está virando essa coisa agora.

Umedeço os lábios.

— E sabe o que mais? Eu acho que você ficou feliz com o que aconteceu naquela noite, com aqueles caras.

Os olhos de Rennie se voltam para Reeve e depois para mim.

— Cale a boca — adverte ela. — Não diga nem mais uma palavra.

— Eu acho que você ficou feliz, porque aquilo me rebaixou ao seu nível — digo com a voz trêmula. — Eu deixei de ser a Lillia inocente. Eu não era mais uma princesa ou uma virgem. Eu não era especial. Eu era como você. Dois casos perdidos.

A mão de Rennie se levanta rapidamente, e ela acerta o meu rosto com tanta força que eu tropeço e quase caio.

— Que inferno, Ren! — grita Reeve, depois me puxa para longe dela e se posiciona entre nós.

O rímel preto escorre pelo seu rosto.

— Ela não liga para você. Confie em mim.

Balanço a cabeça para frente e para trás. Também estou chorando agora.

— Isso não é verdade. — Apesar de tudo que fiz, isso não é verdade.

Um rapaz de suspensórios entra de repente na cozinha e diz:

— Ops, achei que aqui era o banheiro.

— Dá o fora! — grita Rennie, e o cara sai correndo. Assim que ele sai, ela recomeça, me atacando outra vez. — Estou lhe dizendo, ela não é quem você pensa que é. Ela é uma cretina, maldita e mentirosa. — Rennie respira fundo. — E eu tenho provas!

Ah meu Deus. Ah meu Deus. Rennie sabe. Rennie sabe o que eu fiz no baile. Mas como?

— Reeve, por favor, vamos — suplico, tentando tirá-lo dali. — Vamos embora. Eu o empurro com toda a força, mas ele não se afasta do lugar. O rosto dela assumiu um tom vermelho intenso.

— Você poderia tê-lo matado, Lillia.

— Por favor, Reeve. — Estou suplicando, tentando levá-lo porta afora.

Reeve fica parado ali como uma estátua, seus braços cruzados.

— Do que você está falando?

Rennie soluça.

— Sou a única que ficou ao seu lado. Depois que você se machucou, ninguém mais se importou com você. Eu era a única que ia ao hospital todos os dias. Isso mostra o quanto eu me preocupo com você.

O músculo no maxilar de Reeve se retorce. Friamente ele diz.

— Se você se importasse tanto, teria me dito que a Lillia foi à festa na minha casa. Mas você não o fez. Você sabia quanto eu estava chateado, e não me disse nada. — Ele se vira para mim e diz. — Vamos embora.

Desesperada, Rennie grita:

— Espere! Espere. — Ela tropeça no salto alto e se endireita novamente. — Eu ia jogar essa bomba à meia-noite, mas que se dane. — Ela não afasta os olhos de mim enquanto diz: — Você quer saber por que caiu daquele palco? Lillia drogou você no baile. Ela colocou alguma coisa na sua bebida. Eu encontrei uma foto que a mostra fazendo isso.

Parece que tudo à minha volta está em câmera lenta. Enquanto viro minha cabeça para olhar para ele, sinto que estou me afogando.

Rennie está ofegante. Esperando que Reeve diga alguma coisa.

— Deixe eu lhe mostrar uma foto. Ela vai revelar tudo. Não estou mentindo, Reeve! Eu nunca menti para você. — Ela me lança um sorriso sarcástico. — Adivinha o que mais, Lil? Sua vida perfeita está arruinada. Você vai para a cadeia, sua cretina idiota.

Está tudo terminado. Estou acabada. Reeve, meus amigos, minha vida toda está arruinada.

O rosto de Reeve não tem expressão nenhuma. Ele não olha para mim. Então, numa voz baixa e controlada ele diz a Rennie.

— Eu não preciso de nenhuma prova. Eu já sabia do que aconteceu no baile.

— *O quê*?

— Foi uma brincadeira idiota que acabou mal. Ela não estava tentando me machucar. Então pode esquecer essa baboseira que você estava planejando e, por favor, deixa isso para lá. Estou falando sério, Ren. Se você quiser me ver novamente, acabe com isso agora. — Ele me estende a mão e diz: — Vamos embora, Lil.

— Reevie, não! — grita Rennie. — Por favor!

Eu deixo que ele pegue minha mão e me leve para fora da cozinha, descendo pelo corredor onde as pessoas estão aglomeradas. Elas ficam olhando para a gente, enquanto Reeve abre caminho para me fazer passar. Eu vejo Alex no meio da multidão e tenho que afastar meu olhar.

Quando estamos lá fora na rua, digo com um soluço:

— Eu esqueci meu casaco.

— Fique aqui, eu vou buscá-lo. — Ele abre caminho entre a multidão, e fico sozinha com o porteiro que está fumando um cigarro.

Ele me olha.

— Droga. Você entrou numa briga de garotas?

Toco meu rosto, e o sinto quente e pulsando na minha mão.

— Mais ou menos. Mas está acabado agora.

Capítulo 60

KAT

Giro a dose de uísque no meu copo, e o cubo de gelo tilinta contra o vidro e lentamente, lentamente se dilui do âmbar para o mel. Tomo um pequeno gole, e ele queima minha garganta, do jeito que só um uísque de primeira consegue fazer.

O DJ passa de um rap popular para uma ágil e antiga melodia de jazz. Ele está misturando diversos tipos de música desde que cheguei aqui, há uns 20 minutos. É estranho, mas funciona. Os garotos, que estão se remoendo na pista de dança, passam para um passo mais alegre e se balançam transformando a velha canção em algo sexy e atual. Mexo minha cabeça acompanhando batida da canção, sorrio e tomo outro gole.

Tenho de admitir. A festa de ano-novo é tão épica qu Rennie prometeu que seria. O que significa muito, poi queimei várias vezes com a animação de Rennie. U quando tínhamos oito anos, ela fez um estardalhaço me convidando para passar o final de semana na "casa de verão da sua avó na beira do rio". Acontece que o lugar era uma comunidade de aposentados à beira de um riacho lamacento. Nós duas pegamos uma micose quando erguemos a cabeça, tapamos os narizes, e entramos no lamaçal até a altura do joelho por causa de uma aposta.

Eu me lembrei daquele final de semana enquanto me aprontava para esta noite. Foi bom focar em algo agradável daquele tempo, e não odiar Rennie com todo meu ser. Não estou perdoando Rennie por tudo o que ela me fez passar. Não posso apagar tudo de uma vez, nem que quisesse, mas eu decididamente prefiro uma cicatriz a uma ferida que sangra.

Toco minha cabeça para assegurar que meu cabelo ainda está no lugar. Demorei muito para fazer essas ondinhas. Eu tive de lavar o cabelo na pia duas vezes e começar o trabalho todo novamente. O tempo todo fiquei pensando... será que uma festa de escola pode ser realmente tão boa assim? Eu não tinha ideia. Assim como Mary, eu nunca estivera numa antes.

Eu ouvira falar das festas infames de Rennie há anos. Eu revirava os olhos enquanto as pessoas contavam histórias das festanças podres dela, das bebidas roubadas e das peripécias que não poderiam estar dentro da lei. Mas hoje eu tenho de concordar, essa festa é verdadeira e completamente Rennie Holtz. Tigelas de cristal para o ponche. Canecas *vintage*, guardanapos de linho. O DJ, os porteiros, todo mundo de fantasia. Nada de fantasia barata, iguais as que as pessoas usam no Halloween. Todos os convidados realmente se esforçaram para estar à altura da festa de hoje à noite. Se eu não tivesse feito essas ondinhas no meu cabelo, certamente ficaria com cara de idiota.

É uma loucura impressionante, especialmente porque Rennie não tem dinheiro suficiente para bancar uma festa dessas. Ela deve ter tido muito trabalho para fazer uma coisa tão luxuosa com tão pouco dinheiro.

Rennie deveria fazer isso como meio de vida. Organizar festas. Não estou brincando, vou dizer isso a ela quando encontrá-la.

Por mais loucura que seja para eu admitir, estou realmente feliz por estar aqui.

A tarde toda eu me preparei para enfrentar olhares mal encarados e pessoas sussurrando coisas como "O que essa tranqueira está fazendo aqui?". Todo mundo sabe que Rennie e eu éramos amigas. E embora eu esteja vestida de acordo — meu cabelo, meu vestido preto, as meias de renda e a cigarreira de prata —, eles sabem que aqui não é meu lugar. Não mesmo.

Mas a verdade é que eu não precisaria ter me preocupado com isso, porque todo mundo foi... educado comigo. Eles disseram "E aí, Kat!", "Feliz ano-novo!, "Oi, DeBrassio". Algumas garotas até me abraçaram. Há pessoas com quem eu não falava havia muito tempo. Pessoas que eu ignorei e deixei de lado há quatro anos. Parece que tudo se dissolveu esta noite.

Do nada.

Tomo outro gole do meu uísque enquanto avanço pela multidão em direção à frente da galeria. A grande vitrine de janela está embaçada pela condensação do ar, e eu passo a mão para enxergar lá fora. Onde está Mary? Ela já deveria estar aqui a esta hora. Tem uma fila de pessoas tentando entrar. Garotos enfiando a mão nos seus blazers, e garotas tremendo de frio nos seus vestidos delicados. Eu me pego sorrindo. Provavelmente eles não sabem a senha. Sinto algo tocar meu braço. Uma pena.

Olho para trás e vejo Ashlin.

— Olá — diz ela com a voz arrastada, enquanto toma mais um gole de sua taça de champanhe. O vestido de Ash é curto, e totalmente coberto por lantejoulas opacas. É uma roupa apertada e seus seios enormes parecem que vão explodir por cima. Ela tem uma pinta preta desenhada na bochecha esquerda, e suas pálpebras estão brilhantes com o glitter.

— Oi — digo, e recoloco a alça do meu vestido no ombro.

Ela me faz cócegas de novo com sua pena. Deve ter caído da sua bolsa. Sua bolsa mais parece um pintinho cor-de-rosa, pequeno e coberto de penas.

— Hum, só por curiosidade, Rennie sabe que você está aqui?

Eu a olho de cima a baixo. Essa vadia miserável. Será que ela é realmente tão idiota assim? Será que ela acha que eu apareceria aqui sem ter sido especialmente convidada?

Mas eu não vi Rennie hoje à noite. Pelo menos ainda não. Sinto um nó no estômago e imagino se isso é alguma armação que vai acabar estourando na minha cara. Aquela surpresa da meia-noite que ela queria que eu visse.

De repente, vejo Reeve e Lillia saírem pela porta da frente.

O quê?

Então vejo Rennie, correndo atrás deles. Ela está quieta, não está dizendo nada, mas percebo que ela está chateada. Reeve e Lillia vão embora, e Rennie fica parada no meio da pista de dança. Ninguém presta atenção nela. A não ser Ashlin e eu.

Rennie magicamente se volta para nós e vem em nossa direção, parecendo instável nos seus saltos altos. À medida que ela se aproxima, seu queixo começa a tremer, e sei que ela começará a chorar. Dou um passo para o lado para lhe dar espaço para aproximar-se de Ashlin.

— Ren! — diz Ashlin alegremente, porque ela é uma idiota. — Vamos dançar!

Rennie passa em frente a Ashlin e praticamente cai nos meus braços. Olho de relance para trás, tentando ver pela janela onde Reeve e Lil foram, mas está tudo embaçado.

Ashlin está ao nosso lado, cambaleando, meio embriagada e parecendo confusa. Então vejo que as outras pessoas no salão estão começando a prestar atenção em nós. A prestar atenção em Ren.

— Kat. Lillia fez aquilo. Foi Lillia que o drogou. — Ela mal consegue pronunciar as palavras. Está me agarrando com força com a ponta dos dedos e está tremendo.

Eu a levo para o banheiro.

— Vamos.

No caminho passamos por Alex. Sorrio educadamente, mas Rennie o vê e diz:

— Sua garota é uma vagabunda traíra!

E Alex parece desnorteado.

No banheiro, eu tranco a porta. Despejo o que sobrou da minha bebida na pia, encho o copo com água da torneira e dou para ela.

— Agora, me diga, que diabos está acontecendo?

Rennie toma alguns goles pequenos de água, mas quase engasga com as próprias lágrimas.

— Ela sabia. Ela sabia que eu amava Reeve. Ela o roubou de mim. Aquela vagabunda o roubou de mim. Como isso pode ser justo?

Engulo a vontade de contar a Rennie sobre o nosso plano, de confessar a ela que Lil não quer nada com o Reeve. Isso facilitaria tudo imediatamente. Mas não digo nada, porque... será que Lillia enlouqueceu?

Pensei que estivesse tudo acabado após o fora que Lillia deu em Reeve no dia da festa da mãe dele. Será que ela descobriu algum jeito novo, e melhor, para machucar Reeve? Talvez ela ainda não tenha tido chance de nos contar.

— Acalme-se, acalme-se — insisto. — Do que você estava falando lá fora? Alguma coisa sobre... drogas?

Ela ergue os olhos do chão do banheiro. A maquiagem dos seus olhos se transformou em manchas pretas. Ela abre o armário debaixo da pia do banheiro, e tira um monte de fotos. E lá estão as fotos do baile. Duas garotas de braços dados sorrindo. Demoro alguns minutos para notar o que está acontecendo ao fundo.

É Lillia, derrubando o *E* líquido na bebida de Reeve, enquanto ele olha para outro lado.

Apoio-me no suporte de toalhas para não cair.

— Eu contei isso para Reeve, e ele nem ligou. Ele quer ficar com ela. Eles praticamente saíram correndo de mãos dadas.

Minha cabeça está girando, e está muito calor aqui dentro.

— Ren, não sei o que isso prova — digo, mas na verdade sei que isso prova tudo.

Ela solta uma risada amarga.

— Olha bem de perto. Ela está com uma ampola na mão. Deve ser o ecstasy líquido. Só existe um lugar para se conseguir esse tipo de droga. É aquele merda e vagabundo do Kevin. Ele vende isso para os caras do restaurante. Aposto que se eu perguntar a ele, ele vai se lembrar de ter vendido isso a uma garota asiática.

Só que Kevin não vendeu isso a Lillia. Ele o vendeu a mim.

Ah, merda.

Verifico meu telefone para ver se tem alguma mensagem de Lillia. Será que ela não percebe que está tudo prestes a explodir na nossa cara?

Ouço uma batida na porta do banheiro.

— Droga, tem gente aqui — grito.

— Kat? — É Alex.

— Humm. Lillia está aí com vocês? Você a viu indo embora?

Rennie joga a cabeça para trás e explode.

— Alex, Lillia não se importa nem um pouco com você. Vê se isso entra na sua cabeça dura, seu idiota! Ela está com *Reeve*. Você é apenas o cachorrinho dela!

Rennie abre a boca para gritar com ele novamente, mas eu a cubro com minha mão, e abro um pouquinho a porta. Alex está parado ali fora com a boca aberta. Digo a ele:

— Desculpe, você pode nos dar um minuto? — E fecho a porta novamente.

Rennie passa a mão por debaixo dos olhos.

— Lillia está acabada. Se Reeve não se importa com o que ela fez, os outros vão se importar. Eles vão odiá-la tanto quanto eu. Onde está Nadia? Você a viu por aí?

Ah, droga, tenho de dar um jeito de abafar isso.

— Vamos sair daqui — digo. — Se nos apressarmos, podemos alcançá-los. — Espero que Rennie vá argumentar comigo, mas ela não faz nada. E isso me faz ficar com pena dela. Ela estende a mão, e eu a levanto como se fosse uma boneca de trapo. — Onde está sua bolsa?

— Eu não trouxe bolsa.

Merda. Eu não vim de carro. Pat me trouxe. Mas não quero perder tempo pedindo para ele vir nos buscar.

— Você veio de carro?

Rennie acena que sim.

— Meu jipe está estacionado bem atrás. As chaves estão na ignição.

Abro a porta do banheiro, e dou uma espiada para fora. Felizmente, já é quase meia-noite e as pessoas começaram a se movimentar para entrar na sala principal da galeria. Ash está distribuindo aquelas bugigangas que fazem barulho nas festas.

Alex está parado no meio do salão, mas seus olhos ficam se movendo entre a porta da frente e seu celular.

Seguro Rennie pela mão, e corro para a porta dos fundos. Vamos para fora, e o frio está intenso. Eu a impeço de sentar no banco do motorista.

— Você está muito perturbada — digo a ela. — Eu dirijo.

O ar frio parece estar fazendo bem a ela. Seus olhos estão escuros de raiva, e seus punhos estão se fechando e se abrindo.

Dou partida no carro e ligo o aquecedor no máximo, embora o ar saia frio no começo. O barulho não deixa nenhuma de nós conversar. Saio do estacionamento e, quando passo em frente à festa, procuro mais uma vez por Mary. Onde diabos está ela?

Rennie diz:

— Onde você acha que eles foram?

— Não sei — respondo honestamente. — Vamos passar na minha casa e repensar. Vamos descobrir o que fazer.

Rennie fica olhando para fora da janela, seus olhos são como dois feixes de raio laser.

— Quando eu encontrá-los, eles estarão acabados.

Cada carro que passa, ela olha para ver quem está dentro.

Para ser honesta, me sinto mal por ela. Não poder aproveitar sua própria festa depois de ter trabalhado tanto. Nem mesmo sei no que acreditar agora. Mas não consigo deixar de ficar brava com Lillia.

Espero que isso seja um grande mal-entendido. Não consigo nem pensar numa alternativa caso Rennie tenha entendido isso bem. Se Reeve e Lillia estiverem realmente envolvidos um com o outro, eu mesma mato Lillia. Porque fazer isso com Mary seria a coisa mais fodida do mundo.

Chegamos à minha casa. Rennie e eu saímos do jipe. Ela bate a porta com força, fazendo muito barulho. Ela ainda está furiosa. Realmente, realmente furiosa.

— Me dê as chaves — pede Rennie. — Vou até o penhasco. Vou procurar nas dunas.

Tenho uma sensação terrível de que algo ruim vai acontecer.

Aperto minha mão com força em volta das chaves. O chaveiro está cheio de pingentes, e essa droga machuca minha mão.

— Tem certeza de que está bem para dirigir? Você está muito perturbada. E andou bebendo.

— Estou bem — diz e pega a chave da minha mão. Ao fazer isso ela ergue os olhos e me dá um meio sorriso. Tenho a sensação de que ela está feliz por eu não condená-la, ou tentar fazê-la ficar aqui, para poder tomar conta dela. Nós nunca tivemos esse tipo de amizade, afinal de contas, e parece estranho começar isso agora.

Entro no meu carro enquanto Rennie arranca com seu jipe pela rua.

Mas não vou para as dunas, como ela quer. Volto para a festa. Tenho de pegar aquelas fotos, antes que outra pessoa as encontre.

Espero que Lillia saiba o que está fazendo. Porque se não souber, estamos todas ferradas.

Capítulo 61

MARY

Não sei como consigo me levantar do chão e ir para a festa de Rennie. Estou num emaranhado de fumaça. Parece que estou flutuando fora do meu corpo, me observando descer as ruas. A neve está caindo em flocos pequenos e delicados, cobrindo o chão, as árvores e a grama morta. Eu nem sequer sinto frio. Tento engolir, mas minha garganta está fechada. O que aconteceu com meu pai? Por que minha mãe não me levou com ela?

Meus poderes não conseguiram impedir que eles me deixassem para trás.

Quando chego a T-Town, começo a correr o trajeto todo até chegar à galeria. Preciso encontrar Lillia e Kat. Elas me ajudarão a encontrar minha mãe e tia Bette.

Eu chego à porta da galeria e fico frente a frente com um porteiro, usando terno risca de giz e um chapéu preto puxado sobre os olhos. Penso em tentar passar por trás dele, mas ele é tão grande que ocupa a entrada toda, como se fosse uma parede humana. Vindo de trás dele, escuto risadas, música e diversão, e isso faz meu peito doer, porque estou tão distante disso tudo agora. Duvido que algum dia rirei novamente.

— Preciso encontrar minhas amigas — digo, desesperada. — Elas estão lá dentro.

Ele não diz nada, nem mesmo levanta o rosto para que eu possa olhar nos seus olhos.

Droga. A senha idiota. Qual era mesmo? Eu tinha escrito e deixei na minha bolsa. Vasculho minha mente, mas não consigo pensar em nada. Está tudo uma confusão.

— Por favor, senhor, por favor. Isso é uma emergência.

Mais uma vez, o porteiro não diz nada. Imagino quantos garotos ele não barrou esta noite. Pessoas que Rennie não considera importantes. Puxo meu cabelo com força, mas ele não dói. Concentro toda minha energia em tentar me lembrar.

— Eu sei que tem uma senha para entrar, minha amiga me disse. Eu... até mesmo conheço a senha especial para que eu não precise pagar. A própria Rennie nos convidou. Mas eu... eu... minha amiga Kat com certeza está lá dentro. Ela tem o cabelo curto e castanho.

O porteiro arqueia suas costas, estica o corpo longamente e tira uma garrafa de dentro do bolso do casaco.

Penso em mandar chamar Rennie, mas ela provavelmente não me deixará entrar. Não depois do modo como eu agi quando tia Bette foi à galeria pegar suas pinturas de volta. Eu nem mesmo posso pagar para entrar, porque não tenho nenhum centavo comigo.

Finalmente me lembro.

— Luar! Luar! Luar! — grito o mais alto possível, mas o porteiro não me ouve. É como se eu não estivesse parada ali na frente dele. Meus lábios tremem e as lágrimas surgem em meus olhos. O que está acontecendo? — Por favor — suplico. — Por favor, me deixe entrar. — Mas não adianta nada.

Eu vou cambaleando para trás e tento enxergar o que acontece lá dentro, através do vidro esfumaçado da vitrine da frente. Não vejo Kat, nem Lillia. Não consigo reconhecer nenhuma delas no meio da multidão. Eu sei que elas estão ali. Posso sentir. Eu me sento na sarjeta e toco meu coração, porque parece que ele está pulsando forte no meu peito, mas não sinto nada.

Então, subitamente olho de novo para a porta da frente da galeria e vejo Lillia parada. Ela está tremendo de frio num vestido delicado e meias finas. Será que está procurando por mim? Ela deve ter sentido que eu precisava dela.

Dou um passo em sua direção, mas então Reeve aparece e a envolve com um casaco. Eles correm juntos pela rua, então Reeve a levanta e a coloca dentro de sua caminhonete. Parece que estão com pressa.

Ele a beija nos lábios antes de partir. Um beijo quente, lento e terno.

Ah, não. Ah, não.

Eu me viro. Sinto tudo girar à minha volta. Caio ao chão. Não compreendo. Como ela pode fazer isso comigo?

Ainda estou sentada na sarjeta, quando do fundo da galeria vejo o jipe branco de Rennie sair voando em outra direção. Kat está atrás do volante.

Ergo uma mão trêmula e coloco meu cabelo para trás da orelha. Não sei para onde ir, não tenho ideia do que está acontecendo. Meu mundo está desmoronando.

Talvez consiga alcançar tia Bette e minha mãe antes que elas embarquem na balsa. Tenho de convencê-las a me levar junto com elas, porque, definitivamente, não posso mais ficar aqui.

Então corro. Corro o mais rápido que posso, meus sapatos deslizando nas ruas escorregadias.

— Esperem por mim! Esperem por mim! — grito, até minha garganta doer. Sei que elas não vão me escutar, porque estou muito distante, mas preciso fazer alguma coisa.

Chego até a área das balsas, normalmente está tudo iluminado, mas hoje a área está mergulhada na escuridão. Procuro no estacionamento, porém está vazio. Uma corrente grossa de metal cerca a entrada. Todas as luzes brancas que cercam a lateral das plataformas estão apagadas. A balsa parou de funcionar. Minha mãe e tia Bette devem ter partido na última balsa.

Elas partiram.

Caio de joelhos no chão, e solto um gemido que faz as árvores tremerem. Estou acabada. Não sobrou nada dentro de mim. Não posso mais fazer isso. Não posso continuar assim. Eu me levanto e me encaminho para a colina. Sei o que preciso fazer. Eu deveria ter feito isso há muito tempo. E dessa vez não haverá ninguém para me impedir.

Um jipe branco para ao meu lado. É Rennie. Percebo que ela está chorando, e sua maquiagem escorrida deixa marcas pretas em volta dos seus olhos.

— Você está bem?

Vou mancando até o jipe. Vejo a mim mesma refletida no vidro. Não estou usando o vestido de festa, mas sim uma calça jeans ainda úmida e uma camiseta branca molhada, suja de areia e terra, grudada nas minhas dobras de gordura. Olho para baixo, lá estão meus tênis velho, ensopados de água.

Tento responder a Rennie, mas não consigo. Estou me afogando nas lágrimas. Ela diz para eu entrar. Não me mexo. Ela abre a porta para mim, e eu finalmente entro.

— Onde você mora? Onde estão seus pais?

Tento responder, pronunciar algumas palavras, mas nenhuma palavra sai da minha boca. Parece que estou engasgada. Como se houvesse algo em volta do meu pescoço, pressionando-o com força. Sinto meus olhos saltarem das órbitas. Meus pulmões queimam com a falta de oxigênio.

Rennie está assustada. Posso perceber que ela está assustada.

— Respire. Vai dar tudo certo. Apenas respire.

•••

Respire! Respire.

Quero respirar. Eu quero respirar bem fundo e sentir o ar fresco, mas a única coisa que sinto é a corda me apertando o pescoço. Estou tonta pela falta de ar. Por isso, e pelo modo como estou balançando para a frente e para trás, pendurada numa das vigas do meu quarto, antes de ela a cortá-la.

— Minha linda criança! — diz minha mãe entre soluços. Ela se inclina para a frente e beija meu rosto. O rosto dela está molhado de lágrimas.

— Por quê? Por que você fez isso consigo mesma?

Eu me viro para Rennie e consigo enfim balbuciar alguma coisa. Numa voz tensa, sussurro:

— Reeve.

Rennie arregala os olhos.

— Reeve fez isso comigo. Isso é culpa dele.

Percebo suas mãos se apertarem ao redor do volante. Ela mal consegue olhar para mim, está assustada demais.

— Eu… eu vou levar você para o hospital.

— *Aguente firme, meu bem!* — Mamãe está gritando até não poder mais. — A ambulância já está chegando! Aguente firme. Eu estou ao seu lado.

Eu tento, mas é difícil. Sinto que estou desaparecendo. Não quero morrer. Eu não quero morrer. Mas é exatamente isso que está acontecendo.

Então, numa última tentativa, saio do meu corpo e subo até o teto. Posso ver minha mãe me amparando quando a ambulância chega. Eles tentam me pegar, mas minha mãe não permite. Ela sabe. Ela já sabe o que aparentemente ainda não sei.

Estou morta.

— O que você está fazendo! — grita Rennie. Ela está apavorada. Está se afastando para longe de mim. Ela não está olhando para a estrada, nem para as curvas.

Eu me sinto aquecer, um fogo. Mais quente que qualquer uma das outras vezes. Fecho meus olhos, e todo o resto fica branco, como o centro do sol. Mal escuto Rennie, porque isso é o fim de tudo. Minha chance de finalmente dar um salto. É um alívio poder fazer isso. Finalmente me libertar.

Capítulo 62

LILLIA

REEVE E EU ESTAMOS EM SILÊNCIO NO CARRO, DIRIGINDO SEM RUMO, com exceção de algumas vezes quando um de nós diz Ah *meu Deus*, porque tudo isso é uma loucura.

Não pergunto para onde estamos indo, simplesmente deixo que ele dirija. Acabamos estacionando num bosque. É bem escuro e silencioso aqui. Reeve para o carro e desliga as luzes do farol, mas deixa o motor do carro ligado, para o aquecedor continuar funcionando.

Não que isso importe. Pela primeira vez, não sinto nem frio. É como se nós estivéssemos em nosso próprio e verdadeiro globo de neve.

Ele solta seu cinto de segurança, e eu também solto o meu. Em um segundo estamos nos braços um do outro. Pressiono meus lábios contra os dele, e seus braços estão me envolvendo, me apertando com força. Sinto uma onda de ansiedade por tudo aquilo que venho tentando com dificuldade conter. Posso perceber que ele sente a mesma coisa.

Não consigo beijá-lo o bastante. Não consigo tocá-lo com as minhas mãos o suficiente para me acalmar.

Arranco seu casaco, e depois me livro do meu. Reeve me levanta do assento, e me coloca em seu colo, minhas costas pressionadas contra o volante. A buzina fica tocando, mas nenhum de nós se importa.

Ele afasta seu rosto do meu e diz, em pânico.

— Depois que eu saí da sua casa naquele dia, fui para o meu quarto e fiquei deitado na cama ouvindo umas músicas deprimentes.

Continuei a beijar seu rosto, seus olhos e suas bochechas.

— Quais?

Ele revira os olhos.

— Aquelas... hum... droga. — Ele ri nervosamente. — Radiohead... Beck. Não lembro agora.

Eu dou vários beijos em seu pescoço, e vou subindo até a orelha. Reeve estremece.

— Se eu soubesse que você tinha ido, eu teria corrido lá para baixo. Teria lhe apresentado a toda minha família. — De repente, ele me afasta para poder olhar diretamente nos meus olhos. — Quero que você saiba que eu não convidei Rennie. Ela foi por conta própria.

Apoio minha cabeça no peito dele e me agarro a ele. Não quero, não quero fazer nada que estrague este momento. Mas eu tenho de lhe dizer a verdade.

— Aquelas coisas que ela estava dizendo sobre a festa...

Ele ergue meu rosto, para ficar de frente a ele.

— Esqueça isso — diz ele.

— Reeve, por favor. Preciso lhe contar. Eu…

— Não. Não precisa… não. Não me fale nada. Eu não preciso saber o que aconteceu antes, eu só preciso saber que você está comigo agora.

— Sim… — Hesito e digo apenas: — Sou sua.

Um sorriso se espalha por seu rosto, e sua boca sobe pelo meu pescoço e cobre meus lábios. Estamos nos beijando novamente. Seus lábios são urgentes, como se tivéssemos apenas esta noite. E eu nem me lembro mais o que eu queria dizer, de tão bom que é.

Nós nos beijamos várias e várias vezes novamente. Dessa vez não há ninguém por perto para nos impedir.

Capítulo 63

KAT

É FÁCIL PEGAR AS FOTOS. EU ME ESGUEIRO PARA DENTRO DA GALERIA, AS retiro do armário da pia do banheiro e saio. Então vou procurar meu irmão.

Pat e todos os seus amigos estão acampando. Eu sei mais ou menos em que lugar eles estão. Uma clareira na floresta, perto da ribanceira que ele descobriu numa de suas trilhas de moto. Eu estaciono o mais perto que posso, na lateral da estrada, e vou diretamente para a floresta no meu vestido de festa e com meu sapato de salto. As árvores são tão densas que a neve mal chega ao chão.

Eu os encontro. Eles estão com uma fogueira acesa e todo mundo está bêbado e festejando, e está frio demais.

— Kat — diz Pat, levantando-se do tronco onde estava sentado. — O que aconteceu?

Eu caminho até a fogueira, e jogo a pilha de fotos de Rennie nas chamas.

— Alguém me dá um uísque.

Ricky me passa sua garrafinha, e eu bebo o que sobrou num único gole.

Sento em silêncio por um instante, enquanto todo mundo festeja. De minuto em minuto mando uma mensagem para Rennie do tipo *Onde você está?* e *Me diz onde você está?* e *Rennie, que merda é essa?*.

Então, acima do estalar dos troncos de madeira queimando na fogueira, da conversa alta e da música do Led Zeppelin, escuto uma sirene de caminhão de bombeiros ou de uma ambulância. Não dá para saber. Mas o som me causa um arrepio na espinha. Olho de relance para o celular, Rennie ainda não respondeu nenhuma das minhas mensagens, nenhuma delas.

Estou com uma sensação esquisita. Com uma sensação ruim.

— Todo mundo cala a boca um segundo!

Pat ri de mim. Ele está sentado do outro lado da fogueira, em seu saco de dormir, assando num espeto uma salsicha de aparência horrível.

— Você escutou o Pé Grande aí fora?

O restante do grupo ou dá risada da piada babaca ou continua a conversar.

Eu me afasto deles e me forço a escutar. Agora parece que são duas sirenes. Talvez até três.

Corro até o rádio que alguém trouxe e o desligo no meio de uma canção maravilhosa do Led Zeppelin, com um solo de guitarra. Alguém resmunga.

— Não estou brincando! Calem a boca.

Acho que alguma coisa na minha voz diz para eles me levaram a sério. Eles ficam quietos. Então nós todos escutamos. Como se todos os bombeiros da Ilha Jar estivessem a caminho de alguma coisa muito ruim.

— Ricky!

Estou correndo em direção à moto dele ao mesmo tempo que coloco o capacete, o mais rápido que posso. Ninguém entende o que está acontecendo, mas, graças a Deus, Ricky não hesita nem por um segundo. Ele liga o motor, e nós arrancamos dali espalhando um punhado de agulhas mortas dos pinheiros e flocos de neve.

Nós vamos em direção ao som. Não é longe. Mas não temos permissão para nos aproximar. Um dos caminhões de bombeiro bloqueou a estrada. Desço da moto e corro para o lado da estrada, onde um bombeiro está colocando uma fita amarela para impedir a passagem. Um penhasco íngreme, a algumas centenas de metros de distância, parece reluzir. Meus olhos acompanham a luz das suas beiradas entrecortadas até a superfície da água, onde uma bola laranja brilhante queima. Parece… parece que a água está pegando fogo.

— O que aconteceu?

Ele me olha como se eu fosse uma caipira ridícula querendo saber os detalhes macabros.

— Foi um acidente. — Então ele me dá as costas.

Eu agarro o braço dele.

— O quê? Quem estava lá? Era um jipe branco?

Assim que eu digo as palavras jipe branco, ele dá meia-volta e seu rosto está completamente diferente.

Eu caio de joelhos, e solto um urro como o de um animal selvagem.

Capítulo 64

LILLIA

ACORDO QUANDO O DIA ESTÁ COMEÇANDO A CLAREAR NO BOSQUE. ESTOU recostada no peito de Reeve, e seus braços estão à minha volta. O relógio no painel marca sete e sete. Ah, Deus.

Tento me sentar, Reeve se mexe, mas não acorda. Ele me segura com força, e por um segundo eu me deixo ficar. Meus pais vão me matar.

Será que valeu a pena? Olho para Reeve, seus olhos estão fechados, seus cílios são longos e seu cabelo está todo desarrumado na parte de trás. Parece um garotinho. Sim, valeu pena. Agora sei que *não* posso mais viver sem ele. Vai ser difícil, mas vou ter de explicar a Kat e a Mary que eu não planejei nada disso, mas aconteceu. Elas terão de entender, simplesmente terão de entender.

Eu me sento e gentilmente sacudo os ombros dele.

— Acorda, Reeve.

Ele abre os olhos e sorri. Então seus olhos se arregalam.

— Merda!

— Meus pais vão me matar, eu deveria estar em casa às duas horas da manhã. — Eu deslizo por cima dele e começo a procurar minha bolsa. Eu a encontro perto dos meus sapatos. Verifico meu telefone, 18 chamadas perdidas, todas de casa. — Ah, não.

Reeve dá a partida no motor, faz o retorno para sair da floresta e segue rapidamente em direção à estrada principal.

— Eu a deixo em casa em seis minutos. Vamos explicar que caímos no sono. Vai ficar tudo bem.

— Você não vai explicar nada — digo a ele. — Vou conversar com eles sozinha. — Verifico meu cabelo no espelho. Uma bagunça. Passo os dedos pelos fios desarrumados para tentar desembaraçá-los. Estou começando a me sentir um pouco enjoada, não somente pelos meus pais. Todas as vezes em que penso em Mary, sinto uma dor aqui dentro. E o modo como deixei as coisas com Rennie... Está tudo uma grande confusão.

Reeve se aproxima e segura a minha mão. Ele entrelaça seus dedos nos meus e diz:

— Ren vai superar tudo isso com o tempo. Vou conversar com ela. Ela não pode ficar com raiva para sempre.

Eu solto uma risada.

— Você conhece bem Rennie? É claro que ela pode.

— Não comigo, nós nos conhecemos há muito tempo — diz ele, confiante.

— Tudo bem, ela vai perdoar você e me odiar para sempre. — Assim que digo isso, sei que é exatamente assim que as coisas acontecerão. Reeve é apenas um cara, ele não é seu melhor amigo. Ele não a traiu como eu fiz.

— Não vou deixar ela odiar você, Cho — diz Reeve, e eu começo a sorrir, mas então paro.

— E Mary? Ela vai ficar muito chateada — murmuro.

Reeve pergunta

— Quem é Mary?

— Ela é minha amiga — respondo. Estamos entrando no meu bairro agora. Mais tarde, se meus pais algum dia me deixarem sair de casa novamente, contarei tudo a ele. O pacto de vingança com Mary e Kat, o ecstasy no baile, o plano de fazê-lo apaixonar-se por mim, tudo. Eu sei que ele não quer escutar isso, mas é o único modo. E quando ele compreender o quanto magoou Mary, ele falará com ela e se desculpará. Ele vai querer acertar as coisas.

Quando chegamos à minha casa, eu vejo um carro de polícia na nossa porta. Ah meu Deus. Meus pais fizeram um boletim de ocorrência para me procurar.

Mal podendo respirar, Reeve diz:

— Ô-ô. — Ele estaciona na entrada. Preocupado, pergunta: — Tem certeza de que não quer que eu entre com você? Pode colocar a culpa toda em mim.

Eu já estou abrindo a porta do carro.

— Vá embora, só isso. Eu ligo para você mais tarde.

Salto da caminhonete e corro até a porta da frente. Não olho para trás, mas escuto o carro partir.

Sem fôlego, entro correndo em casa. Meu pai está andando de um lado para o outro da lareira, e minha mãe está sentada no sofá com Nadia em seus braços.

Um policial está sentado no sofá.

— Desculpem — começo. — Eu caí no sono...

Eu paro de falar porque minha mãe solta um soluço sufocado, e meu pai está com uma expressão estranha no rosto.

Ele corre até mim e me dá um abraço apertado. Com a voz rouca ele diz:

— Graças a Deus, você está bem. Nós pensamos... — Ele mal consegue terminar a sentença.

— O que está acontecendo? — pergunto. Então olho por sobre o ombro dele, para onde minha mãe e Nadia estão. Ambas estão chorando, e minha mãe está alisando a cabeça de Nadia e fazendo um carinho em suas costas.

— Lillia — ela consegue pronunciar, e estende os braços para mim.

Estou apavorada. Nunca me senti tão assustada.

— Papai? — Eu me afasto do abraço do meu pai e olho para ele. — É a vovó?

Meu pai fecha a porta da frente e tenta me levar para perto do sofá.

— Primeiro, sente-se, querida.

Estou sacudindo a cabeça.

— Não. Me conte agora.

Ele apoia suas mãos nos meus ombros, as rugas em volta dos seus olhos parecem mais fundas na luz da manhã. Ele parece tão cansado.

— É Rennie.

Meu coração dispara. *Não não não não.*

— Ela se envolveu num acidente. E nós não sabíamos se você estava com ela. Ela... ela está morta, Lilli.

Sinto minhas pernas amolecerem. Meu pai corre para levantar, mas não consegue. Não consigo me mover. Isso não está acontecendo. Isso é um sonho. Rennie não pode estar morta. Não é possível.

Capítulo 65

MARY

Acordo de madrugada e me vejo encolhida no chão. Grama verde congelada, terra e um toque de neve. Mas não sinto frio. Não sinto nada. Ergo minha cabeça.

O que aconteceu?

Por que estou aqui?

Mais tarde outras coisas começam a entrar em foco. Lajes de mármore branco, buquês de flores, velas derretidas. Estou no grande cemitério do centro da ilha.

Eu me arrasto para mais perto da lápide na frente de onde estou deitada.

JAMES GLENN DONOVAN. MARIDO E PAI AMADO.

Solto um soluço. Papai.

Aqui diz que ele morreu há um ano. Eu vasculho minha mente tentando me lembrar da última vez que o vi. Tem de ter sido antes de eu ter partido para a Ilha Jar. Mas não consigo me lembrar de nada sobre esse dia. Não consigo ouvir a sua voz, nem vê-lo me colocar na balsa. É como se alguém tivesse apagado todas as minhas lembranças, aniquilado tudo.

Ainda estou tentando conter as lágrimas, quando eu a vejo. Uma lápide bem ao lado da dele. Parece antiga, como se tivesse sido branca no passado, e agora está meio cinza.

ELIZABETH MARY DONOVAN ZANE. DURMA MINHA PEQUENA, DURMA.

Meus braços tocam a lápide. Elizabeth. Digo essas palavras e sei que é o meu nome.

Minha família sempre me chamou de Mary, porque meu nome é uma homenagem à tia Bette, mas na escola eu era chamada de Elizabeth.

Elizabeth Zane.

EZ.

Com a mão trêmula, tento enxergar minha data de nascimento. Treze quando eu...

Eu tropeço nos meus próprios pés e começo a me afastar do túmulo, sem deixar uma única pegada na neve. Eu me viro e saio correndo em direção à minha casa.

A porta está aberta. Corro para dentro e subo as escadas até o meu quarto.

Não há caixas. Nenhuma das roupas que eu guardara. Minha cômoda está coberta por um lençol. Minha cama não tem lençóis. Entro no banheiro. A cortina do chuveiro desapareceu. As toalhas também. Olho na banheira. Está cheia de poeira, embora eu tenha tomado banho um pouco antes de minha mãe chegar.

Eu tenho ido à escola, tenho feito tudo o que uma garota normal faz. Eu tenho amigas. Tenho duas amigas!

Como elas podiam me ver se eu estou morta?

Repasso os acontecimentos na minha cabeça. Todas as pessoas com quem conversei... Kat, Lillia e tia Bette. Praticamente são só essas.

Mas espere! Halloween! Eu conversei com outras pessoas no Halloween. Eu beijei um garoto no Halloween.

Então me lembro do que tia Bette me disse naquela noite. *Na noite de Halloween, a linha entre os vivos e os mortos é muito tênue.*

Ajoelhada, eu me balanço para a frente e para trás. Tia Bette estava tentando me dizer isso o tempo todo. Mas eu não entendi.

E ainda não entendo.

Será que fiquei aqui esse tempo todo? O hospital psiquiátrico, a casa nova, os anos que passei longe daqui? Será que eu inventei tudo isso na minha cabeça? Como minha bicicleta? Minhas roupas?

Será que nada disso é real?

E a pergunta mais importante de todas... se eu estou morta, por que não fui para o céu? Nem para o inferno? Ou simplesmente desapareci? Por que eu não posso sair da Ilha Jar?

Fecho os olhos com força, jogo minha cabeça para trás e solto um grito que parece não ter fim.

Capítulo 66

KAT

Já é hora do jantar e eu estou com o carro estacionado a meio quarteirão de distância da casa de Lillia, fumando sem parar, com as janelas do meu carro fechadas. A neve não parou de cair desde a noite passada, e o meu para-brisa está completamente coberto de branco.

Estou esperando há mais ou menos uma hora Lillia chegar em casa. Não sei onde ela está. Talvez ela esteja no apartamento da mãe de Rennie, consolando-a. Talvez esteja com Ash ou alguma das outras animadoras de torcida, se abraçando e chorando.

Meu coração está ferido. Rennie e eu fomos amigas durante muito tempo. Mesmo com nosso rompimento no começo do Ensino Médio, sei que nossa amizade era mais profunda e duradoura, e eclipsava qualquer coisa que ela vivenciou com outra pessoa.

Eu não posso sequer ir ao apartamento dela. É como se eu não tivesse o direito. É como se ninguém se preocupasse em saber como estou lidando com tudo isso, ou em me dar um ombro para chorar. Ninguém me explicou por que isso aconteceu, qual a causa do acidente e que merda deveríamos fazer agora.

Eu já mandei umas dez mensagens para Lillia, e ela não me respondeu uma vez sequer. Nenhuma droga de vez, quando ela sabe que Rennie era minha melhor amiga também.

Talvez ela ainda esteja com Reeve.

Não sinto que tenho o direito de ir ver como Mary está, até poder conversar com Lil, para ela me explicar que diabos está acontecendo.

Apoio minha cabeça contra o para-brisa, fecho meus olhos, e, assim que eles se fecham, as lágrimas escorrem livremente. Isso é loucura. Isso é insanidade.

Eu não consegui dormir. Nem um pouquinho. Simplesmente solucei e fumei sem parar, desde que vi o jipe dela queimando na ravina.

Olho de relance para o relógio do painel. São cinco da tarde.

Rennie está morta há 15 horas. Fui a última pessoa a vê-la com vida. Eu lhe dei as chaves do carro. Deixei que ela dirigisse.

Eu começo a tremer, tremer e chorar, e minha cabeça está doendo demais. Coloco minha mão no bolso e pego o comprimido de Valium que Pat me deu quando eu não estava conseguindo dormir, assim que chegamos da floresta. Só Deus sabe onde ele conseguiu isso. Eu o engulo com um gole de café frio do posto de gasolina.

Acho que peguei no sono, porque não sei quanto tempo se passou, até ouvir uma batida na janela.

Lillia.

Debruço-me sobre o assento e abro a porta do lado do passageiro. Ela entra. A pele em volta dos seus olhos está vermelha, e seu rosto está pálido.

— Desculpe por não ter respondido suas mensagens — sussurra ela. — Eu estava com a mãe dela. Ela... ela realmente está muito mal.

Eu apenas fico olhando para Lillia, porque não sei o que dizer. Ela começa a chorar. Lágrimas delicadas e silenciosas.

— Eles sabem o que aconteceu? Por que ela bateu?

— Eu não sei. Os policiais não disseram nada ainda.

— Você sabia que ela tinha umas fotos suas colocando ecstasy na bebida de Reeve?

Lillia empalidece.

— Você as viu?

— Sim. Rennie me mostrou depois que você saiu. Eu tive de convencê-la a deixá-las comigo e não mostrar a ninguém mais na festa. Eu voltei, peguei-as e queimei. Mas não sei se elas são as únicas cópias, sabe lá.

Lillia fecha os olhos.

— Eu não sei o que pensar agora.

— Bom, eu acho melhor você começar a pensar nisso, porque, se alguém vir aquelas fotos, nós estaremos ferradas — digo, e sinto meu lábio se curvar. — Que diabos aconteceu entre você e Reeve na noite passada?

Sua boca começa abrir e fechar, mas nenhum som escapa.

— Pelo amor de Deus, Lillia. — Sacudo a cabeça, e abraço o volante com as mãos. — O que você vai dizer a Mary?

— Eu não sei! — grita Lillia, esfregando os olhos. — Eu não consigo pensar direito agora.

Eu continuo.

— Espero que você não ache que vou contar tudo para ela, fazer o trabalho sujo para você. Isso será por sua conta.

— Kat, meu Deus! Será que você não pode... será que você não pode esperar um pouco? Rennie está morta. Minha amiga mais antiga do mundo está morta.

Bato com as mãos no volante, e grito até minha garganta doer.

— Você acha que não sei disso? Você acha que é a única que se importava com ela?

Lillia limpa as lágrimas com a manga do casaco.

— Eu não consigo acreditar que tudo isso está acontecendo. — Ela se vira para mim com os olhos tristes, mas esperançosos. — Isto é, bem que tudo isso podia ser um sonho ruim. Não é?

Capítulo 67

MARY

Estou do lado de fora do carro de Kat, escutando a briga delas. Elas estão brigando para saber quem é que me contará o que eu já sei. Que Lillia e Reeve estão juntos agora. Um casal.

Talvez eles estejam apaixonados.

Mas Kat e Lillia também não fazem ideia de que eu tenho segredos também. Grandes, enormes segredos. É claro, ainda tem muita coisa que eu preciso descobrir. O que eu posso ou não posso fazer. Por que apenas Lillia e Kat podem me ver, quando ninguém mais pode? Isso virá com o tempo, tenho certeza. Como tia Bette disse, eu não sei do que sou capaz.

Mas saberei em breve.

Disso tenho certeza. O que aconteceu na noite passada foi um acidente, mas da próxima vez não será.

Eu já desperdicei muito tempo. Tentando fazer Reeve sentir remorso pelo que fez, tentando fazê-lo sentir-se culpado e desculpar-se, mas agora entendo que isso não faz sentido. Ele nunca poderá me devolver o que tirou de mim. Minha família, meus amigos, meu coração, minha vida. Está tudo acabado. Mesmo que ele caia de joelhos e suplique pelo meu perdão agora, não será o bastante. Nem de longe.

Olho por olho, dente por dente, fogo contra fogo. Uma vida por uma vida.

Foi assim que tudo começou. E é assim que vai terminar.